Éditions Druide
1435, rue Saint-Alexandre, bureau 1040
Montréal (Québec) H3A 2G4

www.editionsdruide.com

OPTIQUES

Collection dirigée par
Anne-Marie Villeneuve

DES MÊMES AUTEURS

Steven Guilbeault

Alerte ! Le Québec à l'heure des changements climatiques,
essai, Boréal, 2009.

François Tanguay

Manifestement vert (coécrit avec Jocelyn Desjardins), essai, Trécarré, 2009.

Petit manuel de l'habitat bio-climatique, essai, Éditions de Mortagne, 1988.

Petit manuel de l'auto-construction, essai, Éditions de Mortagne, 1983.

Savoirs à vendre : Un manifeste sur les énergies et l'éco-société,
essai, Le Biocreux-Biosphère, 1980.

La maison de bois cordé, essai, Éditions de L'Aurore, 1979.

LE PROCHAIN VIRAGE

Catalogage avant publication de Bibliothèque et Archives nationales du Québec et Bibliothèque et Archives Canada

Guilbeault, Steven, 1970-
Le prochain virage : propulser le Québec vers un avenir équitable et durable
(Optiques)
Comprend des références bibliographiques.
1. Développement durable - Québec (Province). 2. Développement économique - Québec (Province). 3. Progrès - Aspect social - Québec (Province). I. Tanguay, François, 1946- . II. Titre.

ISBN 978-2-89711-099-4
I. Titre.
HC117.Q8G84 2014 330.9714'05 C2013-942456-3

Direction littéraire : Anne-Marie Villeneuve
Édition : Luc Roberge et Anne-Marie Villeneuve
Révision linguistique : Annie Pronovost et Marie Desjardins
Assistance à la révision linguistique : Antidote 8
Maquette intérieure : www.annetremblay.com
Mise en pages et versions numériques : Studio C1C4
Conception graphique de la couverture : www.annetremblay.com
Photographie de Steven Guilbeault : Nicolas Longchamps
Photographies de François Tanguay : Richmond Lam
Diffusion : Druide informatique
Relations de presse : RuGicomm

Les Éditions Druide remercient le Conseil des arts du Canada et la SODEC de leur soutien.

Gouvernement du Québec – Programme de crédit d'impôt pour l'édition de livres – Gestion SODEC.

ISBN papier : 978-2-89711-099-4
ISBN EPUB : 978-2-89711-100-7
ISBN PDF : 978-2-89711-101-4

Éditions Druide inc.
1435, rue Saint-Alexandre, bureau 1040
Montréal (Québec) H3A 2G4
Téléphone : 514 484-4998

Dépôt légal : 1er trimestre 2014
Bibliothèque nationale du Québec
Bibliothèque nationale du Canada

Imprimé au Canada

Steven Guilbeault
François Tanguay

LE PROCHAIN VIRAGE

Propulser le Québec
vers un avenir équitable et durable

Druide

TABLE DES MATIÈRES

Pour Rebecca

François

Et pour
Vivianne, Madeleine, Édouard et Morgane.

Que nos luttes, notre travail et nos efforts arrivent à créer ce monde meilleur dont nous sommes de plus en plus nombreux à rêver ;
Renée-Ann, pour son appui et son soutien de longue date ;
Hannah, pour les idées, les débats, et pour m'avoir donné l'inspiration de me lancer dans cette aventure une fois de plus.

Steven

INTRODUCTION

Ce livre, c'est un peu le récit du parcours de deux combattants qui militent dans le but d'offrir un avenir meilleur à leurs enfants et à leurs petits-enfants. Nous y relatons nos moments de frustration comme nos instants de grand bonheur, les hauts, les bas de ce travail acharné s'étalant sur quatre décennies.

Nous nous permettons également de relater certaines des belles rencontres que nous avons faites au cours des années, des personnes qui nous inspirent et que nous admirons pour leur travail et leur engagement.

Ici commence cette odyssée portant sur la question des changements climatiques, vécue dans les corridors des Nations Unies, jalonnée par les grands défis que posent nos choix énergétiques et les conséquences qu'ils entraîneront pour les générations qui nous suivront sur cette petite planète. Il nous a semblé opportun à ce moment de prendre un peu de recul, de tourner notre regard vers les années à venir pour considérer les occasions qui s'offrent à nous. Copenhague fut une sorte de moment-clé, un tournant qui nous a motivés encore plus à nous battre pour des lendemains qui chantent.

FRANÇOIS RACONTE...

« Je participe aux réunions sur le climat pour plusieurs raisons, notamment pour le travail dans les couloirs, pour les centaines d'ateliers auxquels on peut participer, pour la quantité phénoménale d'information de grande qualité qu'on en retire. J'y vais surtout parce que, au bout du compte, la quasi-totalité des personnes présentes cherche à améliorer le monde. Mais il y a des exceptions...

Copenhague, Danemark, 12 décembre 2009

Copenhague, COP 15, la quinzième conférence des Parties à la Convention-Cadre des Nations Unies sur les changements climatiques (CCNUCC). Comme tous les jours, j'assiste à la rencontre stratégique journalière du Réseau Action Climat (RAC) international, un regroupement de plus de 600 organisations non gouvernementales (ONG) du monde entier. Steven en fut, de décembre 2007 à décembre 2012, le coprésident international et il est au centre de ce réseau.

Chaque jour, les représentants des ONG se rencontrent afin de faire le point sur l'état des négociations aux différentes tables sectorielles, pour évaluer, notamment, quelles propositions sont intéressantes et lesquelles le sont moins. La réunion du RAC se tient à 15 heures et elle est devenue, au fil du temps, une source d'information et de réseautage hors du commun pour l'observateur que je suis. Nous sommes « l'autre versant de la montagne ». Sans représenter officiellement un pays, les membres du RAC possèdent un statut d'observateurs auprès du Secrétariat de la CCNUCC : ils travaillent dans les corridors, publient un bulletin quotidien sur l'état des négociations et ont tissé une toile qui rejoint les quatre coins de la planète écologie. D'ailleurs, il n'est pas rare de voir des membres du RAC être recrutés pour se joindre aux équipes de négociateurs de certains pays. (Évidemment, vous pouvez imaginer que ce n'est jamais le cas pour le Canada de Stephen Harper.)

J'assiste donc à la rencontre du 12 décembre lorsque je reçois un communiqué de presse, à première vue provenant du gouvernement canadien, qui annonce un virage à 180 degrés de la part des conservateurs en matière de lutte aux changements climatiques. Tout y est : le Canada décide d'adopter les objectifs de réduction des émissions de gaz à effet de serre recommandés par les scientifiques du Groupe d'experts intergouvernemental sur l'évolution du climat (GIEC) (ce qu'il avait toujours refusé jusque-là), il accepte de contribuer de manière significative au Fonds mondial afin d'aider les pays en voie de développement à faire face aux impacts des changements climatiques, il annonce la mise en place d'une taxe sur le carbone, etc. J'arrive à peine à y croire…

Trente minutes plus tard, un autre communiqué de presse arrive, celui-là soulignant la réaction enthousiaste d'une déléguée ougandaise saluant le changement de cap du Canada, vidéo à l'appui… C'est trop beau pour être vrai. Plusieurs autres Canadiens assistent à la rencontre du RAC et, si j'en juge par leur expression, tout aussi surprise que la mienne, ils ont lu les mêmes courriels.

J'examine le site Internet dont le lien figure dans ces courriels que nous venons de recevoir et il me semble en effet qu'il s'agit bien de celui d'Environnement Canada, jusqu'à ce qu'un détail retienne mon attention : l'adresse du site, ainsi que celle dont proviennent les courriels, est « enviro-canada.ca ». Or l'adresse d'Environnement Canada est plutôt « ec.gc.ca »… C'est alors qu'un journaliste nous transmet un courriel que l'attaché de presse de l'époque de Stephen Harper, Dimitri Soudas, vient de faire parvenir aux journalistes canadiens :

> Dear media,
>
> You may have received a release entitled :
> « CANADA ANNOUNCES REVISED FIGURES FOR EMISSIONS REDUCTIONS, RELIEF FUNDS »

This is not a Government of Canada press release.

We're told it may have been issued by Mr Guilbeault from Équiterre. If that's the case, time would be better used by supporting Canada's efforts to reach an agreement instead of sending out hoax press releases.

More time should be dedicated to playing a constructive role instead of childish pranks.

Dimitri N. Soudas
Associate Director / Press Secretary
Directeur associé / Attaché de presse
Communications
Prime Minister's Office
Cabinet du premier ministre

Je n'ai aucune idée, à ce moment, de la véritable origine de ces faux communiqués de presse et du site Internet, mais je suis certain que Steven n'a rien à voir avec tout ça. Assis à quelques pas de moi, il a suivi, sceptique lui aussi, cet étrange ballet de déclarations. Toutefois, au moment où il reçoit le communiqué que Dimitri Soudas a envoyé aux médias, l'accusant bêtement, il bondit ! Je ne l'ai pratiquement jamais vu se fâcher, ni élever la voix, mais là…

Après un bref conciliabule avec son équipe d'Équiterre, il fonce vers le bureau de la délégation canadienne à l'autre bout du centre des conférences. Plusieurs journalistes s'y trouvent déjà. Steven déclare aux représentants de la délégation canadienne qu'il veut voir M. Soudas, mais on lui rétorque que ce dernier n'est pas libre. Lorsqu'il arrive enfin, une mémorable prise de bec éclate devant une horde de journalistes. Soudas en rajoute et finit par lancer que Steven devrait cesser de critiquer le Canada et de nuire à la crédibilité du pays. Steven répond que Dimitri Soudas a menti, que lui-même n'a rien à voir avec tout cela et qu'il exige des excuses.

Nous apprenons alors que le canular est le fruit de l'organisation américaine appelée The Yes Men. Ce groupe, qui se spécialise dans ce genre de coups montés, a déjà pris dans ses filets des compagnies comme Exxon (la plus importante pétrolière du monde) ainsi que le journal *New York Post*. Dans un communiqué, le lendemain, les Yes Men avoueront être à l'origine du coup monté tout en confirmant que Steven n'avait rien à voir avec cette histoire.

Même devant ces faits, Dimitri Soudas campera sur sa position, jusqu'à en paraître ridicule, et refusera évidemment de s'excuser. Il deviendra rapidement le héros loufoque d'une farce qui fera le tour du monde. Le lendemain Soudas sera rappelé à Ottawa, où il retournera sans grande gloire, ayant perdu toute crédibilité auprès des médias, alors que c'est à lui que Stephen Harper avait confié la tâche de faire en sorte que le Canada fasse bonne figure à Copenhague. Il s'agit certainement de l'un des pires fiascos médiatiques du règne de M. Harper.

Pour mieux comprendre l'attitude de la délégation canadienne à Copenhague, il est intéressant de savoir qu'il y a eu un prélude à cette altercation… »

Caricature d'André-Philippe Côté, *Le Soleil*, 19 décembre 2009.

STEVEN RACONTE...

Copenhague, 10 décembre 2009
« Je suis dans l'un des nombreux corridors du Bella Center, où se déroule la rencontre de l'ONU sur les changements climatiques, lorsque je tombe face à face avec Dimitri Soudas et les diplomates de la délégation canadienne. Par le passé, nous ne nous étions adressé la parole qu'une seule fois, lors de la précédente rencontre de l'ONU ; nous avions eu une conversation plutôt courtoise malgré nos positions respectives sur la question de l'environnement.

Mais ce 10 décembre, après m'avoir salué, Dimitri Soudas me lance : « Comme ça, vous êtes encore prêt à nous critiquer, M. Guilbeault ! » Je suis surpris par ce commentaire : si j'ai parfois été en porte-à-faux avec d'autres gouvernements, j'ai toujours observé de part et d'autre un minimum de civilité et même de respect. De toute évidence, ce n'est plus le cas avec les conservateurs. Je me permets donc de répondre du tac au tac : « Si vous ne faites pas votre travail, vous pouvez être certain que je n'hésiterai pas à vous critiquer », et on se laisse là-dessus. Ce sera l'avant-dernière fois où M. Soudas et moi nous adresserons la parole.

Copenhague, 12 décembre 2009
Comme tous les jours, je participe à la rencontre du Réseau Action Climat. Assis devant mon ordinateur, je surveille distraitement mes courriels lorsque je reçois un communiqué de presse du gouvernement canadien annonçant un changement de cap de sa politique sur les changements climatiques. Jusque-là, le gouvernement a réservé une fin de non-recevoir à toutes les propositions qui auraient permis de faire avancer les négociations, il a refusé de reconnaître l'urgence d'agir ou encore d'aider les pays les plus vulnérables ; et voilà que la position canadienne

devient celle que nous avons toujours souhaitée. C'est vraiment incroyable.

Quelques minutes plus tard, je reçois un autre courriel, d'une représentante de l'Ouganda, cette fois, qui félicite le Canada pour sa nouvelle position. Je fais suivre les messages à plusieurs de mes collègues au Canada, ne comprenant pas trop ce qui se passe. C'est trop beau pour être vrai. Je jette un coup d'œil sur le site Internet qui semble pourtant bien être celui d'Environnement Canada, jusqu'à ce que je me rende compte qu'il s'agit d'un faux site, mais ô combien convaincant. Le travail qu'il a fallu pour mettre au point ce site, les deux faux communiqués de presse, la fausse déclaration de la fausse représentante de l'Ouganda… Je connais peu d'organisations dans le monde qui ont les moyens, les ressources et le savoir-faire pour élaborer quelque chose du genre.

Je suis un peu perdu dans mes réflexions lorsqu'un journaliste me transmet le courriel que vient d'envoyer Dimitri Soudas. J'avertis mes collègues d'Équiterre, Sidney Ribaux et Marie-Ève Roy (respectivement le directeur général et la directrice des communications), pour leur dire que ça suffit et que je m'en vais de ce pas à la délégation canadienne exiger des explications et des excuses de M. Soudas. Tous deux sont mal à l'aise : ils ne m'ont pas souvent vu en colère. Même mon ami François Tanguay, à quelques mètres de nous, semble surpris de me voir dans cet état.

Au bureau de la délégation canadienne, plusieurs journalistes sont sur place ; certains ont eu vent de ce qui s'est passé, mais la plupart attendent la conférence de presse que doit tenir le ministre de l'Environnement de l'époque, Jim Prentice[1]. Bon, ça tombe bien, si M. Prentice doit être là, Dimitri n'est sûrement pas loin.

1. Un an après la conférence de Copenhague, le ministre Prentice annoncera son retrait de la vie politique. Selon plusieurs analystes, c'est son incapacité à faire avancer les dossiers environnementaux au sein de son gouvernement qui l'a incité à partir.

Pourtant, on me dit qu'il n'y est pas, malgré mes demandes répétées pour le voir. Le ministre Prentice semble embarrassé à l'idée de se présenter devant les journalistes après la bourde de M. Soudas. Il décide même de retarder la conférence de presse qu'il devait donner et qui ne portait en rien sur M. Soudas... Pendant ce temps, les journalistes commencent à me poser des questions : « M. Guilbeault, êtes-vous la source du canular ? », « Savez-vous qui en est à l'origine ? », « Pourquoi M. Soudas vous a-t-il accusé ? » Plus les journalistes m'interrogent, plus ma frustration monte, et plus j'ai envie d'en découdre avec Dimitri.

Voilà maintenant près de 20 minutes que nous l'attendons, certains de pied ferme, puisque le bruit commence à courir que l'organisation américaine The Yes Men serait à l'origine de cette histoire. Cette nouvelle devrait me soulager et pourtant, la seule chose que j'ai en tête, c'est de faire face à Dimitri. Je suis scandalisé que le porte-parole du premier ministre du Canada, un pays du G8, puisse lancer ainsi des accusations sans fondement. Non, ça ne se passera pas comme ça.

Finalement, après une trentaine de minutes, il arrive et l'empoignade verbale commence[2] :

MOI : De quel droit, sur la base de quelle preuve pouvez-vous affirmer que je suis la source du canular ? Je n'ai jamais fait ce genre de choses par le passé. Quand j'ai quelque chose à dire, je vous le dis en pleine face !

LUI : On sait bien, vous nous critiquez toujours, mais vous n'êtes jamais content. Vous devriez savoir que le Canada ne représente que 2 % des émissions globales.

MOI : Oui, mais ça le place quand même parmi les dix plus grands émetteurs de gaz à effet de serre au MONDE !

---

2. Il s'agit ici d'une traduction approximative. J'étais certes au courant que Dimitri pouvait parler français, mais je savais également qu'il était plus à l'aise en anglais et je ne voulais pas qu'il puisse se servir de l'excuse de la langue pour se défiler.

LUI : De toute façon, vous m'avez dit que vous êtes venu ici pour nous critiquer. Vous devriez arrêter de nous critiquer et appuyer ce que le Canada est venu faire ici, à Copenhague.

L'espèce de salaud ! C'est pour cette raison qu'il m'avait posé cette question bizarre deux jours auparavant, afin de pouvoir se servir de ma réponse contre moi à la première occasion… Non, mais quel manipulateur ! Je n'avais jamais vu ça de toute ma vie.

C'est alors que les journalistes lui révèlent que les Yes Men ont confirmé être la source du canular et lui demandent s'il va me présenter des excuses. Il répond que non et répète que je devrais cesser de critiquer le Canada.

À partir de ce moment, je ne lui adresserai plus la parole. Alors qu'il tourne les talons pour s'esquiver, je dis aux journalistes : « Ici, vous voyez le porte-parole officiel du premier ministre du Canada s'acharner sur un citoyen, l'accuser sans aucune preuve et, lorsqu'il apprend qu'il a eu tort, se défiler. Est-ce cela que le Canada est devenu ? »

Le lendemain, Dimitri Soudas quittera Copenhague pour rentrer au Canada.

Cette anecdote illustre bien comment les questions d'environnement, et particulièrement celle des changements climatiques, ont pris de plus en plus d'importance au cours des dernières décennies. La rencontre de Copenhague était la deuxième sur les changements climatiques où les chefs d'État se donnaient rendez-vous en moins de six mois. Elle montre aussi à quel point les enjeux de la conférence de Copenhague étaient cruciaux, et pourquoi le Canada, déjà à cette époque, était devenu la cible d'une partie de la communauté internationale tout comme de la société civile. Il faut dire que le gouvernement Harper, outre son inaction à l'échelle domestique, ne faisait rien pour aider sa cause au niveau international ; lors du premier sommet des chefs d'État et de gouvernement des Nations Unies organisé par Ban Ki-moon à New York en septembre 2009, alors que les Barak Obama, Nicolas Sarkozy, Lula da Silva et plusieurs autres discutent de cet enjeu important, Stephen Harper, lui, préfère procéder à l'inauguration d'un Tim Hortons dans le sud de l'Ontario[3].

Ce genre d'attitude de la part de M. Harper finira par coûter cher au Canada, puisqu'il perdra l'année suivante, pour la première fois depuis la fin de la Seconde Guerre mondiale, son siège au Conseil de sécurité des Nations Unies[4]. »

Les enjeux du climat selon le GIEC

Deux ans avant la Conférence de Copenhague en 2009, le GIEC[5] estimait que, pour éviter des changements climatiques catastrophiques, les pays industrialisés devaient réduire leurs émissions de gaz à effet de serre (GES) de 25 à 40 % sous les niveaux de 1990 d'ici 2020. Lorsque l'on sait qu'en 2009, le niveau des émissions canadiennes était de 17 % supérieur à celui de 1990 et celui des États-Unis de 10 % supérieur, l'objectif proposé par la communauté scientifique internationale semble herculéen, surtout pour des pays où la volonté politique d'agir sur ce problème est chancelante. Néanmoins, à Copenhague, malgré tous les signaux alarmants, un certain optimisme s'empare des participants, dont le nombre dépasse 30 000.

---

3. http://www.lapresse.ca/debats/chroniques/vincent-marissal/200909/24/01-904953-de-lester-b-pearson-a-tim-horton.php

4. http://www.radio-canada.ca/nouvelles/International/2010/10/12/007-canada-onu-siege.shtml

5. Prix Nobel de la Paix en 2007, conjointement avec Al Gore, ancien vice-président des États-Unis.

LE GIEC ?

Avant d'aller plus loin, précisons ce qu'est le Groupe d'experts intergouvernemental sur l'évolution du climat (GIEC). Il s'agit d'un groupe de scientifiques conjointement mis en place en 1988 par l'Organisation météorologique mondiale et le Programme des Nations Unies sur l'Environnement (PNUE) afin d'éclairer les décideurs mondiaux sur la question du climat de la planète. Ce groupe profite du travail bénévole de milliers de scientifiques de plus de 120 pays œuvrant au sein de ces trois groupes de travail.

Que fait le GIEC ? Essentiellement, cet organisme publie tous les cinq ou six ans un bilan sur la question du climat, qui reprend les grandes lignes d'une revue de la littérature scientifique mondiale. Pour qu'une étude puisse être considérée par le GIEC, elle doit, dans presque tous les cas, avoir été publiée dans une revue scientifique reconnue, avec comité de lecture, pour ensuite être soumise à son processus de sélection.

Le 27 septembre 2013, le GIEC rendait public le premier des trois chapitres qui constitueront le 5e Rapport d'évaluation (5RÉ) sur l'état du climat. Ce premier chapitre, produit par le Groupe de travail 1, analyse la progression de l'impact de l'activité humaine sur les changements climatiques planétaires. Le Groupe de travail 2 se consacrera aux impacts et à l'adaptation, tandis que le Groupe de travail 3 se penchera sur les aspects socioéconomiques des changements climatiques.

Le chapitre 1 déposé en septembre 2013 a été écrit par quelque 250 scientifiques, avant d'être entériné par les gouvernements de 118 pays ; il est basé sur 9 000 articles scientifiques publiés au cours des dernières années. Plus de 50 000 commentaires ont été soumis et considérés pour la rédaction du texte final.

Le premier Rapport d'évaluation du GIEC (1RÉ), publié en 1990, indiquait déjà une tendance au réchauffement. Mais comme les données et les modèles climatiques étaient alors limités, le groupe avait estimé qu'il faudrait encore une dizaine d'années avant de pouvoir brosser un portrait plus précis de la situation.

En 1995, le GIEC conclut dans le deuxième Rapport d'évaluation qu'« un faisceau d'éléments suggère qu'il y a une influence perceptible de l'homme sur le système climatique mondial ». On commence donc à observer l'influence de l'humain, mais la question qui demeure toujours sans réponse est celle de l'impact de ce réchauffement sur le climat de la planète.

En 2001, dans le troisième Rapport, on lit qu'il est « probable » (66 % de probabilités) que la majorité du réchauffement observé depuis les années 1950 soit le résultat de l'activité humaine et que nous sommes entrés dans l'ère des changements climatiques.

En 2007, dans la conclusion du quatrième Rapport, on passe du « probable » au « très probable » (90 % de probabilités).

Enfin, dans le Rapport de 2013, le « très probable » devient « extrêmement probable » (plus de 95 % de probabilités). On peut y lire que :

- La fonte des calottes polaires au cours de la dernière décennie est beaucoup plus rapide qu'au cours des années 1990 ;
- L'augmentation du niveau de la mer a été deux fois plus rapide de 1993 à 2010 que pendant la période de 1901 à 2010 ;
- Le niveau des océans augmentera probablement de 18 à 82 cm au cours des 100 prochaines années.

Les conclusions du GIEC laissent peu de place au doute et au débat quant à l'impact de l'activité humaine sur le climat de la planète, et quant à l'urgence d'agir.

La conférence de Copenhague, un rendez-vous manqué ?

Depuis la Conférence de Montréal en 2005[6], les négociations internationales sur le climat font du sur-place. Peu de progrès ont été réalisés en ce qui concerne la question des objectifs de réduction pour l'après-2012, notamment dans les pays industrialisés, et encore moins en ce qui a trait à l'épineuse question des objectifs de réduction potentielle pour les pays émergents comme la Chine, l'Inde, l'Afrique du Sud, le Mexique, le Brésil et quelques autres.

Il faut comprendre que le Protocole de Kyoto, négocié en 1997, n'a pas pris fin en 2012, contrairement à ce que l'on croit ; toutefois, la première période d'engagement, qui va de 2008 à 2012, est la seule qui comporte des objectifs chiffrés de réduction des émissions de GES. Or, pour espérer disposer d'un nouveau cadre d'engagements sur le climat en 2012, il aurait fallu entreprendre le travail de révision bien avant l'échéance, afin qu'il soit adopté lors des rencontres des Conférences annuelles. Par la suite, on aurait été en mesure de procéder à la ratification par les différents gouvernements. L'exercice menant à l'entrée en vigueur du Protocole de Kyoto avait pris cinq ans. De plus, comme nous l'avons vu avec les conclusions du GIEC, la science des changements climatiques nous en a appris beaucoup depuis 1997.

Pas de doute, donc : les enchères étaient élevées à Copenhague. Nous étions malgré tout remplis d'espoir à la vue de ces dizaines de milliers de participants et participantes (un nombre record encore à ce jour), de la présence massive des médias de partout sur la planète et du grand nombre de chefs d'État et de gouvernement (plus d'une centaine) qui s'étaient déplacés. C'était la première fois que ces derniers participaient à la Conférence des

6. Elle fut présidée par Stéphane Dion, ancien ministre fédéral de l'Environnement.

Nations Unies sur l'environnement depuis Rio en 1992. Hélas, nos espoirs se sont avérés non fondés.

Il y a eu quelques beaux moments, comme cette promesse de la secrétaire d'État Hillary Clinton de travailler à mettre sur pied, et à financer un fonds mondial de 100 milliards de dollars par année pour les pays en voie de développement[7], l'une des demandes importantes formulées par ces pays, mais également par les écologistes et par Oxfam International. D'une part, ce nouveau fonds devait permettre aux pays en voie de développement de suivre un modèle de développement plus durable que celui que nous, pays riches, avons emprunté. D'autre part, il devait également leur donner les moyens de s'adapter aux impacts de plus en plus importants des changements climatiques. Malheureusement, plus les journées passaient, plus la fenêtre nous permettant d'arriver à un accord se refermait sur nous. Les échos que nous avions des négociations n'avaient rien de rassurant.

Enfin, le 18 décembre marquant la fin de la Conférence est arrivé sans que nous ayons quoi que ce soit de concret à nous mettre sous la dent. Nous avons dû nous rendre à l'évidence : nous n'obtiendrions pas ce que nous espérions tant, ce dont les plus pauvres d'entre nous avaient tellement besoin, à savoir ces mesures impératives pour laisser à nos enfants et à leurs enfants une planète en santé.

Cette journée s'est déroulée lentement, péniblement : midi, 14 heures, puis 17 heures (heure théorique de la fin de la Conférence)... Peu de choses filtraient jusqu'à nous, mais il était clair qu'on se dirigeait vers un échec, peut-être même sans précédent.

Au fur et à mesure que le temps passait — 19 heures, 21 heures, 23 heures — nos espoirs et notre enthousiasme s'émoussaient.

---

7. http://www.nytimes.com/cwire/2009/12/17/17climatewire-hillary-clinton-pledges-100b-for-developing-96794.html?pagewanted=all

Minuit ! On a tout à coup appris que Barak Obama allait s'adresser à la presse. Des centaines de journalistes couraient dans tous les sens au centre de congrès de Copenhague. Personne ne parvenait à savoir où la conférence de presse du président américain allait avoir lieu. On a fini par apprendre que nous pourrions la visionner sur un des écrans géants du centre, mais sans savoir où elle était véritablement prononcée.

Le président a commencé son discours en présentant les grands éléments de l'entente qui avait été conclue. Plus il parlait, plus nous constations l'étendue des dégâts : pas d'objectif contraignant pour les pays — même les pays riches (et les plus gros pollueurs) que sont le Canada, les États-Unis, le Japon — et pas de financement ferme pour les pays en voie de développement. Que des promesses vagues de montants qui viendraient, un jour, peut-être. On mettrait en place une entente de 30 milliards de dollars sur trois ans (2010-2012) et non pas les 100 milliards annuels annoncés par Mme Clinton. Nous avons alors compris que cette entente n'était que le fruit de quelques grands pays et que les autres avaient été laissés dans l'ignorance. Alors même que M. Obama affirmait que cette « entente » avait obtenu l'appui de plusieurs pays (Chine, Inde, Brésil et Afrique du Sud), elle serait dénoncée dans les minutes suivantes par un nombre grandissant de pays en voie de développement. De plus, cette entente plaçait l'Union européenne, pourtant l'un des blocs de pays les plus progressistes sur cette question, devant un fait accompli.

Nous avons enfin appris que le président Obama n'était plus sur les lieux au moment de tenir sa conférence de presse, mais à bord d'*Air Force One*…

Obama parti, il restait encore plusieurs chefs d'État sur les lieux. À près de minuit et demi, c'était le chaos total ! Pourquoi cette fin en queue de poisson ? Où étaient les délégations ? Qui dirait quoi ? On nous a annoncé que l'Union européenne (UE) s'apprêtait à réagir à « l'entente d'Obama » dans « les prochaines minutes »... Une heure, une heure et demie... C'est finalement vers deux heures du matin que plusieurs représentants de l'Union européenne ont pris la parole. Le président de l'UE de l'époque, José Manuel Durão Barroso, arrivait à peine à cacher son malaise. « *I will not*, déclara-t-il, *hide my disappointment regarding the non-binding nature of the agreement here*[8]. »

L'entente en question soulèvera à ce point la grogne que la présidence de la Conférence « invitera » les pays qui le désiraient à la signer, pour qu'elle soit ensuite annexée au procès-verbal de la Conférence. C'était du jamais vu dans l'histoire de ces négociations, puisqu'en général, les décisions sont adoptées à l'unanimité. Jamais auparavant on n'avait proposé l'adoption d'une décision sur une base volontaire comme on l'a fait le 18 décembre 2009.

Ce sommet devait être le moment où nous, pays du Nord, allions commencer à respecter nos engagements à la fois contractuels et moraux, à fournir aux pays du Sud les outils dont ils avaient besoin pour s'adapter aux impacts des changements climatiques, et à leur donner les moyens pour *décarboniser* leurs économies. Hélas, nous n'avons eu droit qu'à un rendez-vous raté. L'entente de Copenhague se résumait à sauver la face plutôt que la planète. Au moment d'annoncer qu'il avait concocté cette entente avec la Chine, l'Inde, le Brésil et l'Afrique du Sud, même Barak Obama a parlé d'une entente « insuffisante », alors que Nicolas Sarkozy, le président français, s'est contenté de dire qu'il s'agissait « d'un premier pas ».

: :

Nous nous en souvenons encore comme si c'était hier. Toutes ces heures passées dans les corridors du Bella Center à sensibiliser les participants et à faire pression sur les délégués, à donner des entrevues à des journalistes d'ici et d'ailleurs, sans compter la

8. http://news.bbc.co.uk/2/hi/europe/8421935.stm

longue attente, durant les deux derniers jours de la Conférence, alors que toutes les rencontres de négociation avaient lieu derrière des portes closes.

C'est dans ce contexte post-Copenhague que la rédaction de ce livre a été entreprise. L'échec du Bella Center, les maigres résultats des rencontres subséquentes (Cancún, Durban, Doha) et le rendez-vous décevant du Sommet Rio+20 en juin 2012 (nous y reviendrons) n'ont fait que souligner l'urgence d'agir. Par-dessus tout, ces rencontres ont confirmé que bien des nantis de ce monde ne veulent pas vraiment remettre en question le modèle qui les enrichit, même si ce dernier est maintenu aux dépens de plusieurs milliards d'humains et d'un capital nature sérieusement dégradé.

Cela dit, alors que nos dirigeants nous ont fait faux-bond, les communautés, les villes, de plus en plus d'entreprises et un nombre croissant d'individus mettent la main à la pâte et décident de faire partie de la solution, et non du problème. C'est surtout là que repose l'espoir d'un virage à moyen terme.

Même si nous, les écologistes, n'y avons jamais mis tous nos œufs, le plan « A » a longtemps été de parvenir à ratifier une entente internationale portant sur la réduction des émissions de GES pour éviter que le climat ne s'emballe et que le problème des changements climatiques n'aille en s'aggravant. Hélas, depuis 2009, la situation ne s'est pas améliorée, et ce plan « A » ne se réalisera pas de sitôt, comme nous le verrons plus loin. Il faut donc passer au plan « B ».

Mais quel est-il, ce plan « B » ? C'est essentiellement ce dont traite ce livre. À la lumière de ce que nous ont appris nos parcours respectifs, nos rencontres et nos découvertes, nous souhaitons partager ce qui nous pousse à croire que nous pouvons, malgré tout, entreprendre le virage qui s'impose.

I
La science : la sonnette d'alarme

STEVEN RACONTE...

« Je connais le docteur John Stone depuis près de 20 ans. À quand exactement remonte notre première rencontre ? Je ne sais plus très bien, mais je pense que c'est au moment de la Conférence de l'ONU sur les changements climatiques de Berlin (COP1) en 1995. John fait partie de cette catégorie de personnes qui croit fondamentalement à l'importance de la science dans le cadre du débat public. C'est probablement pourquoi sa voix est l'une de celles que nous entendons de plus en plus souvent lorsqu'il est question des impacts des changements climatiques sur nos écosystèmes. Il a critiqué ouvertement les compressions budgétaires imposées par le gouvernement Harper aux secteurs de la recherche et de la science au Canada. Sa voix, trop isolée devant une pression indue de la part du gouvernement Harper, a une portée qui rend le docteur Stone d'autant plus précieux. Sa présence sur le front des changements climatiques demeure pour moi une source d'inspiration.

Le docteur Stone a été associé au département de géographie et des sciences environnementales du Centre national de la recherche du Canada, en plus d'avoir occupé plusieurs fonctions au sein d'Environnement Canada, notamment comme directeur général du service météorologique. Il est actuellement professeur associé au département de géographie et des sciences environnementales de l'Université Carleton. Nommé vice-président du Groupe de travail 1 du GIEC en 2007, il a joué le même rôle avec le Groupe de travail 2 par la suite. Toujours avec le GIEC, il travaille actuellement au prochain rapport sur l'état du climat planétaire qui paraîtra, chapitre par chapitre, au cours de l'année 2014. Il coordonne également le travail de l'organisme aux pôles, et c'est à ce titre que nous lui avons posé la question suivante :

Quel est l'état des régions polaires ? La situation est-elle aussi inquiétante que ce que les médias laissent entendre ?

> L'Arctique a souvent été considéré comme le « canari dans la mine » des changements climatiques et, en effet, les changements y ont été plus importants qu'ailleurs. Si le canari, par son agitation et son comportement, signalait la dégradation de l'air dans la mine, avertissant les travailleurs d'un danger de coup de grisou imminent, l'Arctique joue le même rôle pour les scientifiques qui suivent de près l'évolution du climat. Les températures en Arctique ont augmenté deux fois plus rapidement que la moyenne mondiale et, en été, elles y ont été plus élevées durant les dernières décennies qu'au cours des 2 000 dernières années.
>
> Il faut savoir que la calotte glacière a déjà couvert tout l'Arctique. Cette couverture est en déclin rapide et particulièrement en été. En 2012, elle a atteint sa plus petite superficie de l'époque moderne. En gros, la moitié de l'Arctique est libre de glace en été. Au fur et à mesure que cette fonte s'accélère, la couverture réfléchissante de la glace est remplacée par la couleur plus sombre et absorbante de la mer. Ainsi, la mer se réchauffe, ce qui entraîne une fonte des glaces encore plus rapide. Non seulement la couverture de la glace diminue, mais son épaisseur également. Une conséquence probable serait de voir l'Arctique complètement libre de glace durant l'été d'ici quelques décennies.

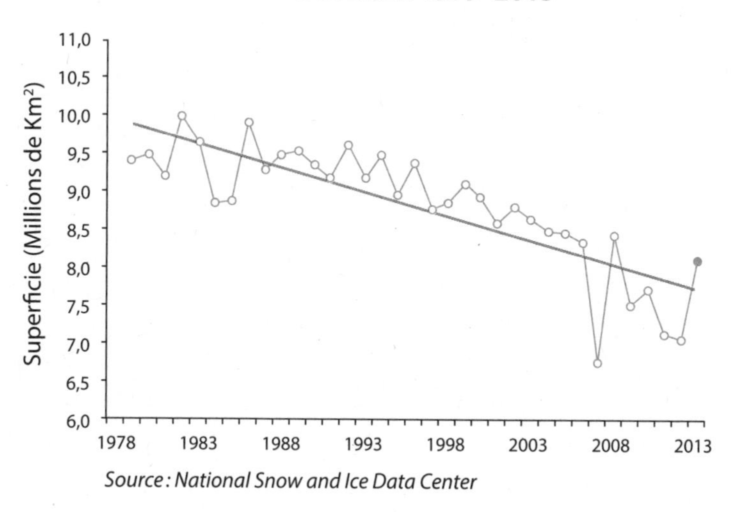

Source : National Snow and Ice Data Center

Ce n'est pas seulement la glace sur l'océan Arctique qui fond. Nous assistons également au déclin accéléré des calottes glacières du Groenland et de l'Antarctique. Ce déclin est si rapide que nous devons revoir notre compréhension de l'évolution de ces couverts de glace.

La perte actuelle correspond aux besoins en eau de un milliard d'humains habitant les zones urbaines. La masse de ces calottes est si considérable qu'elles ne disparaîtront pas avant un long moment, mais en fondant, elles contribuent à la hausse du niveau des océans, ce qui implique de plus en plus de risques pour les populations côtières du globe.

De plus, les glaciers sur les îles de l'Antarctique fondent rapidement aussi, exposant le sol plus sombre aux rayons du soleil, avec pour effet d'accélérer encore plus ce dégel. La couverture de neige est également en déclin, peut-être encore plus rapidement que le couvert de glace en mer.

Enfin, avec le réchauffement des températures, nous assistons à un dégel significatif du pergélisol qui couvre la majeure partie du nord du Canada et de la Russie. Ce dégel affecte les cours d'eau, et accélère l'érosion des sols.

Ainsi, comme le souligne John, l'Arctique est très fragile. C'est d'ailleurs pourquoi l'attention des scientifiques est dirigée vers cette région, ainsi que vers le Groenland et l'Antarctique, depuis plusieurs années. Les deux continents de glace sont déjà les signaux forts du choc climatique actuel et nous annoncent avec quelle rapidité la situation peut se détériorer.

À l'été 2012, la fonte des glaces du Groenland et de la couverture de l'océan Arctique a atteint un niveau minimal record. Il est impossible de mesurer l'impact sur le climat de la planète de la dégradation de cet immense écosystème parmi les plus fragiles, mais en tout état de cause, les nouvelles ne seront pas bonnes. Comme le montrent les photos satellites de la NASA ci-contre, prises le 8 juillet 2012, la fonte affectait alors 40 % du Groenland ; le 12 juillet, c'était 97 % du continent qui en subissait l'impact.

Ces photos de la NASA m'ont rappelé mon voyage au Groenland en 2005. Je travaillais encore à l'époque pour Greenpeace, qui avait décidé d'utiliser son brise-glace, l'*Arctic Sunrise*, pour documenter les impacts des changements climatiques sur la deuxième plus importante masse de glace au monde après l'Antarctique. Pour ce faire, l'organisation écologiste avait fait passer le mot au sein des cercles scientifiques : elle avait l'intention d'aller au Groenland, mais aussi de mettre à la disposition de toutes les équipes scientifiques qui le souhaitaient le navire ainsi que son équipement (hélicoptère, Zodiac, équipage, etc.). Pour les scientifiques travaillant dans ces régions éloignées, il s'agissait d'une occasion en or, puisque les coûts qu'ils doivent assumer, ne serait-ce que pour se rendre sur ce continent, sont très élevés.

LA FONTE RAPIDE DE LA GLACE AU GROENLAND À L'ÉTÉ 2012

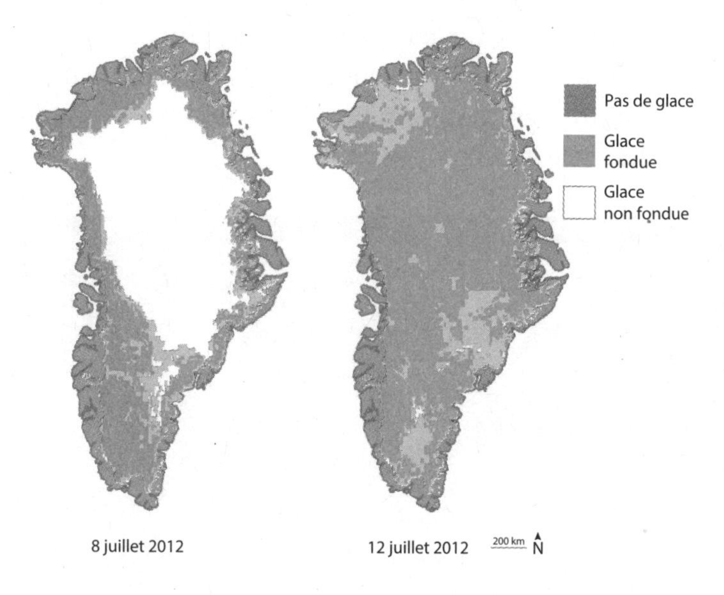

Source : nasa.gov

Deux équipes que je présenterai bientôt ont répondu à l'appel.

Je quitte Montréal le 25 juillet 2005 pour me rendre en Islande, d'où je partirai ensuite vers le Groenland. J'arrive deux jours plus tard à l'aéroport de Tasiilaq, un village d'à peine 2 000 habitants situé sur la côte est du Groenland. Une fois les quelques personnes qui m'accompagnaient dans l'avion accueillies par des proches, je me suis retrouvé seul dans ce minuscule aéroport en attendant que l'on vienne m'y chercher. Les déplacements au Groenland ne sont pas chose facile, puisqu'il ne s'y trouve à peu près pas de routes. On s'y déplace surtout par voies maritime et aérienne. Quelques minutes plus tard, *Tweety* et son pilote viennent à ma rencontre. Pour les non-initiés, *Tweety* est l'hélicoptère utilisé par l'équipe de Greenpeace depuis plusieurs années.

Il s'agit d'un premier vol en hélicoptère pour moi et, en plus, nous survolons un paysage absolument merveilleux. Voici d'ailleurs la vue qui m'a coupé le souffle alors que nous nous approchions du bateau ancré dans une baie un peu au nord du village de Tasiilaq :

L'hélicoptère *Tweety* devant le glacier de Graah sur la côte est du Groenland
© Greenpeace/Steve Morgan

Sur le bateau s'amorce pour moi l'un des voyages les plus marquants de ma vie, tant par la beauté de cet endroit unique et fragile que par les découvertes scientifiques qui en résulteront.

La première équipe de scientifiques, dirigée par Gordon Hamilton, vient de l'Université du Maine. Les membres mesurent les déplacements de quelques-uns des plus importants glaciers du Groenland. Bien qu'une bonne partie de leur travail se fasse à partir de photos satellites, ils complètent leurs recherches par des mesures sur le terrain en y installant des GPS très précis. L'un des glaciers que suit Gordon depuis

L'*Arctic Sunrise* faisant une pause dans une baie sur la côte est du Groenland
© *Steven Guilbeault*

plusieurs années est celui de Kangerdlugssuaq, sur la côte est du continent.

Afin d'installer les GPS, Gordon et ses coéquipiers doivent être transportés sur ledit glacier par hélicoptère. Pourtant, lorsqu'ils arrivent au-dessus de l'endroit où devrait se trouver le glacier, ils ne voient rien. Pas de glacier ! Ils devront parcourir non pas un ou deux kilomètres, mais bien cinq avant de le repérer. À ce moment, Gordon se dit qu'il a dû mal entrer les coordonnées dans le GPS de l'hélicoptère, ce qui explique sans doute ce qui vient de se passer. Il procède donc à l'installation des nouvelles balises GPS qui lui serviront à obtenir des mesures du déplacement du glacier.

De retour sur le bateau, Gordon se rend compte qu'il n'a pas fait d'erreur dans les coordonnées du glacier : ce dernier a effectivement reculé de cinq kilomètres en cinq ans. Surtout, il constate avec effarement que sa vitesse de déplacement est trois fois supérieure à ce qu'elle était avant les années 2000.

En collaboration avec le docteur Hamilton, Greenpeace International décide alors de rédiger un communiqué de presse pour faire connaître cette découverte préoccupante[9]. Gordon affirme qu'il s'agit « d'une découverte stupéfiante », d'autant plus que les modèles informatiques d'analyse des calottes polaires ne reflètent pas encore la réalité sur le terrain, qui change rapidement.

Quelques mois plus tard, des équipes de chercheurs de la NASA et d'une université suédoise confirmeront les découvertes de Gordon et de son équipe.

L'autre scientifique qui est de la partie en juillet 2005 est le professeur Jason Box (à droite sur la photo ci-contre).

Jason Box, glaciologue du Byrd Polar Research Center de l'Ohio State University, est aussi professeur pour la Commission géologique du Danemark et du Groenland. Il se spécialise depuis des années dans le calcul de la masse de glace sur le Groenland, c'est-à-dire la différence entre les accumulations par les précipitations et la fonte annuelle. Sur la photo, on le voit en train de prélever, avec le concours de deux des membres de l'expédition de Greenpeace, des échantillons de glace (souvent appelés « carottes ») afin de mesurer les précipitations et le niveau de fonte.

Jason a participé à 23 expéditions au Groenland. Dans un article publié en février 2012, il a précisé que la calotte glacière du Groenland subirait l'effet du réchauffement sur l'ensemble de son territoire avant une décennie, ce qui s'est produit à peine six mois plus tard (voir le graphique de la page 35).

Jason travaille également à l'évaluation de l'effet albédo. Ce phénomène physique permet d'établir la quantité de

9. http://www.greenpeace.org/international/en/press/releases/greenland-glacier-melt/

Le professeur Jason Box, accompagné de deux membres
de l'équipage de Greenpeace, recueillant des carottes de glace
© *Steven Guilbeault*

rayonnement solaire réfléchie par une surface donnée vers l'atmosphère ; plus une surface est claire, plus elle réfléchira les rayons solaires. À l'inverse, plus cette surface est foncée, plus elle absorbera ces mêmes rayons. L'un des objectifs de Jason lors de notre séjour au Groenland était d'étudier ce que l'on appelle des lacs supraglaciaires, ces lacs qui se forment à la surface des glaciers, comme celui sur cette photo prise en 2005. Ces lacs peuvent atteindre plusieurs kilomètres de diamètre et plusieurs mètres de profondeur.

Un des nombreux lacs de glace fondue à la surface de la calotte glaciaire du Groenland
© *Greenpeace/Nick Cobbing*

Pour Jason comme pour plusieurs scientifiques, il importe de bien comprendre comment ces lacs affectent la stabilité des glaciers. L'eau étant plus chaude que la glace, elle finit par s'infiltrer sous elle (sur la photo, on remarque des fissures plus foncées au fond du lac) et agit alors comme un lubrifiant qui facilite et accélère le mouvement des glaciers.

En janvier 2012, un article intitulé « Why Greenland's Melting Could Be the Biggest Climate Disaster of All » (Pourquoi la fonte du Groenland pourrait être la pire des catastrophes climatiques[10]) a paru dans le magazine américain *Mother Jones*. Signé Jason Box, cet article révélait que, pour le seul été de 2012, la fonte des glaces du Groenland avait contribué à l'augmentation du niveau de la mer de un millimètre, ce qui est de deux à cinq fois plus important que l'augmentation observée au cours des dernières années. L'augmentation annuelle du niveau de la mer est attribuable à une combinaison de facteurs telles l'expansion thermique des océans ou la fonte des glaciers comme ceux des Andes, de l'Himalaya ou encore des Rocheuses. On estime dans la communauté scientifique que chacun de ces facteurs contribue pour le tiers à la hausse du niveau des mers. On a même estimé qu'une fonte complète des glaces du Groenland entraînerait une hausse de six mètres du niveau des mers et que la glace de la calotte antarctique contient assez d'eau pour élever de plus de 60 mètres le niveau des mers.

C'est grâce aux instruments de lecture des satellites de la NASA que l'on arrive pour la première fois à un tel degré de précision. Plus le temps passe, plus les outils des scientifiques se peaufinent et plus les chiffres font peur ! La science sur le terrain le confirme avec de plus en plus de certitude : « Il est plus que temps de réagir à ces signaux d'alarme qui ne viennent pas de si loin de chez nous, après tout ! »

Le grand nord canadien

C'est de plus en plus sur le Grand Nord canadien que le Canada mise pour créer de la richesse à partir des ressources naturelles. Mines de toutes sortes, des métaux les plus usuels — tels le cuivre

10. http://www.motherjones.com/environment/2013/01/greenland-ice-melting-climate-change

et le fer — aux plus exotiques, en passant par les diamants et évidemment le pétrole, nous défonçons plus que jamais ce qui était, il n'y a pas si longtemps, une des dernières frontières. Le défi sera d'autant plus complexe que c'est justement là, comme nous l'avons vu, que les impacts des bouleversements climatiques sont les plus spectaculaires. Pas un seul endroit sur la planète n'est plus vulnérable à une accélération du réchauffement climatique.

Le Grand Nord est un véritable désert presque figé dans le temps. On aura beau y débarquer avec la machinerie la plus sophistiquée, la plus performante, il faudra quand même composer avec une biodiversité réduite, vulnérable par définition, et une nature en plein choc d'adaptation. Il est d'ores et déjà acquis que le paysage nordique sera en transformation constante dans l'avenir prévisible. Attention : danger ! Déjà soumis à une invasion du Sud dont les conséquences négatives affectent toutes les communautés des Premières Nations, le Nord sera notre ultime test de gérance responsable. Nous ne pouvons pas nous permettre d'échouer.

Selon les scientifiques J. H. Christensen et D. A. Plummer[11], on peut s'attendre à un réchauffement de l'ordre de 4,5 °C à 6,5 °C d'ici 2050, en hiver, dans le Nord québécois. Ce réchauffement important, surtout si on considère la brièveté de la période, poussera la ligne de gel permanent vers le nord, et des territoires déjà vulnérables seront grandement affectés par ce choc majeur. Les espèces adaptées n'arriveront pas à apprivoiser l'évolution accélérée des saisons tout en s'adaptant à l'arrivée d'espèces du Sud pour qui le Nord ne sera plus aussi hostile.

Les chercheurs québécois du Centre d'études nordiques (CEN) nous mettent aussi en garde. Selon Michel Allard, spécialiste du pergélisol cité dans un numéro spécial du journal *Le Devoir* sur les 50 ans du CEN, « une méconnaissance de ce qui se produit

---

11. J. H. Christensen est un météorologue danois spécialiste des cycles hydrologiques ; D. A. Plummer est un spécialiste des impacts des changements climatiques à Environnement Canada.

aujourd'hui en ce qui concerne le pergélisol pourrait rendre rapidement inopérantes de nouvelles infrastructures construites en milieu nordique [...] le réchauffement climatique est phénoménal au Nunavik »[12].

Chose certaine, la facture sera salée. Toutes les infrastructures du Nord sont fragilisées : routes, bâtiments, aéroports, quais et ponts en tête de liste. Il reste à voir ce qui arrivera avec le temps à la forêt boréale, dont les limites seront modifiées par cette transition climatique historique. N'oublions pas que la dernière fois qu'il y a eu un écart de plus de quatre degrés par rapport aux températures moyennes actuelles, il y avait un kilomètre de glace d'épaisseur au-dessus du sud du Canada[13] !

Selon James Hansen[14], la hausse du niveau des mers est l'un des deux plus importants impacts climatiques que nous subirons si nous ne contrôlons pas nos émissions de GES très bientôt. La hausse de la quantité de carbone dans l'atmosphère surcharge l'écosystème planétaire et les réservoirs naturels que sont les forêts, les terres et les océans. La hausse de la température affecte le niveau d'acidité des océans (le pH) et, par conséquent, tous les organismes qui vivent dans l'eau. L'eau prend de l'expansion en se réchauffant, phénomène qui, s'ajoutant à la fonte accélérée des glaces, fait augmenter encore plus vite son niveau. Les effets potentiels d'une hausse du niveau des océans sont considérables et s'étendront sur une telle période qu'il deviendra difficile, voir impossible, de renverser la tendance une fois le phénomène enclenché.

Si le scénario actuel de consommation énergétique se maintient, on est à peu près certain d'assister à la disparition à terme

---

12. *Le Devoir*, le samedi 6 août 2011.

13. http://earthobservatory.nasa.gov/Features/GlobalWarming/page3.php

14. James Hansen a dirigé le NASA Goddard Institute for Space Studies jusqu'à sa retraite en 2013. Il est récipiendaire, entre autres, du United States Academy of Science Award, la plus haute récompense scientifique américaine. Il est maintenant professeur à l'Université Columbia. Voir http://www.earth.columbia.edu/articles/view/3117

de la majorité des grands glaciers du globe. Le Groenland et l'ouest de l'Antarctique perdent à eux seuls plus de 100 km^3 de glace chaque année. Le moment où des bateaux de croisière passeront de l'Atlantique au Pacifique par l'Arctique n'est pas loin. Souvenons-nous qu'il n'y a pas si longtemps, les glaces de la fin de l'été ne permettaient pas même de rêver à un tel voyage.

Les glaces de l'Arctique disparaissent très rapidement : en 2007, le couvert de glace y était réduit de 40 % par rapport à la superficie qu'il occupait dans les années 1970, alors qu'en 2012, cette diminution avait atteint plus de 50 %, et ce, en ce qui ne constitue qu'une virgule sur l'échelle du temps. Les projections des modèles scientifiques ne prévoyaient pas une telle réduction avant le milieu du 21e siècle.

À l'heure qu'il est, les océans ont atteint la limite de leur capacité d'absorption des GES. Après avoir absorbé 80 % de la chaleur ajoutée au système climatique par les humains, les océans ont globalement absorbé le tiers du total des GES, toutes sources confondues[15].

Le second impact majeur anticipé par Hansen est la perte de biodiversité. Les scientifiques constatent que les zones climatiques migrent vers le nord à un rythme dix fois supérieur à ce qu'on a observé précédemment sur une longue échelle de temps. Certaines espèces ne résisteront pas à cette poussée et disparaîtront des écosystèmes à court et moyen termes. En effet, plusieurs espèces d'oiseaux occupent aujourd'hui des territoires nouveaux[16].

Sous les tropiques aussi !

Il est important de comprendre que les écosystèmes des zones froides ne sont pas les seuls à se trouver affectés par l'état des océans. L'acidification de l'eau de mer et le réchauffement de

15. http://www.stateoftheocean.org/research.cfm
16. http://www.birdlife.org/datazone/sowb/casestudy/171

l'eau de surface des océans affecteront le fragile équilibre des coraux, phénomène déjà bien évident et documenté. Au-dessus de la barre de 350 ppm[17] de carbone, tous ces impacts vont en s'accentuant. Début 2013, le GIEC annonçait que nous avions dépassé 400 ppm...

Le Global Coral Reef Monitoring Network[18], qui surveille l'état des coraux dans toutes les mers du globe, constate que déjà 24 % des récifs coralliens sont sérieusement atteints, et qu'une portion supplémentaire de 26 % est menacée à moyen terme. Or, puisque les coraux sont à la base de la chaîne alimentaire, leur disparition entraînerait des conséquences incalculables sur l'écosystème marin et sur les pêcheries. Ajoutons à cela les dommages causés par les rejets humains dans les zones côtières. Selon le Programme des Nations Unies sur l'environnement, on compte au moins 200 zones dites mortes à la sortie des deltas. C'est le cas notamment dans le golfe du Mexique, dont l'écosystème déjà passablement miné par les rejets chargés des résidus de l'agriculture intensive et chimique du Midwest américain a vu son état encore aggravé par l'explosion de la plate-forme pétrolière Deep Water Horizon.

Seulement dix ans de sursis

Les océans de la planète sont donc déjà en état de choc. Leur équilibre, beaucoup plus fragile que l'on aurait imaginé il n'y a pas si longtemps, montre des signes très inquiétants de stress. Et il y a unanimité : les plus grands experts observent tous les mêmes effets des changements climatiques sur ce fragile écosystème.

Selon les scientifiques du Programme international sur les océans (IPSO), « [...] la situation est si grave que nous sommes en train de modifier la chimie des océans ». À leur avis, nous

17. PPM : parties par million.
18. Status of the coral reef of the world, 2008 (www.gcrmn.org)

avons dix ans de sursis pour changer le cours des choses (rapport produit en 2010). De plus, ils constatent que le réchauffement des océans et leur acidification entraînent un phénomène alarmant, qui s'ajoute aux deux conséquences énumérées par James Hasen et que nous venons de décrire — la hausse du niveau des océans et la perte de biodiversité —, soit une hypoxie généralisée (un faible niveau d'oxygène[19]). Fatalement, ces trois phénomènes sont réunis dans chacune des extinctions massives de l'histoire de la Terre, toujours selon ces spécialistes en biologie marine.

Alors que la science des changements climatiques se précise de plus en plus, étant donné la qualité accrue des observations, et que les manifestations de ces changements sont de plus en plus nombreuses, la question n'est plus de débattre sur l'à-propos et le bien-fondé des changements climatiques, mais d'établir comment nous allons agir à l'égard de ces constats et si nous allons le faire assez rapidement.

Nous vivons une crise planétaire et nous devons envisager des solutions à tous les niveaux d'intervention, ce qui implique un virage sans précédent dans l'histoire de l'humanité, notamment en ce qui concerne l'économie, la politique et, probablement, l'individu.

19. http://www.stateoftheocean.org/research.cfm

II
Les négociations internationales sur le climat : tourner en rond ?

Quel bilan tirer de 20 ans de négociations sur le climat ?

Il est impossible de faire le bilan des deux dernières décennies de négociations sur le climat sans parler encore de la Conférence de Copenhague. Pourquoi ? Peut-être parce qu'il s'agissait de la première fois où, outre le Sommet de la Terre de 1992 à Rio de Janeiro, plus d'une centaine de chefs d'État et de gouvernement se réunissaient pour essayer de donner un nouvel élan aux négociations. Sûrement aussi parce que la première période d'engagement du Protocole de Kyoto était sur le point de se terminer et qu'à Copenhague, on espérait accoucher de la deuxième phase de Kyoto, en croyant qu'à la lumière d'une preuve scientifique de plus en plus solide, les pays s'engageraient à réduire leurs émissions de GES de façon musclée et résolue.

Cela signifie-t-il qu'il n'y a rien à espérer de ces rencontres internationales ? L'heure de la désaffectation a-t-elle sonné ? Nous en avons parlé avec une spécialiste qui croit encore aux négociations, Catherine Potvin.

STEVEN RACONTE…

Rencontre avec une femme hors du commun

« Je suis dans un corridor du centre de conférence de Poznan, en Pologne, lors de la Conférence de l'ONU sur le climat en 2008. Soudain, une dame me dit : « Je vous connais, vous, vous êtes Steven Guilbeault ! » C'est ainsi que j'ai rencontré Catherine Potvin qui, comme son nom l'indique, est tout aussi québécoise que moi, mais elle agissait alors à l'ONU comme négociatrice pour le Panama sur la question des forêts[20].

En 2012, Catherine a été la première femme à recevoir la médaille Miroslaw Romanowski de la Société Royale du Canada. Elle est professeure titulaire et chercheuse au département de biologie de l'Université McGill. Elle est également fondatrice, avec quelques collègues, du laboratoire néo-tropical de l'Université McGill au Panama, et elle partage son temps entre le Québec et l'Amérique centrale. C'est en raison de son engagement dans son pays d'adoption, en effet, que le gouvernement du Panama l'a recrutée comme l'une de ses négociatrices sur les questions du climat à l'ONU.

Elle est venue me voir un jour à Équiterre pour me dire : « Mon travail de scientifique n'est pas suffisant ; il faut en faire plus, mais qu'est-ce que je peux faire ? » Après une bonne discussion et une séance intense d'échange d'idées, nous sommes arrivés à la conclusion qu'il fallait trouver de nouvelles plateformes, outre les articles scientifiques, pour permettre aux experts comme Catherine de faire connaître les résultats de leurs recherches.

C'est ainsi que Catherine publie aujourd'hui des vidéos en ligne sur le site de l'Université McGill, en anglais et en français, en plus de contribuer au blogue d'Équiterre.

20. Poznan, c'était la rencontre pré-Copenhague, et déjà Catherine était au cœur des négociations.

Il existe depuis plusieurs années un débat sur l'importance des négociations internationales dans la lutte aux changements climatiques. Certains affirment qu'il faut simplement laisser de côté cette avenue et plutôt mettre les efforts sur l'action de terrain. J'ai voulu savoir ce que Catherine en pensait.

Catherine, quel constat fais-tu des négociations internationales ? Peut-on encore espérer que la solution vienne, du moins en partie, de là ?

> Les négociations internationales sur le climat, c'est à la fois frustrant et nécessaire. C'est frustrant parce que trop lent pour l'urgence du problème, alors qu'il faudrait agir tout de suite. Les négociations avancent par consensus, ça prend beaucoup de temps… L'envers de la médaille, c'est qu'un consensus, c'est généralement du solide. On s'attend à ce que les pays respectent leurs engagements. De plus, ces négociations représentent l'unique occasion pour des petits pays, comme les pays insulaires, ou encore la République dominicaine, par exemple, de se faire entendre. Or ces pays sont parmi les plus vulnérables… Sans les négociations internationales, leur situation risquerait de passer inaperçue.

Je crois comme Catherine que tout ce travail de négociation est essentiel. Malgré les hésitations des dernières rencontres (Cancún, Durban et Varsovie), d'immenses progrès ont été accomplis par une myriade d'ententes bilatérales qui ont apporté de réels résultats sur le terrain. Cette accumulation de petites victoires constitue un grand pas en soi. Loin des grandes déclarations, parfois trompeuses, un travail de terrain apporte déjà des outils à plusieurs pays en besoin urgent d'appuis concrets pour faire face aux conséquences de l'affaiblissement des écosystèmes. »

L'APRÈS COPENHAGUE

Nous voici en 2014 : quelques constats s'imposent.

Bien que nous le considérions comme un échec, l'Accord de Copenhague n'était tout de même pas totalement dépourvu d'intérêt, puisque pour la toute première fois, les grands pays émergents que sont la Chine, l'Inde, le Brésil et l'Afrique du Sud acceptaient de soumettre des objectifs de réduction de leurs émissions de GES. Même si ceux-ci ne sont pas légalement contraignants, il s'agissait tout de même d'un pas en avant.

Là où Copenhague a été un succès retentissant et historique, c'est sur le plan de la participation du public. Imaginez un peu : une pétition signée par plus de 10 millions de personnes, dont plusieurs d'entre vous, a été présentée lors de la première journée de la Conférence. Dans la région de Québec seulement, 25 000 cartes postales ont été envoyées aux députés conservateurs de la région pour exiger une action plus musclée de la part du gouvernement fédéral. Malgré les résultats que l'on connaît, sans cette pression du public, jamais nos dirigeants ne se seraient déplacés à Copenhague.

Cela dit, il faut voir l'autre côté de la médaille…

L'entente de Copenhague ne contenait aucun objectif de réduction légalement contraignant pour les pays développés. Ces derniers ont pu choisir leurs propres objectifs de réduction plutôt que de s'inspirer de ce que la science recommandait. L'accord reprenait pourtant bien à son compte l'objectif de limiter l'augmentation des températures planétaires à tout au plus 2 °C d'ici 2100, mais, hélas, sans « plan de match » pour y arriver.

Lors de la Conférence, les pays industrialisés se sont engagés à créer un nouveau fonds qui devait notamment permettre aux pays moins nantis de suivre un modèle de développement plus durable que celui que nous, pays riches, avions emprunté. Ce fonds devait également permettre à ces pays de s'adapter aux impacts de plus en plus importants des changements climatiques.

Rappelons-le, plusieurs organisations internationales, Oxfam en tête, estimaient que les besoins monétaires pour s'attaquer sérieusement aux changements climatiques et à la réduction des émissions de GES dans les pays en voie de développement étaient de l'ordre de 100 milliards de dollars par année sur l'horizon 2020[21]. Sachant très bien que cette somme ne serait pas atteinte du jour au lendemain, les pays les plus riches se sont entendus pour verser 30 milliards de dollars pour la période 2010-2012. L'entente de Copenhague impliquait également que ces milliards seraient de l'argent frais, et non pas de l'argent déjà prévu (et souvent annoncé) dans le cadre de programmes existants d'aide au développement pour des enjeux comme l'éducation, la malnutrition ou le VIH/Sida.

Cet objectif de 30 milliards n'a pas été atteint. Après analyse, on découvre que seulement le tiers des sommes effectivement allouées constituait de l'argent frais, le reste provenant du recyclage d'autres programmes. Comme on dit chez nous, les pays donateurs ont « déshabillé Pierre pour habiller Paul » ; ça ne fait pas des enfants forts. Comme si cela ne suffisait pas, plus de la moitié de l'argent versé aux pays en voie de développement l'a été sous forme de prêts, ce qui constitue un véritable scandale, pour plusieurs raisons.

Premièrement, nous, les pays riches, sommes responsables de 80 % de l'accumulation des GES dans l'atmosphère au cours des dernières décennies, responsabilité historique que nous avons reconnue lors de la Convention de Rio[22]. Mais non contents d'avoir causé le problème, nous n'avons rien trouvé mieux que de prêter

---

21. http://www.oxfam.org/en/grow/pressroom/pressrelease/2012-11-25/climate-fiscal-cliff-developing-countries-if-doha-no-new-money

22. Troisième paragraphe du préambule de la Convention de Rio sur les changements climatiques, http://unfccc.int/resource/docs/convkp/convfr.pdf

les fonds nécessaires à des pays comme le Bangladesh, l'Inde et Haïti afin qu'ils puissent s'adapter aux changements climatiques. Quelle grandeur d'âme !

Il est important de souligner que la question du financement est devenue l'un des enjeux clés des négociations sur les changements climatiques. D'une part parce que les besoins des pays en voie de développement en matière d'adaptation aux changements climatiques se font de plus en plus criants, et, d'autre part, parce que les pays riches ont promis beaucoup par le passé sans jamais avoir été à la hauteur de leurs engagements.

Au-delà du fait qu'une partie du financement est de l'argent recyclé et que plus de la moitié a été consentie sous forme de prêts, un autre enjeu important est le ratio entre les sommes investies pour la réduction des émissions de gaz à effet de serre dans les pays en voie de développement d'une part, et, d'autre part, les investissements nécessaires pour permettre à ces pays de s'adapter aux impacts des changements climatiques. Le bilan de la première période du Fonds vert sur le climat[23] nous apprend que seulement 20 % des sommes disponibles sont allées à l'adaptation[24].

Autre élément inquiétant : depuis que la première phase du Fonds a pris fin en 2012, les pays industrialisés ont refusé de s'engager collectivement à fournir de nouvelles sommes. Il y a bien eu quelques pays d'Europe comme la Norvège, la Grande-Bretagne et la France qui ont accepté de poursuivre leurs efforts de financement, mais on est loin du compte. Les pays donateurs ont réitéré à plusieurs reprises leurs intentions d'aller de l'avant, mais la réalité est que le Fonds est à sec depuis 2012.

N'y a-t-il pas quelque chose de très ironique à ce que les pays industrialisés insistent tant sur la réduction des émissions de

---

23. L'un des fonds mis sur pied dans la foulée de la Convention de Rio de 1992 et du Protocole de Kyoto de 1997, ayant pour but d'aider les pays en voie de développement.

24. http://insights.wri.org/news/2013/10/5-areas-action-set-green-climate-fund-ambitious-path

GES des pays en voie de développement alors que plusieurs d'entre eux (dont le Japon, les États-Unis et le Canada) se sont montrés si peu enclins à réduire leurs propres émissions? Certains rétorqueront qu'en période de ralentissement économique mondial, et alors que l'Union européenne vit une grave crise financière, le moment est plutôt mal choisi pour demander des fonds supplémentaires aux pays riches. Peut-être. Mais cet argument serait moins indigeste si ce n'était que, encore en 2012, les subventions et les aides diverses aux combustibles fossiles dépassaient 700 milliards de dollars. Au Canada seulement, c'est plus de deux milliards par année qui vont ainsi dans les poches des pétrolières, sans compter les subventions et avantages fiscaux consentis pour le charbon et le gaz naturel. On peut ajouter à cette somme les 700 milliards de dollars qui ont été mobilisés par les gouvernements afin de sauver de la faillite les voleurs en complets qui ont saccagé le système financier international. Et, enfin, un détail: songeons au 1,7 billion de dollars dépensés globalement dans le secteur militaire, chaque année…

Hélas, le Sommet COP 19 de Varsovie en décembre 2013 ne nous a pas plus rapprochés des décisions politiques courageuses qu'il faut prendre pour arrêter le réchauffement du climat. Les 100 milliards de dollars par année promis par les pays riches tardent toujours à venir, et l'agenda de la rencontre de Paris en 2015 pourrait tenir sur une seule page. Tout reste à faire sur le plan politique. Un seul réel espoir nous habite: il y aura des élections fédérales canadiennes au cours des semaines précédant ce sommet critique. Qui sait? Peut-être le gouvernement Harper finira-t-il par s'engluer pour de bon dans ses sables bitumineux! Espoir, quand tu nous tiens… Pour le moment, un triste constat demeure et il est on ne peut plus clair: de l'argent, il y en a, et pas mal plus que de la volonté politique!

Dans les rues de Durban en décembre 2011 lors du Sommet COP 17
© *François Tanguay*

Que reste-t-il du protocole de Kyoto ?

Nous l'avons déjà dit, Copenhague représentait un peu la dernière chance pour relancer sérieusement le processus de négociations sur le Protocole de Kyoto en vue d'une réduction globale des émissions des gaz à effet de serre. En effet, comme la première période d'engagement du Protocole prenait fin en 2012 et que rien n'avait été jusque-là prévu en matière d'objectifs de réduction des émissions pour l'après-2012, le temps pressait. Nous savions très bien qu'une fois les objectifs négociés, il allait falloir plusieurs années avant que de nouvelles politiques, mesures et normes entrent en vigueur, puisqu'elles doivent être d'abord adoptées par les différents gouvernements. Dans les faits, la nouvelle échéance pour rebâtir une entente globale et plus contraignante sera le Sommet de Paris en 2015.

Quand on songe au Protocole de Kyoto, on ne peut que faire le constat suivant: nos leaders nous ont laissé tomber. Soit ils ont été incapables de prendre les décisions qui s'imposaient, coincés par leurs priorités politiques, soit ils n'ont pas voulu mettre leur économie trop à risque sous la pression des financiers et des lobbys comme ceux du charbon et du pétrole.

Qu'il soit question de l'essor économique de la Chine ou de la crise financière qui secoue le monde des fins fonds de l'Europe à l'Amérique profonde du Midwest, il s'agit toujours, en fin de compte, de l'incontournable obligation historique de notre gestion durable du patrimoine collectif et de ce que nous laisserons comme planète aux générations futures.

Au Canada, le gouvernement Harper, avec en tête de file Joe Oliver comme ministre des Ressources naturelles, a eu beau attaquer les scientifiques qui lancent des cris d'alarme sur l'urgence d'agir, cela n'a pas changé d'un iota les faits avancés par les quelques milliers de scientifiques qui participent à la rédaction des rapports des Nations Unies sur les changements climatiques. Chose certaine, le Canada est bien mal placé pour faire la leçon à qui que ce soit, puisque ce gouvernement négationniste a retiré notre pays du Protocole de Kyoto et a quitté la table de la Convention sur la désertification. Il semble pourtant que les pensées sont déjà suffisamment arides sur la Colline du Parlement à Ottawa sans désertifier encore plus notre corpus politique.

Pourtant, les statistiques sur le climat ne laissent plus de place au doute. Le mois d'août 2013 marquait le 342e mois de suite où les températures se trouvaient au-dessus de la moyenne des

100 dernières années[25]. Cette séquence dépasse toutes les projections imaginables. À l'échelle mondiale, nous émettons environ 32 Gt de carbone annuellement. Or, pour limiter la hausse de la température du globe à 2 °C en 2050 — la cible officielle des Nations Unies et du GIEC —, nous ne devrions pas avoir émis plus de 565 Gt de carbone d'ici là. Au rythme de 32 Gt par année, si nous ne ralentissons pas notre course, nous atteindrons ce chiffre en 2030 au plus tard et nous dépasserons 1 200 Gt en 2050, soit plus du double. Pas un seul climatologue n'ose prédire ce qui se passera si nous continuons d'avancer sur ce chemin suicidaire…

GIGATONNES, VOUS AVEZ DIT ?

Oui, des milliards de tonnes ! En 1990, l'ensemble des émissions de CO_2 de sources humaines était de 12 milliards de tonnes (12 Gt). C'est, en gros, ce que l'ensemble des puits naturels que constituent le sol, les arbres et les océans peuvent d'absorber. Dans le cas des forêts, ce chiffre dépend évidemment du couvert forestier. Plus on réduit la surface des forêts, plus la capacité d'absorption de cette partie de l'équation diminue. Pour ce qui est des océans, au-delà de leur capacité normale d'absorption, c'est leur pH qui est affecté, et par conséquent l'ensemble de la vie marine, particulièrement le corail des mers tropicales. Le chiffre de 32 Gt pour 2010 est donc très préoccupant si on considère que les négociations sur le climat cherchent à ramener à 12 Gt le total des émissions annuelles, soit le niveau de 1990. À vrai dire, nous sommes lancés dans une fuite en avant que nous ne pouvons tout simplement pas nous permettre si nous désirons éviter un emballement du climat d'ici les 20 prochaines années. C'est pourquoi nous avons une nouvelle cible officielle de 2 °C de hausse pour 2050, ou un cumulatif de 565 Gt.

25. http://www.ncdc.noaa.gov/sotc/

Et Rio + 20 ?

Manque de volonté politique, incapacité de certains acteurs majeurs de vraiment entreprendre le virage stratégique, interférence des lobbys de certains groupes de pression... Comme nous l'avons vu, les négociations internationales sur le climat n'ont pas permis d'atteindre les objectifs de réduction des émissions de GES ni de fournir l'appui nécessaire aux pays en voie de développement. En juin 2012, la Conférence de Rio sur le développement durable, mieux connue sous le nom de Conférence Rio+20, allait-elle nous insuffler un nouvel espoir pour l'avenir ?

À vrai dire, Rio+20 nous a permis de constater que les peuples indigènes, les États fédérés[26] et autres intervenants moins enclins à regarder les « grands » jouer aux échecs sans agir de leur côté ont pris leur avenir en main avec les moyens dont ils disposent. Par des ententes bilatérales avec des pays comme la Norvège, certains ont réussi à mettre en place des actions concrètes. Loin de la signature d'éventuels protocoles internationaux qui repoussent sans cesse les urgences qui ne peuvent plus attendre, les plus courageux passent aux actes.

Dans la Déclaration de Rio+20, on relève 99 paragraphes qui commencent par « Nous appuyons » (*We support*), mais seulement cinq fois les mots « Nous allons » (*We will*) et trois fois « Nous devons » (*We must*). L'économie verte, qui se voulait pourtant le thème principal de Rio+20, y est vaguement abordée comme une option intéressante pour tenter d'harmoniser la protection de l'environnement, des communautés viables à visage humain et une économie prospère. Ce n'est certes pas cette Déclaration vaseuse qui a fait avancer les choses. Ce long texte de plus de

---

26. Le Québec, la Bavière et la Californie, entre autres, font partie de plusieurs organisations d'États fédérés actifs en matière de lutte aux changements climatiques, dont le Network of Regional Governments for Sustainable Development, ou nrg4SD (www.nrg4sd.org).

23 000 mots divisé en 283 paragraphes n'a leurré personne et ne se montre nullement à la hauteur des urgences auxquelles nous faisons face.

Paradoxalement, ce texte faisait l'affaire de Peter Kent, alors ministre de l'Environnement du Canada, qui a dépensé beaucoup d'énergie pour bloquer les tentatives d'inclure dans la Déclaration finale toute référence à la fin des subventions et autres soutiens fiscaux versés à l'ensemble de l'industrie des énergies fossiles. Comme nous le verrons plus loin, il s'agit d'une somme colossale, soit plus de 500 milliards de dollars chaque année à l'échelle de la planète. Dans le cas du Canada, il s'agit de plus de 1,3 milliard de dollars au niveau du fédéral, montant qui passe à 2,8 milliards de dollars si on ajoute les subventions accordées par des provinces comme l'Alberta et la Saskatchewan[27].

Les lobbys, tels ceux du charbon et du secteur pétrolier, n'ont pas de limite de budget quand il s'agit de retarder ce type d'entente globale et contraignante. Comme on dit en anglais, pour eux, « *money is no object* » ! Leur credo néo-écolo ? *Clean coal* ! Du charbon propre… Que vont-ils inventer, après ça ? Des sables bitumineux éthiques ?

Tergiverser sur les risques que représente tel ou tel choix politique ou économique qui n'affecterait pas trop notre niveau de vie ne contribuera en rien à repousser les échéances auxquelles nous faisons déjà face. Encore moins si nous ne dépassons pas les peurs primaires de l'illusion du confort menacé des économies du monde occidental.

Solidement ancré dans une somme considérable de constats scientifiques, le débat sur le climat a laissé en gare les quelques négationnistes payés par l'industrie, et doit devenir le moteur d'actions immédiates. L'urgence doit faire en sorte que les décisions qui s'imposent ne soient plus soumises au cirque politique sclérosant qui ne cesse de ternir le travail de milliers

27. http://www.iisd.org/media/press.aspx?id=179

de scientifiques, militants, spécialistes, mais également de gens ordinaires qui travaillent avec acharnement à sauver les meubles aux quatre coins du globe.

Les effets immédiats, les premiers signaux d'alarme d'un climat qui se dérègle font déjà la une des nouvelles chaque jour. Sécheresses historiques couvrant presque la moitié du territoire des États-Unis, canicules en Europe, inondations en Inde... la liste ne fait que s'allonger, et elle a dépassé depuis longtemps l'anecdote ou la probabilité statistique. Pour enfin agir, ne suffirait-il pas de comprendre qu'économiquement, nous n'avons pas les moyens de polluer et de détruire notre lit ?

Enrayer notre dépendance au pétrole revêt sans aucun doute une importance réelle du point de vue des émissions de GES, mais il ne faut pas donner dans l'angélisme pour autant. Un tel changement, pour toute économie qui dépend des importations en hydrocarbures, impliquera bien sûr des politiques d'aide à la transition et une vision appuyée par des choix politiques courageux. Une économie plus sobre en carbone doit être envisagée pour le moyen terme, c'est incontournable. Et c'est déjà une réalité dans certains pays comme la Norvège, qui a pris ce virage post-économie de carbone pour rebâtir une économie innovante et protéger le filet économique et social selon une fiscalité qui tient compte des émissions de GES. Certains pays, faisant office de précurseurs, nous incitent à dépasser, nous aussi, le bête débat sur les chiffres liés aux changements climatiques.

Comme nous le verrons plus loin, plusieurs pays avancent à grands pas vers des solutions énergétiques et sociales viables en adoptant une vision à long terme au lieu de se contenter d'une analyse à courte vue. L'économie axée sur les énergies durables doit devenir notre cible à tous. Le défi dépasse de loin tous ceux que la civilisation a connus jusqu'à maintenant. Aller sur la Lune ou construire la Grande Muraille n'étaient que des projets mineurs si l'on songe à ce que nous devons mettre en place pour empêcher l'écroulement de nos écosystèmes et les conséquences humaines sans précédent que cela entraînerait.

Mais pourquoi donc miser sur une économie sobre en carbone quand il semble y avoir un essor dans l'exploitation de nouvelles sources non conventionnelles d'hydrocarbures ? Pourquoi ne pas continuer à compter sur l'omniprésence du pétrole ? Pourquoi faire tout un plat de cette dépendance alors que rien n'indique dans notre quotidien que nous allons en manquer ? Peut-être est-il temps d'enlever nos œillères de consommateurs et d'aller au-delà de notre zone de confort à court terme. Miser sur ces changements, c'est justement dépasser le confort onéreux et trompeur du moment, nécessairement éphémère, pour oser une transition basée sur le durable.

III
Le pétrole : courir après sa queue !

IL FAUT DÉCLARER LA GUERRE À LA DÉPENDANCE AU PÉTROLE,
ET NON PAS FAIRE LA GUERRE POUR CONTINUER D'EN DÉPENDRE !

Malgré les percées importantes des énergies renouvelables ces dernières années, malgré le transport électrique, les projets de réaménagement urbain qui émergent un peu partout sur la planète (nous y reviendrons), le pétrole occupe encore la part du lion du portefeuille énergétique mondial. Néanmoins, il ne peut y avoir de solution à la crise climatique — ni à plusieurs autres crises, comme nous le verrons — sans une diminution massive de notre consommation et de notre production de pétrole, et sans une élimination de notre dépendance envers cette source énergétique.

LE CONTEXTE MONDIAL : OÙ EN SOMMES-NOUS ?

Avec l'arrivée du pétrole au milieu du 19e siècle, nous mettions fin à une dépendance solaire et animale immémoriale. Grâce à cette nouvelle source d'énergie extraite de la réserve temporelle terrestre, nous allions enfin pouvoir nous éloigner de la dépendance absolue au travail animal et humain comme énergie primaire. Pour la première fois de l'Histoire s'ouvrait l'accès au compte en banque des richesses souterraines que la Terre avait mis des millions d'années à fabriquer. Sans penser aux lendemains, nous allions vers l'avenir. Nous touchions en *liquidités* l'héritage infini et impersonnel du passé de notre bonne vieille Terre.

Nous verrons au cours de ce chapitre quelles conséquences cette grande dépendance au pétrole entraîne, tant sur les plans géopolitique, social, économique et environnemental.

L'UTILISATION DE L'ÉNERGIE DANS LE MONDE

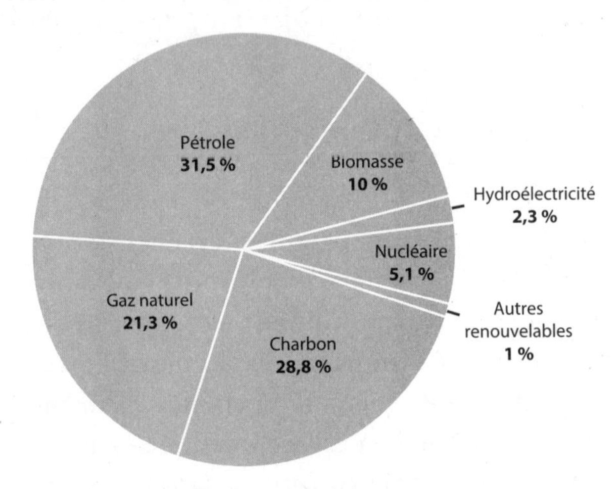

Source: Agence internationale de l'énergie,
http://www.iea.org/publications/freepublications/publication/KeyWorld2013_FINAL_WEB.pdf
(graphique de Steven Guilbeault)

La guerre et notre dépendance au pétrole

Cette dépendance planétaire à l'or noir n'est pas sans impacts considérables sur nos sociétés, et cela, à plusieurs niveaux. On n'a qu'à penser aux nombreuses guerres qui ont été — et qui sont encore — menées pour que de grandes puissances mondiales, tant privées qu'étatiques, puissent faire main basse sur certaines des plus importantes réserves de pétrole. Lorsque l'on mesure les coûts de cette dépendance, il faut bien sûr inclure les coûts humains de ces guerres, les coûts économiques et, enfin, les impacts environnementaux.

Notre objectif n'est évidemment pas de brosser ici un portrait complet de la question, mais plutôt de fournir ne serait-ce qu'un aperçu des ramifications de notre dépendance au pétrole.

Les coûts humains

En 2011, une trentaine de professeurs, économistes, membres d'ONG internationales et chercheurs américains ont lancé l'initiative Costs of war[28] qui vise à mieux comprendre plusieurs aspects souvent négligés des guerres. Leurs analyses portent sur les conflits en Irak, en Afghanistan et au Pakistan. Nous savons à quel point le pétrole de l'Irak et du Moyen-Orient constitue un enjeu majeur depuis les années 1970 en particulier, mais, dans le cas des deux autres pays, la situation est plus complexe. L'acheminement du gaz naturel de la mer Caspienne vers l'Europe et, surtout, éventuellement vers l'Asie ajoute une nouvelle donne aux enjeux complexes qui sont au cœur des conflits qui ravagent cette vaste région. Nous avons là tous les ingrédients pour alimenter encore un bon moment la bataille pour la sécurité énergétique de plusieurs pays. Mais qui paie le prix humanitaire de cet échiquier ?

C'est évidemment du côté des populations civiles que les conséquences sont les plus importantes. On estime que de 158 000 à 200 000 civils sont morts lors de ces conflits au cours des dernières années. Viennent ensuite les victimes des forces dites d'opposition parce qu'elles sont ennemies des Américains : 86 000 victimes civiles, et 26 400 victimes parmi les forces de l'ordre (policières et militaires). Les soldats et travailleurs américains suivent, avec respectivement 6 600 et 6 300 pertes. À ce triste décompte, on doit ajouter 800 000 enfants irakiens qui ont perdu l'un ou l'autre de leurs parents, ou les deux. En Afghanistan, les femmes, les enfants et les écoles ont été la cible des opposants.

Outre ces morts, il y a, bien sûr, les blessés, de part et d'autre. Cela est sans compter toutes les personnes dont la situation s'aggravera plus tard parce qu'il n'y a plus d'infrastructures pour l'eau, l'électricité et les autres services publics essentiels. Et que

28. http://costsofwar.org

dire des personnes déplacées et des réfugiés ? Pour l'Irak seulement, on estime à 1,3 million le nombre de personnes déplacées à l'intérieur du pays, en plus de 1,4 million de personnes réfugiées hors de ses frontières, soit environ une personne sur 12.

Les coûts économiques

Les guerres du pétrole coûtent très cher. Toujours selon l'organisation Costs of War, les États-Unis ont affecté, de 2001 à 2013, 3 987 milliards de dollars à l'effort de guerre. À cela il faut ajouter les impacts économiques entraînés par des investissements dans une guerre en sol étranger plutôt que dans la création d'emplois à domicile. Si seulement 130 milliards de dollars (à peine 3 % du budget de la Défense des États-Unis) étaient détournés de l'effort de guerre pour être investis directement dans l'économie américaine, 50 000 emplois pourraient être créés dans le secteur des énergies renouvelables, 360 000 en construction, plus de 700 000 dans le domaine de la santé et 900 000 en éducation[29].

Selon une autre étude publiée en 2010 par l'Université Princeton du New Jersey, les coûts de la présence américaine dans le golfe Persique, de 1976 à 2007, seraient de l'ordre de 7 300 milliards de dollars[30]. Quelle part de ces dépenses faramineuses devrait être ajoutée au prix du baril de pétrole ? Si *seulement* 600 milliards de dollars allaient annuellement vers la production d'énergie éolienne, les États-Unis pourraient diminuer leurs émissions annuelles de GES de un milliard de tonnes, soit environ le sixième des émissions de ce pays en 2006[31] !

---

29. http://costsofwar.org/article/lost-jobs

30. http://www.princeton.edu/oeme/articles/US-miiltary-cost-of-Persian-Gulf-force-projection.pdf

31. http://priceofoil.org/2008/03/01/a-climate-of-war/

La guerre et le climat

Pour les premières années de la deuxième guerre en Irak, de 2003 à 2007, Oil Change International (une autre organisation américaine) a publié une étude qui s'intéresse particulièrement à l'angle des changements climatiques. On y découvre notamment que :

- Si cette guerre était un pays, elle émettrait plus de GES que 60 % des pays du monde ;
- Pour ces quatre années seulement, l'effort de guerre américain en Irak équivaut, en ce qui a trait aux GES, à l'ajout de 25 millions de voitures sur les routes américaines ;

Outre la question des changements climatiques, plusieurs aspects des impacts de la guerre sur l'environnement mériteraient d'être explorés. Ce n'est pas l'objet de ce livre, mais, qui sait, nous nous y attarderons peut-être dans un prochain ouvrage… Car, bien que le pétrole soit un enjeu international dépassant les frontières — politiques ou autres —, il n'en demeure pas moins que le Canada et le Québec doivent trouver leur place sur ce grand échiquier. Le Québec doit assurer un suivi sérieux sur l'évolution des marchés, d'autant plus que sa liste de fournisseurs se trouve en presque totalité hors des frontières canadiennes.

D'où vient le pétrole du Québec ?

Environ 70 % de notre pétrole provient de trois pays — l'Algérie, le Royaume-Uni et la Norvège — et moins de 10 % de l'Est du Canada (Terre-Neuve). Contrairement à ce que les adeptes du « pétrole éthique » canadien issu des sables bitumineux voudraient nous faire croire, le Québec reçoit très peu de pétrole de l'Arabie saoudite, soit à peine 1 % de son approvisionnement total. L'Angola, par contre, pose un réel problème en ce qui concerne les droits de la personne, tout comme l'Algérie, à un moindre degré.

Le Québec ne fait pas et ne fera jamais partie du club des grands producteurs de pétrole. Même s'il y avait des réserves de pétrole économiquement viables au Québec, nous sommes loin, très loin, du jour où *notre* pétrole pourrait se retrouver dans *nos* pompes à essence. Pourquoi ? D'abord, parce qu'on n'a pas encore prouvé l'existence sur notre territoire de réserves de pétrole économiquement viables. Quelques compagnies ont bien annoncé avoir trouvé des réserves significatives, mais… Il faut savoir que l'existence de ces réserves et leur envergure n'ont pas encore été confirmées techniquement ; par conséquent, nous n'avons aucune façon d'estimer la viabilité économique de ces gisements.

Les coûts de notre dépendance

Souvent, au Québec, quand on pense énergie, on pense hydroélectricité, sans doute à cause de la place qu'elle a occupée dans notre histoire. Il est vrai que l'hydroélectricité représente une grande part de notre bilan énergétique (40 %), mais le pétrole vient tout juste derrière (38 %). La place de ce dernier dans notre portefeuille énergétique a par conséquent des effets directs sur notre économie et sur nos politiques sociales.

Le pétrole entraîne une facture collective élevée ; et il ne s'agit pas seulement du prix à la pompe, mais bien de la ponction majeure qu'exerce le pétrole sur l'économie québécoise.

Dans son rapport de 2009, Équiterre a évalué le coût de notre dépendance en fonction de différents prix du baril de pétrole. On a d'abord calculé la facture annuelle globale en fonction de trois prix du baril, soit 100 $, 150 $ et 200 $. Le calcul suivant permet d'estimer la portion des capitaux qui sortent du Québec uniquement pour l'achat du pétrole.

Ainsi, à 100 $ le baril, la facture totale au Québec s'élève à 18 milliards de dollars, alors que les capitaux qui sortent de la « Belle Province » sont de l'ordre de 14 milliards… Toute une

PÉTROLE — LES IMPORTATIONS DU QUÉBEC

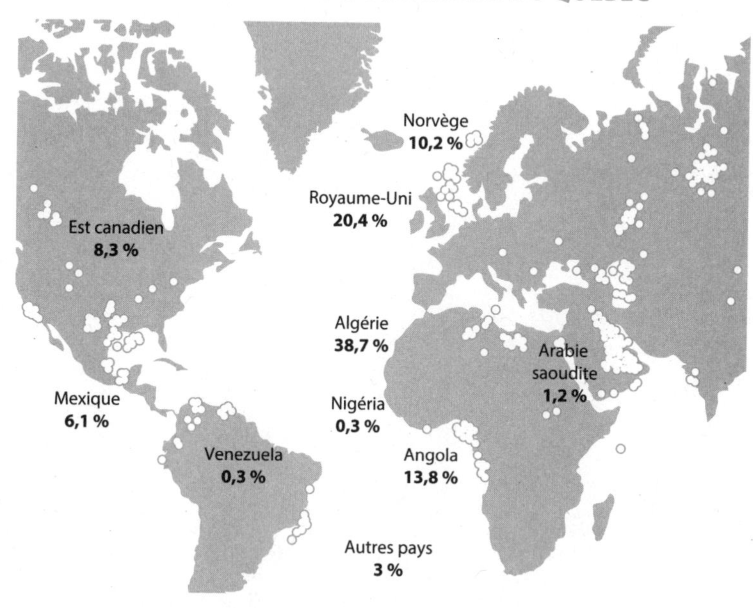

© *Équiterre,* Libérer le Québec du pétrole en 2030, *2009, p. 31.*

LE PÉTROLE, UNE SOURCE MAJEURE D'ÉNERGIE

Consommation d'énergie par source au Québec en 2010

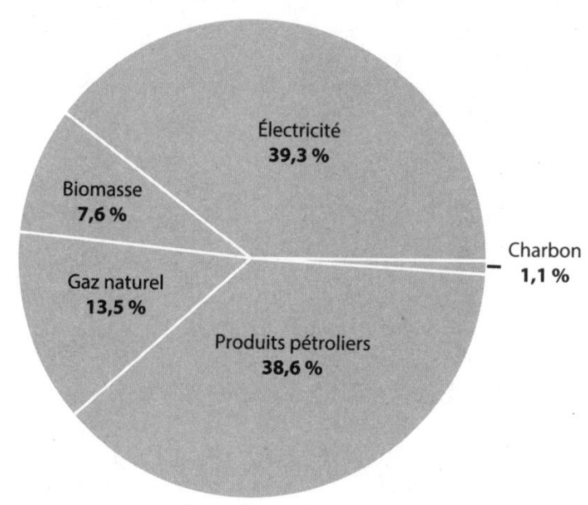

© *Équiterre et ministère des Ressources naturelles du Québec, 2010*

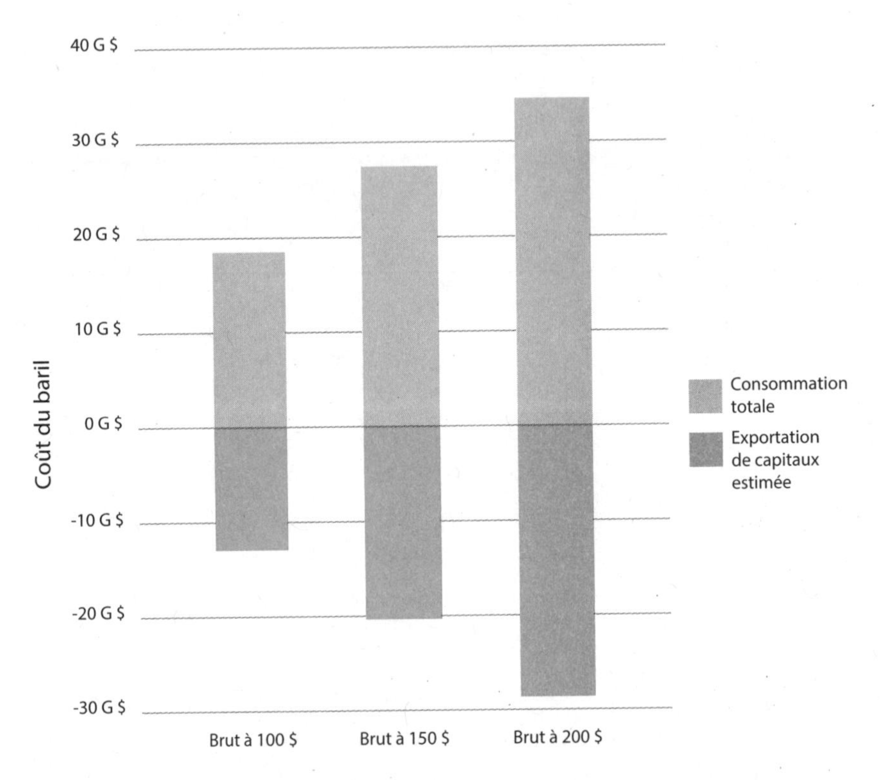

Source : Équiterre, Libérer le Québec du pétrole en 2030, *2009, p. 35-36.*
Graphique mis à jour en janvier 2014

hémorragie ! À titre de comparaison, 14 milliards de dollars, c'est presque autant que le deuxième poste budgétaire en importance du gouvernement du Québec, soit celui du ministère de l'Éducation. En effet, pour l'exercice budgétaire 2012-2013, un peu plus de 15 milliards de dollars auront été consacrés à notre système d'éducation[32].

32. http://www.tresor.gouv.qc.ca/fileadmin/PDF/publications/rapport_gestion_2012/Budget_depenses_2012_2013_volIV.pdf

À 150 $ le baril de pétrole, la facture s'élèverait à 26 milliards de dollars et l'exportation des capitaux qui en découle serait de plus de 21 milliards. (Et si 150 $ le baril, ça vous semble un peu fort, souvenez-vous qu'il a atteint 147,50 $ il y a seulement cinq ans, et que c'est largement grâce à la récession qu'il est tombé sous la barre des 100 $ par la suite.)

Mais revenons à notre fuite des capitaux. À 21 milliards de dollars, on s'approche du plus important poste budgétaire du gouvernement du Québec, celui du ministère de la Santé, dont le budget est de l'ordre de 30 milliards.

Enfin, à 200 $ le baril, attention, ça va faire mal… La facture atteindrait 35 milliards de dollars et 28 milliards sortiraient de nos frontières pour de bon. Ces chiffres saisissants ne vous donnent-ils pas envie de voir le pétrole prendre moins de place dans notre bilan énergétique ?

STEVEN RACONTE…

« Ah ! Vous voulez visiter nos sables bitumineux ! »

« C'est en ces termes que m'a répondu la responsable des relations publiques d'une des principales compagnies qui exploitent les sables bitumineux en Alberta lorsque je suis entré en contact avec elle en 1999. Je lui avais dit que j'aimerais faire une visite des installations, et c'est avec enthousiasme qu'elle m'a invité à y faire un tour. J'entendais de plus en plus parler des sables bitumineux à cette époque sans savoir exactement de quoi il en retournait et j'avais envie d'aller voir, histoire de mieux comprendre de quoi il s'agissait. Il y a 15 ans, il n'y avait pas de débats sur cette question, pas de reportages de l'émission *Découvertes*, pas de visites du réalisateur d'*Avatar*, James Cameron, pas de film d'Al Gore et pas de campagnes menées par les groupes écologistes partout en Amérique et en Europe contre l'exploitation de cette ressource. J'imagine que la dame n'avait pas de raison d'être sur ses gardes ni de me demander ce que je faisais dans la vie...

Bref, j'ai eu droit à une visite cinq étoiles de ce qui était devenu la plus grande mine à ciel ouvert au monde. J'ai vu passer à quelques mètres de moi les camions de 340 t utilisés dans ces mines pour transporter la matière brute vers les premiers centres de transformation. Je me suis tenu à quelques mètres de l'une des grues que vous voyez sur l'image suivante. C'est impressionnant, tout ce gigantisme !

Après quelques heures en compagnie de la dame albertaine, après avoir vu ces mines à ciel ouvert parmi les plus grandes au monde et les lacs d'eau contaminée, après avoir entendu des explosions de méthane au-dessus de ces mêmes lacs, je lui ai demandé : « Comme les gens se posent de plus en plus de questions sur l'environnement, pouvez-vous me parler des impacts

Mine à ciel ouvert dans les sables bitumineux
© Jiri Rezac, Greenpeace

environnementaux de l'exploitation des sables bitumineux ? » Et là, elle a dû prendre une bonne dizaine de secondes avant de me répondre, en anglais : « *You know, I can't think of any.* » (Vous savez, je n'en vois aucun)...

Le pire, c'est qu'elle me semblait sincère ! »

Les débuts

Mais commençons par le commencement...

Jusque dans les années 1970, il y avait, dans la région du Nord de l'Alberta, une forêt boréale semblable à celle qui se trouve au nord du fleuve Saint-Laurent. Les Premières Nations en Alberta utilisaient depuis longtemps cette résine noire particulière, qui remonte parfois à la surface du sol, pour imperméabiliser leurs canots. Ce n'est que vers la fin des années 1960 que la Sun Oil Company (SUNOCO), devenue aujourd'hui Suncor, a entrepris la production commerciale de pétrole issu des sables bitumineux albertains. Puis, en 1973, l'autre grand producteur de sables bitumineux, la compagnie Syncrude pour *synthetic crude*, c'est-à-dire « brut synthétique », a commencé la construction d'une usine qui ne produisit son premier baril que cinq années plus tard. Les faibles prix du pétrole de l'époque combinés à des coûts de production élevés font en sorte que l'extraction de pétrole des sables bitumineux demeure passablement modeste pendant plusieurs années. Vers la fin des années 1990, on atteint tout de même environ 300 000 barils par jour et des progrès technologiques permettent de réduire les coûts de façon appréciable. En 2012, c'est plus de 1,6 million de barils par jour qui sont produits et l'Association canadienne des producteurs de pétrole estime que cette production passera de 2,3 millions en 2015 à 3,2 millions en 2020 et à 5 millions en 2030[33]. Il faut noter que ces projections concordent également avec celles d'autres organisations.

33. http://www.capp.ca/aboutUs/mediaCentre/NewsReleases/Pages/2012-oil-forecast.aspx

Compte tenu des limites de capacité d'exportation du réseau de pipelines en Alberta, on a observé un écart de prix de 20, 30 et parfois même de 40 $ le baril entre le pétrole albertain et celui de la mer du Nord (Brent). Donc, historiquement, pour chaque baril de pétrole vendu, nos pétrolières subissent un manque à gagner, par rapport au prix mondial, qui se situe en général autour de 20 $ le baril. Il faut toutefois noter que cette différence de prix s'est beaucoup amenuisée au cours des dernières années[34]. Considérez que plus de un million de barils de pétrole par jour sont exportés, et cela vous donnera une idée des montants cités. L'enjeu monétaire est considérable, d'où le lobby pressant, à la fois des pétrolières et du gouvernement Harper, pour la mise en service de nouveaux pipelines (Keystone XL, Northern Gateway, Oléoduc Énergie Est), ou la conversion de vieilles conduites, comme la ligne 9B d'Enbridge qui passe par la Rive-Nord de Montréal pour aboutir aux raffineries de Montréal-Nord.

Des impacts bien réels

Alors qu'un débat fait rage chez nous au sujet de l'arrivée du pétrole extrait des sables bitumineux par les compagnies Enbridge et TransCanada, il nous est apparu important de souligner de quel jeu tordu le Québec s'apprête à devenir complice.

Comme son nom l'indique bien, le pétrole des sables bitumineux canadiens n'est pas un pétrole conventionnel, comme celui que l'on trouve par exemple en Norvège, en Algérie ou en Arabie saoudite. Ce pétrole est mélangé au sable que l'on retrouve sous la forêt boréale de la région du Nord de l'Alberta. Extraire le pétrole du sable est une opération qui demande à la fois beaucoup d'énergie et beaucoup, beaucoup d'eau.

34. http://oilprice.com/Finance/investing-and-trading-reports/The-Shifting-Dynamics-of-the-WTI-Brent-Spread.html

Deux techniques peuvent permettre d'extraire le pétrole des sables bitumineux. La plus connue et la plus largement utilisée consiste à « miner » les sables. Pour ce faire, il faut raser la forêt boréale, enlever une épaisseur d'environ 50 mètres de ce que ces entreprises appellent du « mort-terrain » (joli euphémisme…) pour atteindre le sous-sol bitumineux. Il ne faut pas perdre de vue que l'expansion prévue des opérations aura des conséquences majeures directes sur plus de 300 000 hectares de forêt boréale. Une forêt qui, ô ironie, sert de réservoir naturel de carbone. Pour avoir accès à du carbone ancien, on élimine le carbone nouveau !

L'autre technique s'apparente beaucoup à celle de la fracturation hydraulique. Il s'agit de placer sous terre, dans la couche de sable bitumineux, deux immenses tuyaux, l'un propulsant de la vapeur et des produits chimiques, dont certains sont considérés comme toxiques. Cette chaleur sous pression fera littéralement fondre le sous-sol. Le second tuyau permet de pomper à la surface du sol le pétrole qui sera ainsi dégagé. Cette technique se nomme généralement *in situ* et elle est de plus en plus utilisée[35]. Présentée comme étant la technique qui réduirait de façon notable l'empreinte écologique de l'extraction des sables bitumineux, il s'avère qu'elle émet, par baril, presque trois fois plus de GES que l'extraction à ciel ouvert[36].

Populaires, les sables bitumineux ?

Selon un sondage rendu public en octobre 2012 par l'Institut économique de Montréal (IEDM), 71 % des Canadiens sont d'avis que les pétrolières exploitant les sables bitumineux font des efforts « significatifs » pour protéger l'environnement. Et

---

35. http://www.pembina.org/pub/2017
36. *Ibid.*, p. 1.

comment les répondants à ce sondage sont-ils arrivés à cette conclusion ? Ils ont été « informés » par l'IEDM…

Regardons donc d'un peu plus près deux de ces « informations » fournies par l'IEDM :

1. **Soixante-dix pour cent de l'eau utilisée par les pétrolières est recyclée.**

Même si ce pourcentage était véridique — ce qui reste à faire valider par des sources indépendantes —, selon les chiffres du gouvernement de l'Alberta, il faut, au net, l'apport de deux à quatre barils d'eau pour chaque baril de pétrole extrait[37]. Comme on produit actuellement 1,6 million de barils de pétrole par jour, c'est donc l'équivalent de 3,2 à 6,4 millions de barils d'eau par jour qui sont nécessaires à la production de ce pétrole. En 2011, les compagnies exploitant les sables bitumineux ont utilisé autant d'eau qu'une ville de 1,7 million de personnes, autrement dit l'équivalent de la consommation de la deuxième plus grande ville au pays, soit Montréal. Toute cette eau, une fois utilisée, est stockée dans de vastes lacs d'eau contaminée. Le recyclage sous forme d'eau saine pour consommation est impensable. Et, triste record, le deuxième plus grand barrage au monde, après celui des Trois-Gorges en Chine, est justement l'un de ceux qui retiennent ces lacs d'eau polluée ! Mais attendez, ce n'est pas tout ! On vise une production de cinq millions de barils par jour à moyen terme…

2. **L'extraction d'un baril de pétrole des sables bitumineux émet de 26 % à 29 % moins de gaz à effet de serre dans l'atmosphère qu'il y a 20 ans.**

S'il est vrai qu'il y a eu depuis 20 ans des réductions quant aux émissions de gaz à effet de serre pour chaque baril de pétrole produit, l'IEDM omet de dire qu'au cours des cinq dernières

37. http://www.pembina.org/oil-sands/os101/water#footnote7_bdsjikf

années, le niveau d'émissions de GES par baril a recommencé à augmenter, puisque l'industrie s'est tournée, pour ses développements futurs, vers une technologie plus polluante que celle qu'elle utilisait jusque-là. D'ici 2020, les sables bitumineux, si on ne met pas une halte à cette augmentation de la production, seront responsables de la moitié de l'augmentation des émissions de GES de TOUT le Canada et pollueront autant que l'ensemble des voitures et des camions au pays !

Selon l'Agence américaine de protection de l'environnement, la production de pétrole bitumineux émet, sur l'ensemble de la chaîne d'extraction et de traitement, 82 % plus de GES que le pétrole conventionnel. Eh oui, vous avez bien lu : 82 % ! Combien d'entre vous estimez maintenant que les efforts des pétrolières sont « significatifs » en matière de protection de l'environnement ?

Conséquence directe de cette exploitation débridée, le Canada n'approchera même pas sa cible déjà insuffisante de réduction d'émissions de GES (moins de 17 % de ses émissions de 2005 à l'horizon 2020). Les inventaires de GES publiés par Environnement Canada en avril 2013[38] sont éloquents : loin de diminuer, les émissions de GES augmentent au Canada, et les quelques réductions observées découlent de mesures de provinces comme l'Ontario, la Colombie-Britannique, ou encore le Québec. À ce rythme, à cause notamment de l'extraction de pétrole en Alberta, le Canada ne sera en 2020, au mieux, qu'à mi-chemin de son objectif de 2005. Pas fort !

Le Commissaire fédéral à l'Environnement[39], dans un rapport rendu public en octobre 2011, concluait qu'il y a de sérieuses lacunes dans les données de base sur l'environnement fournies par le gouvernement conservateur, de même que dans les mécanismes de surveillance des données environnementales

38. http://www.ec.gc.ca/ges-ghg/default.asp?lang=En&n=83A34A7A-1
39. www.oag-bvg.gc.ca/internet/francais/parl_cesd_211112_f_36028.html

qui permettraient de comprendre, notamment, les impacts sur l'environnement des opérations d'extraction de pétrole dans le Nord de l'Alberta. Le vérificateur doute également que le Canada puisse respecter les cibles des accords de Copenhague. Or, malgré ces blâmes sévères, au bureau du premier ministre, on reste de glace...

On l'a évoqué, outre la destruction de la forêt boréale, l'utilisation surabondante de l'eau et les émissions de GES, un enjeu très important est celui de la contamination de l'eau. Que ce soit par les polluants atmosphériques ou par ces lacs d'eau contaminés qui fuient, il y a un risque réel de pollution de la nappe phréatique et des rivières sur tout ce territoire.

En 2010, un professeur de l'Université de l'Alberta, David Schindler, biologiste mondialement reconnu, a publié une étude qui a créé des remous d'Edmonton à Ottawa. Le professeur Schindler y a démontré que, contrairement à la croyance populaire propagée par les compagnies de pétrole — aidées de leurs meneurs de claque que sont les gouvernements à Edmonton et Ottawa —, les hauts niveaux de plomb, de mercure ou encore d'arsenic trouvés dans les environs des exploitations des sables bitumineux ne sont pas dus à des phénomènes naturels[40]. Pire encore, le professeur Schindler a mis à mal le système de surveillance complètement déficient de la province et du gouvernement fédéral, qui est censé suivre l'évolution de cette pollution. À peine quatre mois après la publication de cette étude, l'Alberta a annoncé qu'elle changerait ses règles afin d'améliorer son système de suivi environnemental[41]... tout en laissant le contrôle de ce nouveau système entre les mains de l'industrie ! En somme, le loup est encore dans la bergerie.

---

40. http://www.reuters.com/article/2010/08/30/us-oilsands-environment-idUSTRE67T3H920100830

41. http://www.cbc.ca/news/technology/story/2010/12/20/edmonton-water-monitoring-alberta-system.html

Une autre étude sera publiée en 2013, celle-là par le gouvernement fédéral, et arrivera à des conclusions tout à fait similaires à celles du professeur Schindler et de son équipe[42]. Mais le gouvernement de Stephen Harper n'en a que faire ; le Canada a déjà officiellement décidé de quitter le Protocole de Kyoto lors du Sommet de Durban en décembre 2011.

Par ailleurs, depuis quelques années, plusieurs études et analyses de différentes organisations de chercheurs, tels le Fonds monétaire international (FMI), la Banque du Canada, le Conseil international du Canada (CIC), le Centre canadien de politiques alternatives (CCPA), l'Organisation de coopération et de développement économiques (OCDE) et le Conference Board du Canada estiment que le rythme accéléré du développement de l'industrie des sables bitumineux entraîne des risques économiques et des disparités régionales qui méritent qu'on leur prête attention.

C'est ce qui a amené Équiterre et l'Institut Pembina à publier, en novembre 2013, une étude, *Risques bitumineux — Les conséquences économiques de l'exploitation des sables bitumineux au Canada*[43], qui se penche sur les effets secondaires de l'essor de l'industrie des sables bitumineux et présente une analyse différente des retombées économiques souvent exagérées qu'on associe à son développement.

L'arrivée au Québec des sables bitumineux

Au cours des deux dernières années, de plus en plus de gens ont entendu parler de l'arrivée au Québec, par pipeline, du pétrole issu des sables bitumineux. Il y a actuellement deux projets concurrents pour acheminer ce pétrole : le projet de renversement

---

42. http://www.theglobeandmail.com/news/national/oil-sands-development-polluting-alberta-lakes-study/article7014184/

43. http://www.equiterre.org/sites/fichiers/risques_bitumineux_final.pdf

de la Ligne 9B d'Enbridge et le projet Oléoduc Énergie Est de la compagnie TransCanada.

Vous avez peut-être aussi remarqué que l'industrie des sables bitumineux a simultanément lancé une opération de charme auprès du public québécois, avec l'achat de publicités dans plusieurs de nos quotidiens ainsi qu'à la télévision et à la radio. À cela s'est ajoutée une véritable course diplomatique alors que les ministres Kent et Oliver ont accumulé les Air Miles au printemps 2013 en faisant le tour des capitales européennes et des élus américains afin de les convaincre de la « valeur verte » de leur produit. Ils étaient devenus de véritables *pushers* du pétrole. Il paraît même que, selon eux, ce pétrole serait renouvelable et écologique ! Un peu plus et on en mettrait dans nos céréales !

En somme, il faut que l'or noir coule, dans toutes les directions et par tous les moyens ! Il faut plus de trains, plus d'oléoducs, plus de camions sur les routes... pour alimenter plus de voitures sur ces mêmes routes. Le Québec représente actuellement un obstacle, un passage obligé, dans cette course à l'acheminement de tout ce pétrole. Alimentés par l'Europe et l'Afrique, nous avons été jusqu'à présent un enjeu négligeable sur ce terrain expansionniste. Mais tout cela pourrait changer rapidement si les projets proposés de pipelines vers l'est du pays se concrétisent.

Le renversement de la Ligne 9B d'Enbridge

Le projet le plus avancé en ce qui concerne l'acheminement de pétrole de sables bitumineux au Québec est celui d'Enbridge ; il vise à renverser le flot entre Montréal et North Westover afin d'amener le pétrole jusqu'à Montréal, dans un premier temps. Lorsque la compagnie a annoncé son projet, en 2008, celui-ci se nommait *Trailbreaker* et devait se rendre jusqu'à Portland dans le Maine. Enbridge avait alors tenu une série de rencontres dans l'est de l'Ontario et dans le sud-ouest du Québec auprès des différentes municipalités concernées afin de faire valoir son plan.

Vous n'avez pas entendu parler des rencontres qu'Enbridge a organisées pour nous renseigner ? C'est tout à fait normal, parce que c'est exactement ce que veut la compagnie... Les rencontres d'information ont bel et bien lieu, mais elles sont organisées en catimini avec pour seule publicité un petit encadré dans le journal local un jour ou deux avant la tenue de l'événement.

Ce n'est pas la première fois qu'Enbridge tente de faire adopter ce projet. Déjà, en 2008, elle avait tâté le terrain et même organisé une séance d'information publique au Québec. Cette dernière avait eu lieu dans un centre communautaire de Terrebonne. Nous avions eu à ce moment toute la peine du monde à trouver l'information sur le lieu et l'heure de l'évènement, et encore plus de difficulté à obtenir des réponses à nos questions de la part des intervenants de la compagnie ! On fait manifestement beaucoup d'efforts pour demeurer dans l'ombre.

Et pourquoi devrions-nous être préoccupés par l'arrivée des sables bitumineux au Québec ? Voici une liste d'enjeux qui devraient nous inquiéter au plus haut point :

- Le pipeline qu'Enbridge veut inverser, en changeant la direction de ce qui y est acheminé, est en fait une vieille conduite du début des années 1970 ;
- On projette d'y transporter environ 300 000 barils de pétrole par jour ;
- Cette ligne a été construite pour transporter du pétrole léger et non du pétrole lourd comme celui des sables bitumineux (qui demande plus de pression pour être transporté) ;
- Enbridge est responsable du plus important déversement pétrolier en sol nord-américain, celui de Marshall, au Michigan, en 2010. La compagnie a d'ailleurs reçu un blâme sévère de la

part du National Transportation Safety Board américain à la suite de ce désastre, cet organisme allant même jusqu'à parler de « formation inadéquate du personnel », de « culture de la négligence » et d'« accident organisationnel »[44];

- Les coûts de nettoyage au Michigan dépassent le milliard de dollars et, plus de trois ans plus tard, le travail n'est toujours pas terminé. En outre, Enbridge conteste les montants qu'on lui demande de débourser en compensation[45];
- Un expert américain de la sécurité des pipelines a déposé un rapport devant l'Office national[46] qui souligne que :
  - Il y a risque élevé de rupture de l'oléoduc nº 9B peu d'années après la mise en œuvre du projet en raison de fissures et de corrosion ;
  - L'approche d'Enbridge quant à la gestion de sécurité de cet oléoduc n'empêchera pas qu'il y ait rupture dans les conditions opérationnelles découlant de la mise en œuvre du projet.
- La compagnie a une feuille de route atroce en matière de sécurité, comme l'indique le graphique ci-contre :

Le déroulement de l'accident de Marshall, au Michigan, peut nous donner une idée de ce qui nous attend. Une alarme de chute totale de pression dans le réseau d'Enbidge a été ignorée par l'équipe d'Edmonton, à plus de 2 000 kilomètres de là. On a même essayé deux fois de remettre la ligne sous pression. Des heures précieuses ont été perdues. Conséquence : en deux jours, plus de trois millions de litres de pétrole (provenant des sables

---

44. http://www.ntsb.gov/news/2012/120710.html

45. http://www.theglobeandmail.com/globe-investor/enbridge-cleanup-may-cost-1-billion-company-warns/article10041757/

46. https://www.neb-one.gc.ca/ll-eng/livelink.exe/fetch/2000/90464/90552/92263/790736/890819/956564/956632/981386/A3J7T4_-_Attachment_B-_ACCUFACTS_PIPELINE_SAFETY_REPORT.2013.08.05?nodeid=981150&vernum=0&redirect=3

NOMBRE DE DÉVERSEMENTS ANNUELS VERSUS LE NOMBRE MOYEN DE MILLIONS DE BARILS TRANSPORTÉS PAR JOUR PAR LA COMPAGNIE ENBRIDGE

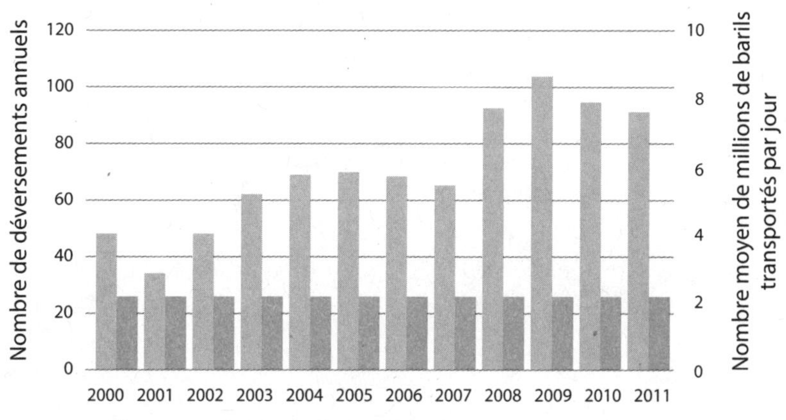

Source : Équiterre sur la base d'information d'Enbridge, http://crs.enbridge.com

bitumineux de l'Alberta) se sont déversés, et la rivière Kalamazoo a été polluée à un tel point que trois ans et presque un milliard de dollars plus tard, le ménage continuait. Mauvaise gestion, négligence professionnelle ! Cela s'est produit près d'une ville de 7 400 habitants et 150 familles ont dû être évacuées. Imaginez une seconde si un tel déversement se produisait à Terrebonne, Laval ou dans l'est de Montréal !

Selon l'Institut de recherche et d'informations socioéconomiques (IRIS), le projet d'Enbridge conduirait à une augmentation de la production des sables bitumineux de 12 %, ce qui représenterait une augmentation des émissions de GES équivalant à l'ajout de 1 650 000 de voitures sur les routes, en même temps que la destruction de 11 000 hectares de forêt boréale en Alberta, tout ça pour la création de 100 emplois au Québec[47].

---

47. http://www.iris-recherche.qc.ca/wp-content/uploads/2013/09/Note-p%C3%A9trole-WEB-03.pdf

Voici le tracé qu'emprunterait le pétrole issu des sables bitumineux dans la grande région de Montréal.

TRAJET DU PIPELINE DE LA LIGNE 9B D'ENBRIDGE

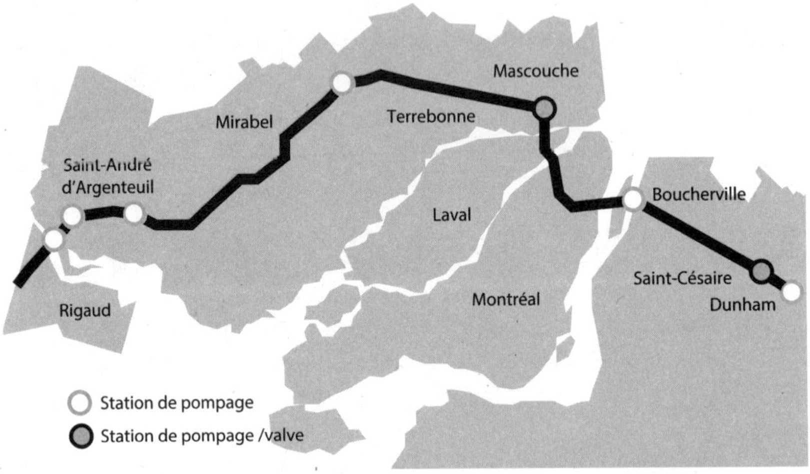

Source : Équiterre, http://www.equiterre.org/choix-de-societe/dossier/non-aux-sables-bitumineux-au-quebec

L'oléoduc Énergie Est de TransCanada (TCPL)

L'autre projet visant à acheminer du pétrole bitumineux au Québec est celui de la companie TransCanada Énergie. Dans ce cas-ci, on propose de convertir un gazoduc en oléoduc pour y transporter du pétrole issu des sables bitumineux. On prévoit également la construction d'un nouveau segment qui traverserait le Québec et le Nouveau-Brunswick.

C'est le 1er août 2013 que la compagnie a annoncé officiellement son intention d'aller de l'avant avec son projet. Ce réseau s'étendrait sur 4 400 km et il transporterait environ 1,1 million de barils de pétrole brut par jour.

Soyons clairs : dans le cas du pipeline comme dans celui de l'oléoduc, ce n'est pas le marché du Québec qui est visé, mais l'accès aux marchés (et aux prix) internationaux. La demande actuelle au Québec ne représente que plus ou moins 30 % de la capacité du projet de TCPL. Le Québec dispose d'un port en eau profonde (Gros Cacouna) qui est déjà retenu par TCPL pour la construction d'un terminal pétrolier. Ce projet compléterait le lien avec le terminal des Maritimes et avec les installations du groupe Irving, qui dispose d'une raffinerie d'une capacité de 300 000 barils par jour, d'un port méthanier en opération depuis 2009 qui peut traiter jusqu'à 28 millions de mètres cubes de gaz naturel par jour et, enfin, d'une proximité avec plusieurs marchés américains lucratifs qui sont autant d'incitatifs pour TCPL.

STEVEN RACONTE…

« Quelques jours après l'annonce du projet de TransCanada, Équiterre a été approché par des groupes de citoyens, notamment près de Kamouraska, afin d'organiser une série de rencontres publiques où nous pourrions donner un point de vue différent de celui de la compagnie.

Je suis avec ma collègue d'Équiterre, Geneviève Puskas, qui s'occupe de la mobilisation citoyenne, quand nous arrivons à Mont-Carmel, une municipalité de moins de 1 200 personnes. Nous y sommes accueillis par des pompiers qui dirigent la circulation autour de l'hôtel de ville. Nous voyons tout à coup la foule, le stationnement de l'église qui déborde. Je me tourne alors vers Geneviève pour lui dire : « Il doit y avoir un spectacle en ville ce soir, je pense que Mes Aïeux est en tournée… » Eh bien, les quelque 175 personnes qui s'étaient déplacées ne l'avaient pas fait pour Mes Aïeux ni pour un autre groupe, car il n'y avait pas de concert ce soir-là. Elles étaient toutes là pour entendre notre point de vue sur le projet ! »

POURQUOI FAIRE PASSER LES SABLES BITUMINEUX PAR LE QUÉBEC ?

Avant de répondre à cette question, il faut d'abord comprendre pourquoi les compagnies pétrolières cherchent désespérément à trouver de nouvelles voies pour sortir le pétrole de l'Alberta vers des débouchés plus payants. Chose certaine, moins il est cher, plus cela compromet l'exploration de nouveaux secteurs et prive les entreprises de revenus supplémentaires. En revanche, plus son prix de vente sera élevé, plus l'industrie disposera de budgets pour pousser davantage l'exploitation et augmenter ses revenus, et plus les actionnaires en retireront des dividendes. Au fond, c'est comme les saucisses Hygrade !

Le hochet qui nous est offert pour appuyer ces beaux projets ? Plus d'emplois, plus de revenus pour le gouvernement du Québec, un plus pour l'économie canadienne et… du pétrole plus éthique ! Voyons maintenant si ces belles promesses tiennent la route.

Mythes et réalités

Selon la Fédération des chambres de commerce du Québec, ce projet « […] permettrait de soulager sensiblement le déficit de 12 milliards de dollars de notre balance commerciale attribuable aux importations de pétrole »[48].

FAUX ! Comme nous l'avons vu plus tôt, le déficit commercial québécois ne sera pas différent, que le pétrole vienne de l'Alberta ou de la mer du Nord, et la facture ne sera pas plus tolérable pour la santé de notre économie.

48. http://www.fccq.ca/pdf/presse/lettres/2012/2012-11-29_Lettre-ouverte-Enbridge.pdf

Selon le président de la Chambre de commerce du Montréal métropolitain (CCMM), Michel Leblanc[49], ce projet « [...] pourrait entraîner une diminution du prix de l'essence dans la région métropolitaine à moyen terme ».

FAUX ! Selon l'économiste principal de Desjardins Études économiques, Mathieu D'Anjou[50], et le professeur d'économie Jean-Thomas Bernard[51], ces projets n'entraîneront pas une diminution des prix à la pompe. S'il y a vraiment une réduction du coût d'achat du pétrole, ce seront les compagnies pétrolières qui empocheront les profits.

« Ce projet va créer des milliers d'emplois à Montréal. »

FAUX ! Selon un rapport préparé pour Greenpeace et Équiterre par la firme nord-américaine The Goodman Group, il ne s'agit que de quelques centaines d'emplois, tout au plus[52].

C'est tout aussi faux pour l'économiste Pierre-Olivier Pineau de l'école des Hautes études commerciales (HEC) de Montréal, qui affirme qu'« il y a des bénéfices économiques, mais qui restent très marginaux » [53].

---

49. http://www.avenirdelest.com/Economie/Affaires/2012-05-23/article-2986068/L%26rsquoor-noir-de-retour-dans-l%26rsquoEst/1

50. http://argent.canoe.ca/nouvelles/affaires/petrole-ouest-serait-pas-avantageux-quebec-27112012

51. http://affaires.lapresse.ca/economie/energie-et-ressources/201211/14/01-4593538-pas-de-baisse-de-prix-a-la-pompe.php

52. https://www.neb-one.gc.ca/ll-fre/livelink.exe?func=LL.getlogin&NextURL=%2Fll-fre%2Flivelink.exe%2Ffetch%2F2000%2F72399%2F72487%2F74088%2F660700%2F750773%2F794638%2F794847%2F813450%2FC13-6-11_-_Attachment_E-_TGG_Evidence_NEB_Line_9B_20130806_-_A3J7U2.pdf%3Fnodeid%3D813481%26vernum%3D0

53. http://www.radio-canada.ca/nouvelles/Economie/2013/08/01/010-pipeline-transcanada-experts.shtml

Le chant des sirènes : le Québec et la production de pétrole

There's only one way of knowing whether or not governments are serious about climate change : have they decided to leave most of their fossil fuel reserves in the ground ?

George Monbiot[54]

Le dilemme québécois en ce qui concerne le pétrole pourrait se résumer ainsi : « *To drill or not to drill, that is the question !* » Il semble y avoir des réserves potentiellement abondantes dans le sous-sol d'Anticosti ; le gisement sous-marin de Old Harry entre Terre-Neuve et les Îles-de-la-Madeleine pourrait également révéler des réserves considérables de pétrole. Dans les deux cas, le gouvernement du Québec, plus frileux à l'égard du gaz de schiste, opte pour aller de l'avant en appuyant l'exploration par l'industrie privée. Un partenariat est même envisagé. Le Québec doit-il devenir producteur de pétrole ?

D'un côté, il y a ceux et celles pour qui, comme le pense l'ancien premier ministre Bernard Landry, le pétrole qui se trouve en sol québécois est une occasion en or à saisir. De l'autre, ceux et celles, dont nous sommes, qui, comme George Monbiot, affirment, au contraire, qu'il faut laisser ce pétrole dans le sol pour passer directement à une meilleure planification de nos villes, à plus de transports collectifs et actifs, aux énergies renouvelables et à l'électrification des transports.

Si, comme le voudrait M. Landry, le Québec se met à investir dans de nouvelles infrastructures d'exploitation en Gaspésie, à l'île d'Anticosti ou peut-être même dans des plateformes de forage dans le golfe du fleuve Saint-Laurent sur le gisement de Old Harry, croyez-vous vraiment que nous pourrons, en même temps, investir dans de nouvelles infrastructures d'électrification

54. George Monbiot, journaliste britannique, est devenu l'une des voix très influentes sur la question des changements climatiques. Voir http://www.monbiot.com/2013/03/14/frozen-assets/

des transports ou encore dans l'efficacité énergétique et les énergies renouvelables ? Permettez-nous d'en douter[55].

Nous sommes loin du jour où une nouvelle industrie pétrolière québécoise pourra voler de ses propres ailes et contribuer un tant soit peu à notre autonomie énergétique. Il faudrait de plus soutenir cette industrie naissante comme cela se fait partout ailleurs : crédits d'impôt pour l'amortissement accéléré sur l'achat de matériel nécessaire au forage ou subvention à la création d'emplois dans ce nouveau secteur, entre autres exemples. Ce n'est pas demain que les milliards entreront dans les coffres de l'État québécois. Et pendant tout ce temps, que ferons-nous en matière de lutte contre les changements climatiques et pour réduire, voire pour compenser, les émissions de cette nouvelle source de GES ?

Ce que George Monbiot affirme quant aux réserves de combustibles fossiles est également soutenu par de nombreuses études ; si nous voulons lutter contre le réchauffement planétaire et les changements climatiques, il faut réduire notre utilisation de combustibles fossiles, pas l'augmenter. L'Agence internationale de l'énergie affirme qu'il faut qu'au moins les deux tiers des réserves de pétrole non exploitées demeurent dans le sol si nous voulons espérer limiter les augmentations de température à 2 °C[56].

---

55. En septembre 2013, le gouvernement du Québec rendait publique l'évaluation environnementale stratégique sur la mise en valeur des hydrocarbures dans les bassins d'Anticosti, de Madeleine et de la baie des Chaleurs, effectuée par le groupe Genivar (EES2). La liste des lacunes dans l'état des connaissances sur l'ensemble des aspects concernés est très longue. Extraire des hydrocarbures en milieu marin représente une série de défis pour lesquels le Québec n'est pas encore prêt, si tant est que cela doive se produire.

GENIVAR, *Évaluation environnementale stratégique sur la mise en valeur des hydrocarbures dans les bassins d'Anticosti, de Madeleine et de la baie des Chaleurs*, Rapport de GENIVAR au ministère des Ressources naturelles, 2013, 660 p. et annexes.

56. http://www.iea.org/publications/freepublications/publication/name,44372,en.html

Retour sur le contexte mondial

Les énergies fossiles ne représentent donc pas l'avenir énergétique de la planète, ni du Canada, ne serait-ce que sur la base des réserves. Au rythme de 2012, la demande de pétrole se situe à 2,7 milliards de barils par mois, soit plus de 32,5 milliards de barils par année. Et LA statistique la plus spectaculaire du rapport *BP Statistical Review of World Energy* est celle-ci : BP estime qu'au rythme actuel, les *réserves prouvées* de pétrole tiendront… 46 ans ! N'oublions pas que les sables bitumineux de l'Alberta représentent moins de 10 ans de consommation planétaire ; ajoutons-y 10 autres années pour les réserves prouvées du Moyen-Orient… Certes, 46 ans, pour vous et nous, c'est très loin, mais pour l'ensemble des États de la planète, c'est demain matin ! D'où l'importance d'amorcer le virage le plus rapidement possible.

Selon l'Agence internationale de l'énergie[57], qui rejoint BP dans son évaluation des stocks mondiaux, 80 % des champs pétrolifères en production aujourd'hui ne seront plus exploités en 2035. Pour maintenir le rythme, suivre la courbe actuelle de la demande, il faudrait non seulement hausser la production, mais également trouver de plus en plus de réserves pour compenser celles qui s'épuisent.

De telles réserves ont récemment été ajoutées au bilan global prospectif. Encore faut-il savoir qu'elles ne seront que potentielles pour un moment et qu'elles représentent un risque technologique (et environnemental) important compte tenu de leur localisation.

- Les Brésiliens misent sur un bassin situé plusieurs milliers de mètres sous le fond marin de l'Atlantique Sud, déjà très profond, au large des côtes du Brésil.
- Le delta de l'Orénoque au Venezuela contient des réserves potentielles de pétrole non conventionnel qui sont presque

57. International Energy Agency ; World Energy Outlook, 2012.

deux fois plus importantes que celles de l'Alberta. Dans ce cas précis, le travail se fait en plein cœur d'un des écosystèmes les plus fragiles de tout le continent sud-américain.

- N'oublions pas l'Arctique, lieu de convoitise des compagnies pétrolières depuis bien des années. D'ailleurs, les Américains ont exploité les réserves côtières arctiques de l'Alaska à partir des années 1970, y construisant un pipeline entre Prudhoe Bay et Valdez sur la côte du Pacifique en 1974. Le gouvernement Harper rêve d'ouvrir le Grand Nord : ports en eau profonde, exploitation d'hydrocarbures et même route de bateaux de croisière. Mais attention ! Il ne s'agit pas d'un écosystème comme les autres. L'Arctique n'est pas le golfe du Mexique. Une fuite comme celle de Deep Water Horizon aurait été ingérable sous les glaces, et par 40 °C sous zéro[58] !
- Pendant la seule année 2009 et sur le seul territoire des États-Unis d'Amérique, on a creusé plus de 60 000 nouveaux puits de pétrole ! Tout baignait dans l'huile, en somme… Pourtant, l'Agence internationale de l'énergie (AIÉ) nous mettait en garde dès novembre 2008 : la production des plus importants puits pétroliers du monde diminuait de presque 7 % par année et cette tendance allait s'accentuer. Au Texas, où l'on exploite le pétrole depuis plus de 100 ans, la production a baissé de 50 % en 30 ans, et chaque puits donne aujourd'hui en moyenne… neuf barils par jour ! Plus de 70 % des quelque 200 000 puits en production sont des *stripper wells*, c'est-à-dire des puits en fin de vie. Dans les faits, le gaz naturel a remplacé le pétrole au Texas. À lui seul, cet État représente le quart de la production de cette ressource et des réserves du pays[59].

Il est vrai que la production aux États-Unis a recommencé à augmenter au cours des dernières années, beaucoup grâce

58. http://www.oceansnorth.org/oil-spills
59. Selon les chiffres de la Texas Railroad Commission.

au pétrole de schiste, un pétrole non conventionnel, tout comme celui des sables bitumineux[60]. Le recours de plus en plus important au pétrole non conventionnel coûtera très cher. L'empressement des consommateurs à s'offrir le précieux liquide restera-t-il intact si les prix atteignent 150 $ ou 200 $ le baril ? L'appétit énergivore des consommateurs de 2020 et des années subséquentes nous en dira long sur la rentabilité de telles aventures. La hausse des prix entraînera automatiquement une baisse de la demande et, par conséquent, une disponibilité réduite de capital pour financer ces projets hors du commun. Le marché risque fort d'être son propre frein. On peut se demander si les futurs investisseurs n'auront pas plutôt envie de tenter des aventures moins risquées. Sur cette thèse repose d'ailleurs le dernier livre de l'ancien économiste en chef de la CIBC, Jeff Rubin[61].

On peut ainsi deviser longtemps sur le potentiel des réserves d'hydrocarbures, mais nous sommes convaincus que nous devons plutôt investir pleinement dans l'après-pétrole, parce qu'à long terme, nous n'avons tout simplement pas les moyens de vivre collectivement avec de tels risques. Miser sur le pétrole à long terme n'est pas une option, c'est une folie ! Nos priorités doivent être ailleurs, loin de la spéculation sur les réserves hypothétiques d'énergie qui ne font que nourrir les scénarios prévoyant une hausse continue de la consommation. En résumé, le terrain est miné.

Sans un ralentissement sérieux des émissions de GES menant vers une stabilisation au plus tard en 2050, nous (surtout nos enfants) risquons le pire. Pendant ce temps, le système climatique planétaire risque de s'emballer, nous laissant impuissants devant

---

60. http://www.forbes.com/sites/davidblackmon/2013/08/07/texas-oil-and-gas-numbers-fly-off-the-charts/

61. Jeff Rubin, *The end of growth— but is it so bad ?*, Toronto, Random House Canada, 2012.

les conséquences. Ne perdons pas de vue que les émissions de cette année auront un effet sur plusieurs années. En tout état de cause, nous ne savons pas ce qui se passera à long terme si nous ne mettons pas fin à l'hémorragie.

L'internalisation des impacts des émissions de GES serait un excellent début dans le cas des sources fossiles. Il existe des mécanismes qui permettent d'attribuer un prix au coût environnemental des GES. Les différents marchés d'échanges et de bourses du carbone en sont un. La tonne émise prend ainsi une valeur marchande. Avec une expansion probable du marché du carbone d'ici quelques années, on peut imaginer des prix fortement à la hausse, une valeur ajoutée à la réduction du carbone dans nos économies et un début, sans doute un peu tardif, de transition vers une économie sobre en énergies fossiles. Le prix des biens de consommation, surtout s'ils ont une signature pétrole élevée, va inévitablement augmenter.

Il y a également les taxes sur le carbone, telle celle qui est imposée au Québec aux plus grands émetteurs.

Bien au-delà d'une simple taxe sur le carbone, qui ne devrait être que le premier pas, faute de mieux, il faudra que le prix des biens et services tienne un jour compte d'une comptabilité carbone inclusive, nous approchant le plus possible de leur coût de cycle de vie. Cela rendrait inutile toute taxe sur le carbone. Cette dernière ne permet, en fin de compte, qu'un accommodement déraisonnable au profit des émetteurs au moyen d'échanges de droits de polluer, en plus d'accorder aux plus grands émetteurs davantage de temps pour se moderniser sans pour autant que cela nuise à leurs profits, aujourd'hui exempts du calcul des externalités environnementales. C'est l'option actuellement retenue, et nous devrons l'accepter pendant un moment sans doute ; toutefois, cela demeure une gestion de la pollution pour le moins douteuse du point de vue de l'éthique environnementale.

Quelle place aura le pétrole dans 20 ou 30 ans ?

Qu'on le veuille ou non, nous en sommes à un tournant pour ce qui est de la place du pétrole dans nos vies. Comme on l'a vu, nous avons des tas de bonnes raisons de nous éloigner du pétrole. En ce qui touche le chauffage, on n'a qu'à penser à la facture pour les immeubles gouvernementaux, les institutions et le milieu de la santé qui s'alimentent encore au pétrole ou au gaz naturel. Le pétrole ne devrait plus figurer dans notre paysage énergétique d'ici une vingtaine d'années, et il devrait même en sortir avant, si possible. Il en va de notre santé économique, pour ne pas dire de notre santé tout court… c'est aussi simple que ça.

Besoin d'une cure de désintoxication !

Notre cure de désintoxication doit commencer dès maintenant par une substitution des hydrocarbures partout où cette option est viable, techniquement et économiquement. Il s'avère rentable d'intervenir immédiatement dans deux secteurs : l'efficacité énergétique et la réduction de la demande. L'énergie non requise à la suite d'une baisse de la demande sera toujours la moins chère, la seule qui ne nécessite aucune infrastructure, ne pollue absolument pas. Dans ce cas, il s'agit d'une source qui dépend totalement de notre comportement. (Nous y reviendrons plus loin.) Un tel virage implique des changements, notamment dans nos habitudes de vie, dans nos choix de développement économique et dans nos investissements structuraux.

Il ne faut pas pour autant oublier que le signal de prix demeure ce qui incite le plus les consommateurs à des comportements plus sobres en matière d'énergie. L'Amérique du Nord jouit d'un congé fiscal énergétique depuis trop longtemps. Imposons-nous ce choix d'une fiscalité juste et inclusive, qui envoie un signal de prix clair révélant le coût réel des énergies fossiles.

Il faut comprendre que ce virage énergétique majeur comporte son lot d'ajustements. L'État retire des revenus considérables des taxes sur l'essence, tant à l'échelle fédérale qu'à celle des provinces. Il y aura là un manque à gagner qu'il faudra compenser. Comme il s'agit d'une transition sur plusieurs années, on aura le temps de mettre en place les ajustements nécessaires. En contrepartie, il y aura une impulsion vers l'innovation et une performance économique apte à rendre notre économie plus concurrentielle.

On peut citer le cas de l'Allemagne : le virage énergétique vers les énergies renouvelables y a créé plus de 300 000 emplois. Pour la majorité d'entre eux, il s'agissait de transferts d'un secteur à un autre. Dans ce cas précis, le choix du solaire et de l'éolien pour remplacer le nucléaire a eu comme conséquence de réduire de 80 % le coût du solaire électrique, et de rendre l'éolien compétitif par rapport au nucléaire. En moins de 10 ans, la part des énergies renouvelables a été multipliée par trois et, certains jours, le solaire et l'éolien fournissent jusqu'à 50 % de l'électricité du pays. Au niveau mondial, le secteur éolien représente 670 000 emplois et la production dépasse les 300 000 MW !

En somme, une transition énergétique, appuyée par une vision fiscale correspondante, peut transformer le paysage énergétique de n'importe quel pays en peu d'années[62].

Personne ne conteste que le pétrole et ses dérivés feront encore partie de notre paysage énergétique encore longtemps. Ce qu'il faut toutefois entreprendre dans notre petit coin de la planète économique, c'est une transition vers une économie qui dépendra moins du pétrole en particulier, et des énergies fossiles en général. On ne remplacera pas les 50 ou 100 MW d'une industrie lourde par de l'éolien ou du solaire, mais on doit s'interroger collectivement

62. http://www.gwec.net/global-figures/wind-in-numbers/

sur le genre d'économie que nous transmettrons à ceux et celles qui nous suivent. Le financement de nos services, de notre programme de santé ou de notre système d'éducation sera fortement exposé aux errances du prix du pétrole si nous ne diversifions pas nos sources d'énergie et nos modes de production.

La tragédie de Lac-Mégantic

Les tristes évènements de l'été 2013 à Lac-Mégantic nous ont jeté en pleine figure les conséquences de notre dépendance au pétrole et de son omniprésence dans nos vies. Un centre-ville détruit, une compagnie mal gérée qui ne se préoccupe que de ses profits, laissant la sécurité de son réseau aux mains d'une réglementation déficiente, et des vies perdues pour en témoigner. Bilan déplorable sur tous les fronts. Des plus de sept millions de litres que contenaient les 73 wagons du train qui a détruit le centre-ville de Lac-Mégantic, plus de cinq millions ont été déversés sur le terrain. Toutes les infrastructures de la ville ont été dévastées ou polluées à un niveau sans précédent pour un tel accident.

La solidarité exemplaire qui s'est manifestée envers cette communauté et le désir de rebâtir un centre-ville axé sur une vision responsable de son avenir offrent l'occasion, justement, d'évacuer le pétrole du cœur de cette économie régionale et de miser sur sa situation géographique et son lien historique avec l'industrie du bois. Pourquoi pas un réseau de chauffage urbain alimenté par la biomasse forestière résiduelle locale ? Pourquoi ne pas miser sur un centre-ville où la construction en bois serait une vitrine pour les produits et sous-produits innovants issus de cette industrie en besoin de visibilité ? Matériau local, main-d'œuvre locale, énergie locale et fierté locale ! Tout cela est possible, accessible, voire nécessaire pour l'avenir de cette région. Osons faire émerger de cette tragédie une formidable fenêtre sur le Québec de demain. Osons une vision au lendemain d'une épreuve.

FRANÇOIS RACONTE...

« Je viens d'une famille de cheminots. Mon grand-père et mon père ont travaillé pour les chemins de fer toute leur vie active, et j'y ai passé une partie de ma jeunesse à remplacer, six mois par année, les agents de gares partis en vacances. Il était pratique courante dans ces grandes entreprises, dans mon cas le Canadian Pacific Railway, d'encourager l'emploi des enfants des employés. Mais mon zèle fut moins grand que celui de mes parents. Je travaillais dans les gares, pas sur les trains, et je n'y ai pas passé ma vie active.

J'en ai été témoin pendant plusieurs années : le travail sur les trains était pas mal plus physique et dangereux qu'il ne l'est devenu par la suite. À cette époque, il y avait des équipes nombreuses sur les trains de marchandises. Deux hommes en avant et deux en arrière... oui, en arrière, dans la désormais célèbre *caboose*, qui a parfois terminé sa vie en restaurant, à l'image de plusieurs anciennes gares. Bref, on prenait les trains et le personnel au sérieux. Puis les compagnies ont commencé à gruger dans les... dépenses... Élimination de la *caboose*, réduction des équipages, puis fermeture des gares et quasi-élimination des équipes d'entretien qui sillonnaient les voies ferrées sur leurs petits teuf-teuf roulants, ce qui leur permettait d'examiner *de visu* l'état de la voie. Je me souviens être allé défendre la survie des gares lors des audiences tenues à Québec, et que mon syndicat de boutique avait refusé de m'appuyer.

Quand on travaille sur le chemin de fer, on ne quitte jamais totalement sa job. J'ai encore à ce jour le regard curieux lorsqu'il m'arrive de longer ou de croiser un train en mouvement. Un frein collé pourrait dégager de la fumée ; je pourrais constater une irrégularité... Il y a des métiers qui nous habitent toujours. Mais avec l'élimination des humains, les trains sont devenus des objets de transit, comme autant de camions sur les routes. Les gares sont fermées ou sont devenues anonymes. Le personnel a été réduit à sa plus simple expression et les trains de passagers s'effacent devant les trains de marchandises. On met plus de trois heures pour couvrir les 250 kilomètres de Montréal à Québec dans des wagons d'une autre époque : une grosse moyenne de 80 Km/h, alors que des trains modernes et sécuritaires circulent à plus de 300 Km/h en Europe.

J'ai eu l'occasion de travailler à Lac-Mégantic à l'époque de gloire des chemins de fer. J'y ai passé des moments précieux, et revenir à Montréal n'était pas une urgence tant j'y étais… chez moi ! L'hiver, des trains entiers de wagons de grain partaient de Thunder Bay pour aller à Saint John au Nouveau-Brunswick, en passant par Mégantic et le Maine, d'où leur cargaison était transbordée sur des bateaux partant Dieu sait où.

Mégantic a été construit autour du train, c'est pour cela que la voie ferrée passe dans le centre-ville. On y trouvait une industrie forestière en pleine croissance, c'était le dernier lieu de transition pour les équipages avant la traversée du Maine pour aboutir à l'autre bout du Canada. Pas de voie ferrée, pas de Mégantic ; c'est aussi simple que ça. Comme tant d'autres villes à côté de grandes industries, Mégantic respirait le chemin de fer.

Le pétrole était donc en voie de remplacer le bois sur la voie ferrée qui traverse ce centre-ville. Et il y a eu ce déraillement le 6 juillet 2013. Qu'arrivera-t-il à Mégantic, maintenant ? Qu'est-ce qui redonnera vie au cœur de la ville, à la région ? Certainement pas le pétrole. Pourquoi pas le bois à nouveau ? »

: :

L'Amérique consomme chaque jour environ 20 des 90 millions de barils de pétrole qui sont produits sur Terre. Les pipelines ne suffisent plus, surtout depuis que l'autonomie énergétique semble être devenue une obsession de l'admisnistration américaine. Le pétrole, et une tonne d'autres produits du genre, vont de la source au consommateur par train, par camion lourd, par bateau et par pipeline. Notre consommation sans cesse croissante pose donc la question ultime : jusqu'où irons-nous dans cette accélération de la demande d'énergie en général, et d'hydrocarbures en particulier ? Combien de Mégantic faudra-t-il pour qu'on se décide une fois pour toutes à revoir notre vision du monde ?

Surtout, évitons de nous contenter d'attendre pour voir si… Nous devons dès maintenant miser sur une vision qui nous gardera devant la parade, pas sur le trottoir à regarder le monde changer, attendant de voir ce que cela aura comme effet sur nos vies et l'ensemble de nos valeurs.

Mais qu'est-ce qui nous rend si peu enclins à passer à l'action ? Une partie du problème tiendrait-elle au mode d'échange de biens et services que nous avons mis en place au cours des siècles et que l'on nomme communément économie ? Un bon coup de balai, histoire de revoir nos priorités et nos façons de faire, serait-il nécessaire ?

IV
Économie ? Quelle économie ?

FRANÇOIS RACONTE...

La reine des abeilles

« Au Sommet de Rio+20, la ministre de l'Environnement suédoise, Lena Hek, m'a raconté une histoire sur la valeur des services rendus par les abeilles de son pays. La Grande-Bretagne a récemment demandé à la Suède de lui donner (s'il vous plaît !) 100 reines abeilles avec, évidemment, les ouvrières dévouées qui suivent leur majesté. La fière Albion manquait de pollinisateurs efficaces ! La Suède a bel et bien fait don de ces abeilles aux amis anglais, mais — et c'est là que ça devient intéressant — la demande est rapidement devenue publique dans les journaux de Stockholm et un intense débat public a suivi. Résultat ? La ministre Hek a convaincu son gouvernement de mettre en place un comité spécial d'experts pour déterminer la valeur économique des services de la nature dans le pays, avec comme but la prise en compte de ces services dans le calcul du P.I.B. du pays au cours des quelques années à venir. La Suède va donc changer de modèle d'affaires. Est-ce économiquement farfelu ? Pas si certain. La Chine a un problème de pollinisation si grave que des humains doivent faire ce travail sur les arbres fruitiers dans certaines régions du pays. D'un seul coup, la pollinisation entre de plain-pied dans le P.I.B. de la Chine. Un de mes rares rayons de soleil à Rio en juin 2012. »

L'exemple de la reine des abeilles attire notre attention sur les béquilles financières dont profitent l'ensemble des industries du secteur des hydrocarbures. C'est grâce à des centaines de milliards de dollars « d'aide » que ces assistés sociaux de luxe maintiennent leurs profits. Parce que des entreprises sont enregistrées dans des paradis fiscaux ou des pays aux mœurs fiscales légères, telle l'Irlande, des milliards en impôts échappent aux gouvernements. Les cadeaux sont sociaux et collectifs, tandis que les profits sont privés et trop souvent à l'abri d'une taxation équitable. Quand une compagnie verse moins de 5 % d'impôts sur ses revenus, il y a véritablement un problème au royaume du dollar !

Avez-vous une idée du montant des subventions (abris fiscaux, subventions directes et indirectes) dont bénéficient les combustibles fossiles à l'échelle planétaire ? Les estimations conservatrices indiquent 775 milliards de dollars[63] par année ! Si ces subventions étaient un pays, celui-ci arriverait au 18e rang des pays les plus riches sur la planète, juste devant l'Arabie saoudite.

Qu'en est-il des subventions accordées aux énergies renouvelables, comme le solaire, l'éolien et la biomasse ? Selon l'Agence internationale de l'énergie, elles s'élèvent à 66 milliards de dollars sur la même période, soit 12 fois moins !

Au Canada seulement, les subventions aux énergies fossiles sont de l'ordre de 1,4 milliard de dollars par année si l'on ne tient compte que des subsides fédéraux, selon l'Institut international du développement durable, une organisation canadienne indépendante qui a publié un rapport détaillé sur la question[64]. Si l'on ajoute les subventions des provinces comme l'Alberta et la

63. http://priceofoil.org/campaigns/international-energy-finance/ending-international-fossil-fuel-subsidies/

64. http://www.iisd.org/media/press.aspx?id=179

Saskatchewan, ce montant atteint presque TROIS milliards par année (2,8 milliards pour être plus précis).

L'énergie, le cœur de la bête

Si la politique énergétique d'un pays constitue un facteur déterminant et un outil puissant pour orienter le reste de l'économie, les avantages fiscaux de tous types que l'on consent à un secteur donné exercent une pression tout aussi critique sur un ensemble d'effets économiques structurants. À l'inverse, ces choix peuvent avoir des effets néfastes sur des secteurs concurrents. L'extraction du pétrole de l'Ouest canadien jouit d'une série de mesures fiscales fédérales et provinciales qui n'ont pas leur place dans un marché dont les prix sont déterminés par la demande mondiale. Appuyer ainsi l'industrie des hydrocarbures fausse totalement leur vraie valeur sur le marché, et cela ne peut avoir qu'un effet négatif sur les industries qui développent les autres sources d'énergie. Comment parvenir à adopter une politique énergétique viable pour l'ensemble de l'économie si un secteur jouit d'avantages si flagrants et si son coût réel n'est pas reflété sur l'ensemble de la chaîne des biens et services qui en dépendent, ne serait-ce qu'en partie ?

Ne sommes-nous pas devant une forme d'iniquité socioéconomique ? Sur quelle base peut-on prétendre que telle ou telle source d'énergie est plus ou moins compétitive avec « le marché » si le terrain fiscal n'est pas le même pour tous ? Il y a trop longtemps que le soi-disant marché boite sur ses béquilles subventionnaires.

Citons ici l'Agence internationale de l'énergie, qui définit ainsi les subsides énergétiques : « [...] toute action gouvernementale, dirigée en priorité au secteur énergétique, qui hausse le prix de revient de l'énergie aux producteurs ou affecte à la baisse le prix final aux consommateurs »[65]. En somme, si les prix sont faussés, le terrain de jeu est bancal.

65. Traduction des auteurs

> En Amérique du Nord, on estime qu'une voiture passe plus de 90 % de sa durée de vie stationnée. Dans le centre-ville de nos plus grandes agglomérations, environ 30 % des voitures qui roulent sont à la recherche d'un espace de stationnement. Ces mêmes espaces occupent de 15 à 20 % de la surface immobilière des villes. Le manque à gagner en revenus pour les Villes et en occupation du territoire pour des usages potentiels autres que l'utilisation de la voiture est presque incalculable si on considère qu'il y a des centaines de millions d'espaces de stationnement dans les zones urbaines.

Dans un tel contexte, il devient beaucoup plus facile de prétendre que le solaire et l'éolien ne sont pas compétitifs. Le pétrole, le gaz naturel et le charbon jouissent d'un avantage économique injuste devant les énergies renouvelables, et ce, au détriment des consommateurs. En outre, cet avantage artificiel retarde le développement de sources d'énergie plus viables, moins polluantes et plus diversifiées quant à leur potentiel de substitution des énergies fossiles.

Par ailleurs, les prix de l'énergie trop bas en Amérique du Nord ne font qu'encourager le gaspillage. L'Europe, qui taxe l'essence deux fois plus que l'Amérique, est-elle moins compétitive pour autant ? Non. Et pourquoi ? Parce qu'on innove, parce qu'on améliore la performance énergétique partout où l'énergie est une donne majeure. Les prix de l'énergie et, dans certains pays, les taxes à la consommation, font en sorte qu'en Europe, la demande énergétique par citoyen est en moyenne de 50 % inférieure à la nôtre. Le parc automobile y est beaucoup plus performant, sans compter que les autoroutes sont payantes dans certains pays comme la France. Un trajet par autoroute de Paris à Lyon coûte aussi cher en péages qu'en essence ! Même si la presque totalité de ces revenus est vouée aux infrastructures en tant que telles, il faut bien constater que la consommation d'essence aux 100 kilomètres du parc automobile européen est bien plus basse que la nôtre et que les transports en commun sont beaucoup plus sollicités là-bas que chez nous.

Même si nous n'avons pas la densité de population de l'Europe, nous pouvons tout de même poser les premiers jalons d'une rationalisation de l'ensemble de nos transports. Il faut à tout prix sortir du « tout pétrole » et du « tout gratuit », qui n'entraînent que des conséquences onéreuses et pas très efficaces.

Rien ne nous empêche de mettre graduellement en place un signal de prix de l'essence à la hausse chaque année. Il faut diriger la totalité, du moins la plus grande part possible de ces revenus additionnels dans un fonds dédié par législation à une valorisation des services publics, tel le transport en commun, ou à une transition énergétique vers une économie sobre en pétrole et axée vers les énergies renouvelables.

L'EXEMPLE DE L'AUSTRALIE[66], DU RÊVE AU CAUCHEMAR !

En 2011, sous le leadership de Julia Gillard du parti travailliste — nouvellement élue première ministre pour succéder à son collègue Kevin Rudd, et appuyée par les Verts — l'Australie mettait en place une politique énergétique découlant d'une vision à l'horizon de plusieurs générations. Le but avoué de cette nouvelle orientation : l'avenir énergétique de l'Australie, axé sur les énergies propres, et le virage économique du pays passant par les énergies renouvelables et l'innovation.

Dans un texte d'une grande clarté appuyé par une documentation solide, le gouvernement Gillard expliquait les moyens qu'il

66. *Securing a Clean Energy Future : The Australian government's climate change plan* (2011).

comptait prendre pour sortir graduellement le pays de l'ère du charbon. L'Australie est le premier pays exportateur du monde, hautement dépendant pour son économie de ce fossile très polluant pour ses besoins en électricité. Selon Julia Gillard, le pays se devait d'être un exemple de virage économique durable.

Citant les chiffres des Nations Unies sur l'évolution du climat, le gouvernement entendait à la fois prendre ses responsabilités quant au besoin de réduction des émissions de carbone et transformer son économie pour tendre graduellement vers des modes de production et de consommation axés sur la performance énergétique et la compétitivité de l'économie australienne.

Une cible de réduction de 80 % des émissions de GES pour 2050 par rapport au niveau de l'an 2000 était au cœur de cette politique. L'outil ? Donner un prix au carbone ! Le moyen ? Une taxe de 23 $ A la tonne (un peu plus de 24 $ CAN) imposée aux grands émetteurs de CO_2 à partir du 1er juillet 2012 et ajustée annuellement selon l'inflation. Une partie des revenus de cette taxe devait être répartie afin d'aider les entreprises en transition, et plus de 50 % de la somme devait aider les ménages à assumer les surcoûts de la hausse des biens de consommation. Un chèque devait être envoyé directement à chaque famille. Si l'on prêtait une attention particulière aux plus démunis, aux personnes âgées, cette aide pourrait même dépasser les effets escomptés de la hausse des prix à la consommation.

On devait également appuyer les entreprises. En plus d'un soutien financier, on leur promettait des programmes d'aide pour moderniser leurs moyens de production de façon à ce qu'elles soient encore plus compétitives sur les marchés internationaux. Plus de 40 % des revenus de la taxe devaient aller aux entreprises. Des suivis rigoureux et des ajustements permanents étaient annoncés, sous l'égide d'un organisme indépendant et multipartite. Une grande vision, en somme !

En fin de compte, cette audace a coûté son poste à Julia Gillard. Son parti l'a expulsée au profit de Kevin Rudd quand les sondages ont annoncé une défaite cuisante pour le parti aux élections de l'automne 2013. Outre le très lourd lobby des grands producteurs d'énergie, c'est l'augmentation prévue de quatre dollars par semaine de la facture d'électricité domestique qui fut la goutte qui fit déborder le vase. En mode rattrapage, Rudd est même allé jusqu'à promettre que son gouvernement n'appuierait pas une taxe sur le carbone. Le programme mis en place une année plus tôt a été remplacé par un mécanisme de crédits carbone. Cette approche électoraliste a suspendu une des approches les plus novatrices et équilibrées en matière de réduction des émissions de GES.

Puis l'inévitable se produisit: les conservateurs de John Abbott prirent le pouvoir les premiers jours de septembre 2013. Immédiatement — littéralement le premier jour — Abbott s'est mis en marche pour passer une loi visant à éliminer toute possibilité de taxe sur le carbone. Il a éliminé l'agence de promotion des énergies renouvelables, a placé le ministère de l'Énergie sous la tutelle de celui de l'Industrie et du Commerce et a mis fin à la démarche courageuse de Julia Gillard. Tous les dirigeants d'organismes jugés trop progressistes ont été congédiés.

Comme pour appuyer ces gestes, Abbott a annoncé du même souffle un vaste programme de construction de routes afin, disait-il, de mettre l'Australie sur la voie du 21e siècle. Le rêve est devenu un cauchemar! L'Australie va continuer de s'enliser dans la production de charbon et subira d'autant plus les taxes sur le carbone qui la frapperont inévitablement de l'extérieur.

Pourtant, nous sommes prévenus...

Partout sur la planète, politiciens et économistes prennent position, les scientifiques montent aux barricades et les nations les plus touchées par les changements climatiques lancent des cris d'alarme. C'est plus que jamais notre mode économique qui est mis au banc des accusés.

Selon Joseph E. Stiglitz, Prix Nobel d'économie en 2001 et ancien économiste en chef de la Banque mondiale, le problème de ses confrères économistes, c'est de croire que l'économie peut être plus grande que la capacité de la planète de la supporter. Nous croyons comme Stiglitz que la fonction première des marchés n'est pas de régler des problèmes : leur rôle se limite à permettre la mise en marché de biens privés, dont la vente crée des profits. Pourtant, nous devrons bien, un jour, comptabiliser les retombées environnementales, tant positives que négatives, lorsque vient le temps de calculer le P.I.B. de tous les pays.

Un autre ancien de la Banque mondiale, Sir Nicholas Stern, a été mandaté par le gouvernement britannique de Tony Blair pour étudier l'impact des changements climatiques sur l'économie. Son rapport, rendu public en 2006 et connu sous le nom du « Rapport Stern[67] », arrivait déjà à cette conclusion : plus nous attendons pour réduire nos émissions de GES, plus les coûts économiques des catastrophes seront élevés, tout comme les coûts de réduction de nos émissions de GES. Il estimait qu'agir pour limiter les émissions à *seulement* 550 ppm en 2050 (nous avons dépassé le cap des 400 ppm en mai 2013) aurait un coût correspondant à 1 % du P.I.B. de la planète. Et encore, en ce qui a trait à l'énergie, pour qu'un tel scénario se concrétise, il faudrait que le secteur énergétique à lui seul se *décarbonise* de 60 à 75 % au cours de la même période[68]. À la lumière de ces chiffres, on peut comprendre assez facilement que ce n'est pas chose facile de seulement ralentir la hausse des émissions de GES.

---

67. Nicholas Stern, *The Economics of Climate change, The Stern Review*, Cambridge, Cambridge University Press, 2006.

68. *Ibid.*

LES FEUX DE FORÊT EN RUSSIE

En 2010, la Russie connaît l'un des pires étés de son histoire en matière de sécheresse et de feux de forêt. Les impacts de ces catastrophes naturelles sur le pays sont si graves que le gouvernement du président Dimitri Medvedev déclare l'état d'urgence dans 28 régions de la Russie. On estime que plus de 56 000 personnes ont perdu la vie, alors que les dommages de ces catastrophes se sont élevés à 15 milliards de dollars. Alors que près d'une trentaine de régions font face à une crise de production alimentaire due à la sécheresse, le gouvernement décide de cesser d'exporter du grain (blé, maïs, orge). Comme la Russie est le troisième plus important producteur de blé au monde, cette décision des autorités russes entraîne une augmentation fulgurante des prix de ces céréales sur les marchés mondiaux : en l'espace d'environ six mois, le prix du blé est passé de 250 $ à 350 $ la tonne.

Cette hausse rapide du prix du blé ainsi que de ceux d'autres grains de base, comme le maïs ou le riz, a provoqué une importante crise alimentaire, les prix de certaines de ces denrées augmentant de 15 à 20 % dans des pays comme l'Égypte et le Pakistan[1].

1. http://www.oxfam.org/sites/www.oxfam.org/files/rr-impact-russias-grain-export-ban-280611-en.pdf
http://www.guardian.co.uk/environment/2010/oct/25/impending-global-food-crisis

D'ailleurs, toujours selon Nicholas Stern, ne pas agir a un effet dévastateur entraînant un coût équivalant à 5 % du P.I.B., soit un coût cinq fois plus élevé que l'action, sans compter le temps perdu qui aura des conséquences impossibles à évaluer. L'exclusion des retombées économiques des changements climatiques dans l'économie est donc la plus grande défaite du marché. Le « Rapport Stern » donne en exemple l'été 2012, où, dès le début du mois de juillet, on a vu sévir sur l'est et le centre des États-Unis une vague de chaleur entraînant plusieurs décès, alors que des feux de forêt d'importance historique sévissaient au Colorado. Rappelons également la vague de chaleur qui a causé 70 000 décès en Europe en 2003, en plus de pertes estimées à plus de 15 milliards de dollars pour le secteur agricole uniquement ; enfin, pensons à cette autre canicule, en 2010, qui a été à l'origine de nombreux feux de forêt sur un large territoire allant de la Grèce à la Russie.

Une transition nécessaire et difficile

Un rapport de la firme Price Waterhouse Cooper rendu public en novembre 2012 analyse le progrès et le retard de certains pays quant à leur budget carbone en comparaison des objectifs de Kyoto. L'analyse se base sur la mesure d'un indice économique lié à une baisse de l'intensité en carbone[69] d'un pays en fonction du scénario des Nations Unies pour limiter à 2 °C la hausse de la température planétaire ; les résultats sont éloquents[70]. Des pays comme la Grande-Bretagne, la France et l'Allemagne y font très bonne figure. Par ailleurs, les Américains performent moins bien et l'Australie, trop dépendante du charbon, n'arrive pas encore à ralentir sa hausse d'émissions de GES.

Évidemment, la transition énergétique et économique ne sera pas facile pour 200 pays et sept milliards d'humains ; en outre, la recette devra être différente selon les contextes économiques et sociaux. On peut néanmoins présumer qu'une série de réglementations décourageant les modes de production polluants aurait un effet positif net sur les investissements en innovation. À ce chapitre, l'Europe a déjà une bonne dizaine d'années d'avance sur l'Amérique du Nord, et ses pays sont déjà en transition vers

69. Unités de carbone par unité de P.I.B. (en dollars, par exemple).
70. www.pwc.co.uk/economics et aussi, www.pwc.co.uk/sustainability

une économie efficace et durable. Des politiques énergétiques visant une décarbonisation de l'économie des 27 pays de l'Union européenne sont déjà bien en place. Les pays scandinaves sont encore plus avancés.

Combien coûterait une telle transition à l'échelle planétaire ? Selon la Banque mondiale, il suffirait de rediriger vers le secteur des énergies renouvelables 10 % des investissements annuels mondiaux, soit moins de 2 % du P.I.B. planétaire, pour effectuer ce virage économique durable. Que représentent ces 2 % en dollars ? Plusieurs organismes, y compris l'Agence internationale de l'énergie et la Chambre de commerce internationale, croient que nous avons besoin d'investir plus de un trillion de dollars par année pour assurer la transition vers une économie moins dépendante du carbone. Dès 2009, le Département américain du Commerce estimait cette facture à plus de 500 milliards de dollars par année[71].

Comme ces montants nous semblent démesurés, on croit la tâche impossible. Mais prenons le temps de mettre les chiffres en perspective. De l'argent, il y en a beaucoup quand il s'agit, par exemple, de faire la guerre. Le budget annuel mondial de l'armement atteint 1,6 trillion de dollars par année. L'intervention américaine en Irak à elle seule coûtait 300 millions CHAQUE JOUR ! Plus de 100 milliards par année… Le Canada a englouti presque 100 milliards de dollars dans son intervention en Afghanistan. Et, année après année, le gouvernement canadien verse au nom de chaque citoyen, adultes et enfants (35 millions de personnes en 2013) une aide de 100 $ au secteur des hydrocarbures. Total de la facture annuelle : 350 millions.

En somme, nous éloigner graduellement du pétrole est bien plus une affaire de volonté politique que de financement ou de virage technologique. Il n'y a pas un seul argument économique qui tienne la route en ce qui concerne notre incapacité d'effectuer

71. http://www.un.org/apps/news/story.asp

la transition vers une économie sans pétrole. Alors, quelle ordonnance rédiger à l'intention de ce patient qui souffre de malbouffe économique ?

Le carbone sera-t-il la monnaie de l'an 2100 ?

La question se pose. Si l'or se transige à des prix ahurissants — virtuellement, on s'entend : vous en connaissez, vous, des gens qui possèdent de l'or en lingots ? — et si ce marché de l'intangible et de la spéculation se situe à la base de la sécurisation des investissements, ne pouvons-nous pas nous questionner sur la monnaie de demain ? Virtuel pour virtuel, la valeur écologique d'un bien ou d'un service pourrait tout à fait se transiger en équivalent carbone. Cela aurait le mérite de nous rapprocher de la réalité, par exemple en établissant un prix pour l'air pur, tout comme nous arrivons maintenant à mettre un prix sur la qualité de l'eau...

On peut imaginer, du moins pour les biens de consommation, un étiquetage qui préciserait la part carbone comprise dans le prix. Comme nous avons des étiquettes sur les pare-brise des voitures pour indiquer la consommation d'essence du véhicule, sur nos appareils électroménagers pour indiquer leur consommation d'électricité, et bientôt sur nos baux pour nous informer de la performance énergétique de notre logement (comme c'est le cas en France, notamment), nous pourrions voir sur la facture, en plus des taxes, la valeur monétaire de l'équivalent carbone du bien acheté. D'ailleurs, nous avons déjà commencé à attribuer une valeur à la non-efficience au moyen de taxes sur le carbone, du marché grandissant des Bourses du carbone ou d'autres mesures fiscales. Bien que, pour le moment du moins, nous ne comptabilisions pas vraiment la part de CO_2 dans nos biens de consommation, cette pratique semble incontournable à moyen et long termes. Les biens devront prendre graduellement une appréciation, ou une dépréciation monétaire, selon leur valeur ajoutée environnementale ou la monétisation des externalités[72].

La notion de valeur ajoutée environnementale ne devrait évidemment pas exister. Il s'agit plutôt de valeur juste ou de facture équitable, par exemple. Mais ne peut-on pas envisager un avenir proche où l'ensemble des retombées liées à nos choix énergétiques — l'énergie consommée tout comme les coûts environnementaux réels, au moyen d'une analyse de cycle de vie (ACV) — aura été totalement intégré dans la valeur finale du bien livré ou du service rendu ?

CRÉDITS CARBONE 101

Le crédit carbone est le terme générique qui correspond au droit d'émettre une tonne de CO_2 — ou l'équivalent provenant d'un autre gaz à effet de serre. Ce crédit peut s'acheter ou se vendre et il s'échange sur des Bourses qui sont l'équivalent des Bourses traditionnelles.

À la suite du Protocole de Kyoto, on a mis en place un système de valeurs monnayables afin d'atteindre une réduction globale des émissions de GES permettant d'atteindre les objectifs mondiaux pour éviter un réchauffement du climat.

Des acteurs de partout échangent ainsi ces valeurs carbone ; il existe des crédits de valeurs différentes selon qu'ils répondent à des normes plus ou moins élevées. Il y a en ce moment deux marchés principaux pour ces crédits : l'Europe et, à un degré moindre, l'Amérique.

---

72. Selon le US Office of Management and Budget (2013), « [...] une externalité survient lorsque les actions d'une partie imposent un coût ou un bénéfice non compensé à une autre partie [...] ». OMB (United-States Office of Management and Budget) (1996). *Economic Analysis of Federal Regulations Under Executive Order 12866.* Document consulté en ligne en janvier 2013. http://www.whitehouse.gov/omb/inforeg_riaguide.

Voyons un peu comment cela se traduit concrètement à l'aide d'un exemple. La compagnie A, qui émet 1 000 tonnes de CO_2, doit réduire disons de 5 % par année son niveau d'émissions. Toute réduction en deçà de cette cible lui donnera droit à un crédit qu'elle pourra vendre en Bourse, en général par l'intermédiaire d'une entreprise spécialisée — une forme de courtier —, à l'entreprise B, qui n'a pas atteint sa cible et qui, en conséquence, doit acheter des crédits. Le but de ce marché est d'inciter les industries à se moderniser et, par conséquent, à réduire leurs émissions tout en gagnant en productivité. Les mauvais joueurs paieraient de plus en plus cher leur droit de polluer, en quelque sorte. À terme, si le système fonctionne comme prévu, le nombre de crédits en circulation ira en diminuant et, en principe, leur prix unitaire augmentera. En ce qui touche l'économie, les entreprises ont donc tout intérêt à se moderniser et à augmenter leur performance énergétique et environnementale.

Vous aurez compris que les règles qui définissent ce type de système sont d'une grande importance :

- Les efforts de réduction exigés des grands émetteurs créent-ils une pression suffisante pour que les émissions soient réduites ?
- Les mécanismes permettant aux entreprises de ne pas réduire leurs émissions, mais plutôt d'acheter des crédits, sont-ils adéquats ? Conduisent-ils à des engagements permettant véritablement de réduire les émissions ?
- A-t-on songé à un prix plancher pour les crédits de carbone de façon à éviter, comme ce fut le cas au printemps 2013, l'effondrement des prix de la tonne de carbone ?

En comparaison avec ce système complexe de plafonnement et d'échanges, une taxe sur le carbone, comme celle qu'ont mise en place le Québec et la Colombie-Britannique, est d'une simplicité déconcertante. Hélas, après la défaite en 2008 de Stéphane Dion, qui avait fait de la taxe sur le carbone une pièce maîtresse de sa plate-forme électorale, l'appétit politique pour ramener ce mécanisme à l'avant-scène se fait plutôt discret. Même constat pour les États-Unis, où la seule mention d'une nouvelle taxe risquerait de provoquer un embrasement du Congrès américain.

Le système de plafonnement et d'échanges demeure donc, pour l'heure, l'un des seuls mécanismes permettant d'attribuer un prix au carbone. Cela étant, les marchés de l'Europe et celui de la WCI[73] ne sauraient être suffisants pour permettre l'établissement d'un véritable marché mondial du carbone. Il faudra que d'autres pays, ou blocs de pays, se joignent au mouvement, et plus tôt que tard.

Une analyse de cycle de vie, c'est quoi ça ?

On peut établir un lien entre l'analyse de cycle de vie (ACV) et le prix du carbone. En effet, on pourra évaluer le coût environnemental d'un bien ou d'un service au moyen d'une ACV et s'en servir par la suite pour mesurer son impact en termes monétaires en se référant aux prix du marché.

L'analyse de cycle de vie se base sur la notion de développement durable en fournissant un moyen efficace et systémique d'évaluer les impacts environnementaux d'un produit, d'un service, d'une entreprise ou d'un procédé. Le but fondamental d'une ACV est de réduire la pression d'un produit sur les ressources et l'environnement tout au long de son cycle de vie, depuis l'extraction des matières premières jusqu'à son traitement en fin de vie (mise en décharge, recyclage…). Elle correspond à la norme ISO 14044.

L'ACV permet avant tout d'avoir une vision globale de l'impact environnemental d'un produit ou d'un processus,

73. Western Climate Initiative. Bourse du carbone nord-américaine à laquelle participent, entre autres, le Québec et la Californie.

d'évaluer quel type d'impact environnemental est dominant dans la production d'un bien et quelle est l'importance de son impact environnemental du début à la fin de son utilisation. On utilise souvent l'expression « du berceau à la tombe » pour souligner l'aspect exhaustif d'une ACV. On peut ainsi avoir une mise en perspective des différents types d'impacts et de leur importance dans le cycle de vie que l'on étudie. En somme, une ACV, c'est tout simplement la comptabilité environnementale complète de tout ce qui concerne un bien ou un service donné !

Bien que compliquée et réalisable uniquement par des équipes spécialisées, l'analyse de cycle de vie va prendre de plus en plus de place dans l'évaluation environnementale de biens et de services pour lesquels nous n'avons encore aucune mesure d'impact. Par exemple, non seulement faut-il produire une voiture, mais il faut également extraire les ressources qui en sont les composantes. L'énergie pour extraire ces ressources, les transporter, les transformer, les rejets produits et leur mode d'élimination, tout cela doit être comptabilisé. Ensuite, on doit mesurer l'impact environnemental de l'assemblage, de l'entretien et des services nécessaires à toutes les étapes de la durée de vie de la voiture. Par la suite, il faut savoir ce que nous ferons des différentes composantes lorsque leur vie utile sera terminée.

Une ACV permet donc de mesurer l'impact total des biens de consommation, d'inclure éventuellement tous ces coûts dans la facture environnementale et économique globale, sans oublier l'élimination ou le recyclage en fin de vie. Déjà, quand nous changeons les pneus de notre voiture, nous payons une prime pour en assurer l'élimination et la réutilisation — sous forme de tapis ou autre —, au lieu de simplement les empiler dans la nature comme nous le faisions avant, avec les résultats que l'on sait. Plusieurs se souviendront de Saint-Amable en

1990 et des milliers de pneus en flamme pendant des jours et des jours...

Sommes-nous mûrs pour une transition économique hors des sentiers battus ? Existe-t-il, justement, d'autres chemins plus viables à long terme ? Sommes-nous plus près de l'économie verte que nous le pensons ?

STEVEN RACONTE...

Investir dans le développement durable

« Je connais Andrée-Lise Méthot depuis maintenant plus d'une décennie et ce qu'elle a accompli au cours de ces années a de quoi impressionner. Qui est Andrée-Lise ? Outre le fait qu'elle est un bourreau de travail doté d'une détermination hors du commun, elle est fondatrice et directrice associée de Cycle Capital Management, un fonds de capital de risque québécois. Ce fonds est l'expression même de cette nouvelle économie que nous souhaitons voir se mettre en place. Cycle Capital a été créé en partenariat avec les écologistes par le Fonds d'action québécois en développement durable (FAQDD), avec les syndicats grâce à l'engagement du Fondaction de la CSN et du Fonds de Solidarité de la FTQ, avec le gouvernement du Québec et des entreprises telles Cascades et Gaz Métro.

La mission de Cycle Capital est d'investir dans le développement de technologies, mais pas n'importe lesquelles. Voici un extrait de son site Internet :

> « [...] l'adaptation aux changements climatiques et l'accession à une économie à faible taux de carbone sont probablement deux des plus grands défis auxquels devront faire face les sociétés développées et en développement dans les prochaines années. Des changements importants s'imposent afin de remédier aux changements

climatiques causés par l'accroissement rapide des gaz à effet de serre (GES)[74]. »

Le portefeuille de Cycle Capital est composé d'actions de compagnies qui sont, entre autres, dans les domaines de l'éolien, de l'éclairage DEL (diode électroluminescente, un type d'éclairage très écoénergétique), de l'éthanol de deuxième génération avec la compagnie Énerkem (nous reviendrons sur Énerkem dans le chapitre 6), etc. Au total, Cycle Capital a sous gestion plus de 230 millions de dollars.

Ce portefeuille, c'est Andrée-Lise qui l'a bâti. Pas toute seule, certes, mais sans sa vision, sa détermination, sa capacité à asseoir autour d'une table des gens d'horizons différents, ce fonds unique n'aurait probablement jamais vu le jour.

Vous souvenez-vous de cette publicité de rasoir électrique dans laquelle le mec disait avoir tant aimé le produit qu'il avait « acheté la compagnie » ? Non, je n'ai pas acheté la compagnie, mais lorsque Andrée-Lise m'a demandé de devenir conseiller stratégique pour Cycle Capital, j'ai tout de suite accepté.

Pour mieux comprendre les défis liés à son secteur d'activité, je lui ai posé quelques questions.

Dans la perspective d'une économie plus sobre en carbone, vers quels domaines devrions-nous diriger nos efforts de développement technologique ?

En fait, il faut, d'une part, préparer l'avenir en concentrant une large partie de nos efforts dans des secteurs tels que l'électrification des transports et l'élaboration de nouveaux matériaux. Cependant, pour l'économie de transition que nous devons instaurer, il faut d'autre part déployer à fond de train les technologies matures telles que l'éolien, le solaire et les biocarburants de deuxième génération.

---

74. http://www.cyclecapital.com/fr/

Il faut aussi, le plus vite possible, se pencher sur l'agriculture et la chimie verte.

Vous gérez des fonds d'investissement dans des technologies propres. Quels éléments permettraient à ce secteur de devenir un moteur important de l'économie des années à venir ?

Trois éléments sont fondamentaux :

- Réunir des entrepreneurs qui ont une vision et une capacité à développer et à mettre en œuvre avec succès des entreprises ;
- S'assurer que nous développerons des entreprises à haute valeur ajoutée, incluant une propriété intellectuelle de grande qualité et bien protégée ;
- Enfin, disposer de leviers financiers suffisants, de politiques publiques cohérentes, y compris le levier déterminant de l'achat de nos technologies par les marchés publics, qui représentent des milliards de dollars chaque année.

Le défi, pour Andrée-Lise Méthot, était de trouver un équilibre entre la promotion d'une autre voie économique et les bases de tels investissements. Non rentables, ces entreprises ne seraient qu'une série d'échecs parmi bien d'autres. Il fallait donc miser sur des options solides et porteuses de signaux forts pour une économie durable. »

L'économie verte repose sur des principes — le respect de l'environnement, bien sûr — mais aussi sur un caractère économique viable et équitable ainsi que sur la justice sociale. On peut inscrire l'économie verte dans un cadre ayant pour pôles principaux une performance énergétique optimale centrée sur les énergies renouvelables, des infrastructures et bâtiments efficaces, des modes de transport zéro carbone ou presque, la gestion de l'eau, la maîtrise des déchets et, évidemment, l'aménagement du territoire.

Économie verte et équitable

Il nous faut changer de boussole. Sans une réorientation de fond en comble de nos stratégies énergétiques, nous courons vers une crise économique et sociale majeure, tant nationale que mondiale. Notre incapacité à nous affranchir de notre dépendance maladive aux énergies fossiles ne peut mener qu'à des actions dictées par la panique du moment et qui tiendront davantage de l'instinct de survie que d'une transition planifiée et gérable. Dès lors, la venue d'autres crises économiques sera inévitable. Pour bien mener cette transition, nous devons adopter l'approche des petits pas, mais ne pas revenir en arrière, ne pas regretter nos choix plus responsables, tout en les encadrant d'une solide vision économique axée sur ce qui est soutenable environnementalement et économiquement.

Axé sur l'économie verte, le Sommet Rio+20 s'est tenu en juin 2012. Cette rencontre fut la dernière d'une longue suite de rencontres étalées sur plus de deux ans. Chapeautée par le Programme des Nations Unies sur l'Environnement (PNUE) et complémentaire de la démarche sur les changements climatiques, la rencontre de Rio+20 misait à long terme sur une transformation de l'économie. Une série de principes généraux encadraient cette vision d'une économie nouvelle axée sur le développement soutenable et équitable.

Équité et justice, dignité pour tous, droit universel aux services de santé, d'éducation et de représentation, protection du milieu vivant, gouvernance responsable et redevable, efficacité énergétique et responsabilité intergénérationnelle sont autant de principes directeurs qui encadraient le travail de Rio+20 et le virage vers l'économie verte. Pour ce qui concerne les aspects économiques en particulier, on trouvait dans les énoncés du programme tout ce qui a une portée juste et équitable. Équité entre pays, approche inclusive, respect des droits des travailleurs, justice sociale et environnementale, désintermédiation entre les acteurs de tous les niveaux, inclusion des externalités environnementales et sociales et, enfin, recherche de la qualité au lieu du moindre coût que permet l'exploitation inéquitable de la main-d'œuvre. Cet avenir commun vise en particulier les 20 % d'humains qui gagnent à peine un dollar par jour. Un milliard et demi d'humains n'a pas accès à l'électricité et dont le tiers habite l'Inde ! La Chine devient trop chère ? Changeons de pays. Du *made in China*, nous passons au *made in India*. Ou bien irons-nous au Pakistan, en Malaisie ou au Bangladesh où, doit-on le rappeler, plus de 1 000 travailleuses ont perdu la vie au printemps 2013 afin que nous puissions avoir des vêtements produits de la façon la « moins chère possible » ? Verrons-nous dans ces autres pays l'ascension d'une classe moyenne importante comme en Chine ? Pas certain. Et qui saurait prédire la situation des citoyens les plus pauvres de l'Inde dans cinq ou dix ans si 50 % de la population n'a pas encore accès au réseau électrique ?

L'Afrique, quant à elle, reste le paria d'entre les parias. Même l'Afrique du Sud, qui fait de grands bonds économiques, progresse très lentement dans sa lutte contre l'élimination de la pauvreté extrême. La participation aux différents sommets sur le climat qui y ont été tenus nous a fait découvrir la face cachée de ce pays. Au Sommet de la Terre de Johannesburg, en 2002, ou encore au Sommet de Durban sur les changements climatiques, en 2012, il nous a été donné de prendre la mesure de l'ampleur du gouffre entre riches et pauvres, entre les quartiers tout béton et verre et, souvent à proximité, ceux où chaque nuit les corps usés s'endorment sur des cartons près de bouches de chaleur ou dans les entrées de commerces.

Cela dit, l'économie soutenable n'est pas hors de la portée immédiate d'un nombre grandissant d'humains et on s'y attaque parfois de façon assez originale.

Quelques exemples de virages économiques, chez les riches et les moins riches :

- En Ouganda, la transition vers l'agriculture biologique redonne vie aux petites fermes et renforce le tissu social et économique des villages ;
- En Haïti, l'Initiative Côte Sud profitera à moyen terme à plus de 200 000 personnes grâce à la régénération de terres données pour incultes ;
- Au Népal, la gestion communautaire des forêts permet de mettre fin à des années de dégradation des sols par l'érosion, conséquence d'une exploitation abusive et sans considération pour l'environnement des zones forestières en montagne. Il faut savoir que plus de 90 % des ménages ruraux dépendent du bois pour la cuisine et que la gestion de cette ressource est presque exclusivement la tâche des femmes[75] ;
- En France, plus de 90 000 emplois ont été créés dans les secteurs de la rénovation domiciliaire et de l'efficacité énergétique de 2006 à 2008 uniquement. L'ADEME, l'Agence française de la maîtrise de l'énergie, dispose d'un budget de presque 900 millions d'euros par année et d'une panoplie impressionnante de moyens pour aider entreprises, municipalités et individus à effectuer la transition vers les énergies renouvelables ;
- Le Québec est doté d'une grappe industrielle en environnement qui regroupe des centaines d'entreprises, ce qui en fait un chef de file mondial. Écotech Québec ne cesse de prendre de l'ampleur et pratiquement tous les secteurs de notre économie y sont représentés d'une façon ou d'une autre ;
- Installée à une heure de Vienne, la compagnie Fronus produit des composantes solaires, batteries, onduleurs, etc. Plus de 2 000 employés y produisent pour plus de 300 millions d'euros de composantes par année, dont 85 % sont exportées.

---

75. *Newsweek*, décembre 2010.

L'entreprise détient plus de 400 brevets ! L'usine est autonome en électricité grâce à un système de panneaux solaires de plus de 600 kW qui recouvrent la majeure partie de la toiture. Au total, la biomasse en chauffage et le solaire en électricité couvrent 70 % des besoins énergétiques de l'entreprise.

Il faut de toute façon dépasser ce concept d'économie verte, trop limitatif. Une économie sera durable ou ne sera pas. Ne miser que sur l'extraction des ressources et l'exploitation des humains ne saurait constituer une économie en soit ; l'utilisation intelligente d'un capital commun doit durer bien au-delà de la vie d'une entreprise ou d'une personne. Éliminer une forêt n'est pas économique au sens le plus strict du terme. Brûler des énergies fossiles et rendre l'air irrespirable, comme en Chine notamment, ne saurait constituer une voie durable pour plus de un milliard d'humains. L'intelligence et l'imagination doivent nous sortir de cette voie sans issue.

Les services de la nature : une économie inclusive

Un des thèmes dominants de la rencontre de Rio+20 fut justement celui de la valeur des services de la nature. Que vaut la pollinisation des abeilles ? Quelle est la valeur économique réelle des forêts des Catskills du nord de l'État de New York qui filtrent, protègent la ressource en eau afin d'alimenter la mégapole américaine ?

Un important programme international, appuyé par le PNUE[76], cherche justement à établir la valeur monétaire des services de la nature. Ses conclusions sont très éloquentes. Par exemple : les services de récréation, de régulation des systèmes hydriques (capacité de filtration de l'eau par les forêts et les sols) et de stockage de carbone de la planète sont évalués à, tenez-vous

76. The Economics Of Ecosystems and Biodiversity (TEEB). www.teebweb.org

bien, 3,7 trillions de dollars par année (oui, 3 700 milliards)! La valeur des services rendus par la biodiversité (fibres naturelles, nourriture, combustible, pollinisation, etc.) approche les 200 milliards de dollars par année, et ainsi de suite. Mais ces chiffres ne trouvent jamais place dans les cahiers comptables et les rapports annuels des grandes entreprises, voire des petites, et encore moins des pays.

Chose certaine, nous n'avons ni la capacité, ni l'argent et encore moins l'énergie (peu importe la source), pour remplacer ce que notre mode économique détruit. Plus un service est critique, moins il est monnayable et plus sa valeur est grande. Une forêt, c'est bien connu, ne prend de la valeur (selon les conventions actuelles) que lorsqu'elle est coupée et transformée en biens de consommation. Mais une fois la forêt éliminée pour de bon, à cause d'une mauvaise gestion de l'écosystème, quelle valeur a la zone dévastée?

Par ailleurs, si on se met à donner une valeur marchande à tout ce qui est «gratuit», ne risque-t-on pas de créer une situation où il n'y aura plus moyen de protéger le capital nature qu'en le déclarant patrimoine de l'humanité? Quelles en seraient les conséquences pour les petites économies locales ou régionales? Comment les collectivités pourraient-elles faire face à une approche boursière de leur avoir collectif? Toutes ces questions, pour le moment, restent sans réponse.

À l'évidence, les marchés ne sont tout simplement pas faits pour gérer les services gratuits de la nature ni pour apporter de solutions aux problèmes sociaux, d'autant plus que ce n'est pas dans leur ADN, leur raison d'être. Les marchés s'occupent de biens et services dans un marché libre. Le profit et la valorisation monétaire des investisseurs demeurent le credo de base de toute économie capitaliste.

Il faut donc se méfier du glissement qui donnerait une valeur marchande, et par conséquent spéculative, à des services à ce jour gratuits pour des pans entiers de populations dans les pays du tiers-monde. Se pose également la question de la valeur réelle des services de la nature. Qui déterminera le prix de l'eau filtrée par une forêt et sur quelle base ? Combien d'eau est purifiée par une forêt sur une base continuelle, et, par conséquent, quel prix devrait payer l'utilisateur final, le consommateur au bout du tuyau à quelques dizaines ou centaines de kilomètres de la source ?

Il y a cependant des cas de figure intéressants. On a réussi à chiffrer la valeur de la pollinisation des abeilles en Suède comme nous l'avons vu au début de ce chapitre. Il y a d'autres cas similaires. En Suisse, notamment, on savait que le miel et ses dérivés rapportent 200 millions de dollars par année à l'économie du pays, mais on a maintenant chiffré la valeur du vrai travail des abeilles : faire l'amour aux fleurs ! Eh bien, c'est cinq fois plus, soit un milliard de dollars par année, que les abeilles rapportent à l'économie suisse simplement en frôlant les fleurs ! Le service est peut-être gratuit, pas sa résultante…

Mais revenons à nos économistes. Comme Hugo Ferraz Penteado de la banque espagnole Santander l'a si bien dit au Rio+20, les économistes font trop souvent abstraction de deux facteurs : les humains et la nature ! Considérer la valeur de la nature dans l'économie ne leur apparaît tout simplement pas pertinent dans un marché spéculatif. De toute évidence, ce n'est pas le cas des économistes suédois !

En résumé, ce qui a la plus grande valeur pour l'avenir de la planète se trouve probablement dans ce que l'économie de marché n'arrivera pas à mettre dans ses colonnes de chiffres, du moins pas avant longtemps. Ce débat sur la valeur des services de la nature est fondamental et devrait se trouver au cœur de toutes les discussions à venir des différents forums mondiaux sur l'économie et la biodiversité. Encore ne faut-il pas oublier que la justice sociale, l'équité intergénérationnelle et les droits des peuples sans réel pouvoir économique sont également au centre de ces considérations. Certains n'avancent qu'en pillant la nature dans les zones mal protégées à cause du manque de contrôle des populations locales, y exerçant une sorte de racisme institutionnel et intergénérationnel contre ceux et celles qui y vivront demain.

Le problème risque de se compliquer sérieusement si on se met à donner systématiquement une valeur marchande à des terres qui sont trop souvent sans titres de propriété clairs. Ce type d'approche, pour ces zones et peuples vulnérables, risque même d'avoir des effets néfastes à long terme s'ils n'ont pas les moyens de siéger parmi les décideurs, ce qui n'est pas le cas maintenant.

Selon Helena Paul, codirectrice d'EcoNexus, une ONG en environnement qui se spécialise dans les débats d'intérêt public, on assiste depuis 2008 à un véritable vol de terres dans les pays du tiers-monde qui résulte en une dépossession pour les populations locales jamais vue auparavant. Des entreprises privées et des États (comme la Chine, l'Inde, la Corée du Sud) se bousculent au portillon pour être les premiers à faire main basse sur des blocs entiers de l'Afrique. Totalement dépourvus de moyens pour résister à cette véritable invasion, des pays comme l'Éthiopie, le Mozambique, la Zambie ou la Tanzanie, voire des pays en plein conflit comme le Soudan ou la République Démocratique du Congo, se font découper en petits morceaux ingouvernables dans un silence diplomatique quasi universel. Les Chinois vont construire (sans main-d'œuvre locale !) une autoroute de 500 kilomètres au Congo, mais que recevra le pays en échange ?

Pour le diplomate Lamido Samudi, ancien ambassadeur du Nigéria en Chine cité dans le *Financial Times* en avril 2013, on assiste à un renouveau du colonialisme : l'extraction des ressources naturelles contre des biens transformés que trop peu d'Africains peuvent s'offrir. L'Occident parti, la place est libre, et les Chinois foncent tête première sur presque toute l'Afrique. On est en droit de se questionner sur la viabilité à long terme de cette offensive chinoise.

La protection de la biodiversité se complique dès lors qu'on aborde la monétisation de la diversité biologique. Pourtant, dans un monde où la question économique occupe autant de place (il suffit d'écouter le discours des conservateurs de M. Harper pour en prendre pleinement la mesure), ne vaut-il pas la peine de faire au moins l'exercice de comprendre la valeur monétaire de ces services rendus par la nature ?

FRANÇOIS RACONTE...

Le cas de Biosphere 2

« J'ai lu il y a une vingtaine d'années dans *Co-Evolution Quaterly* — un magazine américain publié à San Francisco qui a constitué une prodigieuse source d'information pendant plus de 30 ans pour moi — qu'il se préparait une aventure bien particulière dans une immense serre du désert de l'Arizona. J'ai même fait le détour lors d'un voyage dans cette région pour aller voir l'imposant monument de verre posé parmi les cailloux et les cactus : le projet Biosphere 2, né en 1990 d'un rêve fou. Cette serre, qui représente une aventure de 150 millions de dollars, a été construite sur une petite surface d'à peine deux hectares ; c'est une sorte d'Arche de Noé version cinq étoiles. Plus de 3 000 espèces végétales et animales ont été introduites (à commencer par une équipe de huit personnes) dans cette immense serre irrégulière qui serait scellée et qui — c'était le but de l'opération — serait autosuffisante en tout, y compris pour la fabrication de l'air ! On y trouvait des reptiles, des insectes, des oiseaux, une minimer avec son corail, une tourbière, etc. Un échantillonnage de la vie sur Terre, mais restreint, étant donné l'espace disponible. Les seuls liens effectifs avec l'extérieur étaient un lien électrique et le branchement aux banques de données qui n'étaient pas dans la serre. Ajoutez la lumière du soleil et on ferme !

Pour l'essentiel, ce fut un énorme échec. L'arche de verre, avec son réseau de miniécosystèmes interdépendants, ne parvenait pas à maintenir l'équilibre nécessaire à la vie. Carences multiples, mort de tous les oiseaux, incapacité des animaux rampants à s'adapter à cet environnement, humains devenant irritables et apathiques, incapables de garder leur calme devant une baisse importante d'oxygène. En finalité, on n'a pu que constater l'incapacité générale de Biosphere 2 de gérer le niveau de CO_2 essentiel au maintien de l'équilibre écologique.

Il fallut se résigner à ouvrir les portes scellées. Ce matin-là, les huit occupants en manque d'air frais, incapables de s'adapter à un écosystème en faillite écologique, se sont rués vers la sortie. Il n'aura fallu que quelques mois pour que tout s'écroule. Ainsi, on ne peut pas fabriquer de l'air pur comme la nature le fait ! Biosphere 2 scintillait dans le désert, mais étouffait de l'intérieur. N'est pas Mère Nature qui veut, peu importe les moyens déployés. Il n'y aura jamais assez d'argent, la technologie ne sera jamais assez avancée pour imiter ou remplacer les fonctions organiques et naturelles de notre planète. Un point c'est tout. »

Le P.I.B. fantôme

Bien qu'il n'y ait pas encore de consensus sur la valeur des services de la nature, presque impossible à estimer, on commence à en mesurer l'ampleur. On a d'ailleurs baptisé cette économie de survivance « le P.I.B. des pauvres ». Dans le cas de la Bolivie, par exemple, on estime à au moins 75 % de l'économie du pays ce P.I.B. plus ou moins fantôme. La récolte du bois de foyer en forêt, la cueillette de fruits, la chasse et le partage de terres communales ont tous une valeur « économique » intrinsèque pour les Boliviens, mais pas nécessairement une valeur monétaire absolue pour l'économie du pays, sauf sans doute dans le cas du troc.

On peut facilement imaginer que ce P.I.B. fantôme ne fait pas perdre le sommeil aux spéculateurs de Wall Street, de la Bourse des grains de Chicago ou de la City, et qu'il ne sera pas un sujet de débats au Sommet économique de Davos avant quelques années encore. Mais le plus ironique c'est que la spéculation des marchés, qui est au cœur de ce fouillis de marchands du temple, comprend la valeur, réelle ou à venir, des terres dans le tiers-monde. Pratiquement tous les fonds d'investissement du monde misent sur une part d'actions spéculatives portant sur la valeur future des terres du nord de l'Argentine, ou des coupes de bois exotiques en Indonésie, ou encore sur la valeur à venir de biotechnologies liées à l'exploitation du potentiel génétique de la biodiversité amazonienne. « *Everything is on the market* », a déclaré un économiste lors d'un atelier de Rio+20. Même sans le savoir, les peuples autochtones du monde entier sont déjà au registre des valeurs spéculatives de nos REER ou de nos Fonds d'investissement.

Du jour au lendemain, et sans faire de vagues, plus de 17 000 ha de terres en Argentine se sont retrouvés dans les portefeuilles d'investissement spéculatif des plus grands fonds de retraite du monde occidental. Cette tendance, cette fâcheuse prise de possession des terres est surnommée « *land grabbing* », littéralement « saisir les terres » à des fins de spéculation ou de production vouée qu'à l'exportation, et le phénomène va sans doute s'accélérer avec la désertification rapide de plusieurs régions de la Chine, entre autres. Pourquoi ? Parce que, évolution du climat oblige, ces terres, sans valeur réelle pour le moment, pourraient devenir un bassin agricole d'importance d'ici 20 ans. Ce jour arrivé, les Argentins (comme bien d'autres) découvriront avec stupeur qu'ils ne sont que locataires, au mieux, d'un bloc de leur fonds de terre commun.

Problèmes régionaux : effets mondiaux

Nous savons maintenant que lorsque la sécheresse frappe, comme en Russie en 2010 ou aux États-Unis à l'été 2012, une crise alimentaire mondiale se manifeste rapidement. La hausse du prix d'aliments de base comme le riz, le soja ou le blé entraîne des conséquences économiques néfastes pour la plupart des pays du Sud-Est asiatique, comme ce fut le cas des Philippines récemment, ainsi que de certains pays d'Afrique. On constate également que l'augmentation du prix du riz a des conséquences sociales particulièrement graves en Asie du Sud-Est lorsque l'Inde et les Philippines traversent des épisodes de météo extrême[77]. Les économies vulnérables de l'Afrique, de loin le continent le plus pauvre, ont encore moins les moyens de perdre ce qu'il leur reste de territoires agricoles. En effet, devant l'invasion de capitaux chinois, ou quand les sécheresses à répétition menacent le Sud-Ouest américain, affectant les cours mondiaux des céréales, les Africains en payent le coût. Deux milliards et demi d'humains dépendent de l'agriculture pour leur gagne-pain, dont 20 % sont des femmes, alors que seulement 3 % de la population en Amérique travaille à la ferme et à peine 2 % au Québec. Pourtant, ce sont les agriculteurs d'Amérique du Nord qui établissent pour l'essentiel les prix mondiaux des denrées comme le maïs et le soja.

Visiblement, la mondialisation a cela de pervers qu'elle allonge la liste des acteurs qui deviennent victimes ou qui subissent les dommages collatéraux des sursauts des Bourses des denrées de

---

77. L'ouragan Bopha qui a dévasté à deux reprises l'archipel des Philippines en décembre 2012 a laissé derrière lui plus de 600 morts, des centaines de milliers de sans-abri et une perte de récoltes comme on n'en avait jamais connu. http://www.accuweather.com/en/weather-news/super-typhoon-bohpa-now-twice/2498843

base. Il n'y a pas de commune mesure entre, d'une part, le pouvoir économique des agriculteurs américains et le lobby qui les appuie[78] et, d'autre part, l'agriculture de survivance africaine. Les outils dont disposent les Africains ne se comparent en rien à ceux dont disposent les producteurs de maïs du Kansas ! Dopée de subventions, de mesures d'aide et de protectionnisme de toutes sortes, notre production agricole tend plutôt à montrer que la mondialisation accentue le déséquilibre Nord-Sud. La récente tendance au *land grabbing* ne va pas arranger les choses. Les Chinois sont déjà en Afrique et en Asie du Sud-Est, l'Amérique du Sud est ciblée par plusieurs fonds d'investissement, et même le Québec a vu apparaître cette tendance en Montérégie ces dernières années.

Dans bien des cas, il ne s'agit pas d'économie mais de pillage et de gaspillage. Il ne s'agit pas de conservatisme économique, mais d'avidité primaire. Le prix d'un tel laisser-faire risque de prendre des proportions inimaginables à plus ou moins long terme, et il ne faudra pas compter sur les milliards des uns et des autres pour empêcher la catastrophe annoncée ! La perte de terres productrices, de forêts durables et de biodiversité ne pourra jamais être compensée par des innovations technologiques. Il y a une limite à ce que l'on pourra fabriquer, remplacer ou reproduire.

Cela dit, on aura beau siphonner les grands aquifères du Midwest américain, tel l'Ogallala[79] qui irrigue à lui seul le quart

78. On pense à Cargill, Bunge, Archer Midland, aux grands protectorats des différents regroupements de fermiers ou à la multinationale Monsanto… qui contrôlent 75 % du marché mondial des grains et céréales.

79. L'aquifère Ogallala soutient 30 % des besoins d'irrigation des États-Unis. Il couvre plus de 580 000 km^2 et traverse les États du Wyoming, du Colorado, du Texas, du Nouveau-Mexique, du Dakota du Sud, du Kansas, de l'Oklahoma et du Nebraska. Il est considéré comme un milieu sensible par le Natural Resources Conservation Service du Département de l'Agriculture des États-Unis (NRCS-USDA), qui note que « les pratiques agricoles intensives et les activités industrielles menacent à la fois la qualité et la quantité de cette ressource hydrique ». (USDA 2012) Traduction des auteurs

des terres à l'ouest du Mississippi, cela ne rendra pas le sol plus fertile, surtout si on fait dans la monoculture intensive. La production hautement subventionnée de maïs à éthanol à des fins combustibles n'a eu que peu d'effet sur la demande américaine en pétrole. Pire encore, l'irrigation agricole massive aux États-Unis est fortement subventionnée et l'eau pratiquement gratuite. Des céréales utilisées comme combustible, n'est-ce pas une faillite environnementale et économique complète ? Cette politique agressive et énergivore a eu des effets pervers sur les marchés mondiaux des céréales et affecte négativement les Africains ou les Philippins bien davantage qu'elle ne sert les Américains.

Depuis que les terres agricoles sont utilisées pour produire du carburant aux États-Unis, c'est 20 % de la production agricole qui a été exclue du marché mondial des grains, avec des conséquences catastrophiques sur les prix, sans parler de l'absurde idée, du point de vue de l'énergie, de cultiver des céréales pour propulser des bolides qui perdent 70 % de l'énergie qu'ils consomment. La bagnole affame le citoyen ! Le grain qui sert à fabriquer du carburant pour un seul plein d'automobile représente l'apport nutritif d'une année-personne ! Joli progrès.

Le monde dans mon assiette ?

Le premier carburant de l'humain sera toujours ce qu'il met dans son corps, ce qui lui donne de l'énergie pour agir. Nous avons autant besoin d'une révolution agricole que d'une révolution énergétique. Cette révolution doit être aussi urbaine que régionale. Les mêmes problèmes qui se posent pour l'avenir énergétique se trouvent au cœur des politiques alimentaires, d'utilisation des terres et de protection de la qualité des zones d'agriculture. Bien plus que le secteur industriel, l'agriculture absorbe 70 % de la consommation mondiale en eau, ne l'oublions pas.

La mondialisation économique est également devenue la mondialisation de l'alimentation. Dans les pays de l'OCDE, on peut mettre le monde dans son assiette et le tenir pour acquis. Les avocats du Mexique, les fruits du Chili, les pommes d'Afrique du Sud ou les kiwis et l'agneau de Nouvelle-Zélande ne sont jamais plus loin que le marché d'alimentation au coin de la rue, et ce, toute l'année. Il n'y a que les pays les plus pauvres qui pratiquent l'achat local ! Que faut-il penser de la difficulté que nous avons parfois à trouver des fraises et des framboises du Québec en pleine saison estivale, alors qu'elles sont souvent mises à l'écart au profit de celles venant, par exemple, de la Californie ? Même produites de façon biologique, des framboises de la Californie sont-elles encore « bio » après avoir été transportées et réfrigérées sur plusieurs milliers de kilomètres ?

Selon l'Organisation des Nations Unies pour l'alimentation et l'agriculture (FAO), plus de 700 millions d'humains s'alimentent à partir de fermes et jardins urbains et périurbains. C'est donc 10 % de la population de la planète qui mange local. Cette tendance se remarque surtout dans des pays qui ne se retrouvent pas parmi les plus riches ; il y aurait certainement moyen d'augmenter considérablement cette proportion.

À Bangkok, près de 60 % de la surface de la ville est consacrée à l'agriculture. À Shanghai, mégalopole ultramoderne, pôle majeur de la révolution industrielle chinoise, le tiers du territoire urbain est consacré à l'agriculture et presque un million d'habitants y travaillent la terre. La ville est autonome en lait et en œufs, et elle produit la quasi-totalité de ses céréales et de sa viande. L'Europe est également truffée de parcelles potagères le long des rues et des chemins de fer. Dans toutes ses villes, les marchés de quartier abondent et l'approvisionnement local est un geste social, culturel, économique et politique. À Londres, presque 10 % du territoire de la ville est utilisé pour l'agriculture : chapeau !

En Amérique, c'est une tout autre histoire. De plus en plus d'analyses de l'empreinte énergétique des aliments démontrent que nous mangeons des kilomètres-carbone virtuels et réels chaque fois que nous nous mettons à table. La signature kilométrique moyenne de notre assiette se situe aux environs de 1 500 km. Dans le cas du Québec, ce chiffre baisse considérablement en été, pour subir une forte hausse en hiver.

Et que dire du gaspillage de nos aliments ?! Ces quelques statistiques du Programme des Nations Unies sur l'environnement ont de quoi nous faire réfléchir :

- Environ un tiers de la nourriture produite chaque année dans le monde et destinée à la consommation humaine — soit approximativement 1,3 milliard de tonnes — est perdu ou gaspillé ;
- Chaque année, les consommateurs des pays riches gaspillent presque autant de nourriture (222 millions de tonnes) que la totalité de la production alimentaire nette de l'Afrique subsaharienne (230 millions de tonnes) ;
- La quantité de nourriture gaspillée chaque année équivaut à plus de la moitié de la récolte annuelle de céréales (2,3 milliards de tonnes en 2009-2010)[80].

Agriculture : le déséquilibre

Selon le Pacific Institute, chaque kilogramme de bœuf produit requiert de 15 000 à 70 000 L d'eau, selon l'endroit où il est élevé. Vous préférez le poulet ? Le kilo vous coûtera alors de 3 500 à 7 500 L d'eau. Les céréales en revanche nécessitent rarement plus de 2 000 L le kilo, sauf le riz qui peut exiger jusqu'à 5 000 L par kilo produit. En somme, pour chaque aliment produit à grande échelle, il y a une consommation d'eau exorbitante.

Mondialement, nous l'avons vu, plus de 70 % des besoins en eau servent à l'agriculture. Ajoutons à ces chiffres surprenants

80. http://www.unep.org/french/wed/quickfacts/

que l'eau, comme presque toutes les richesses naturelles, n'est pas répartie également sur le globe. La zone au sud du Sahara, en plus de faire face à un manque d'eau presque généralisé, accuse un sérieux manque en infrastructures de toutes sortes pour la distribuer à peu près adéquatement.

Par ailleurs, la production alimentaire à grande échelle comporte un coût énergétique tel que, dans l'absolu, nous dépensons hors de la ferme la majorité de l'énergie requise par la production agricole. De plus, les revenus de ce marché sont mal répartis dans la chaîne de production. Dans bien des cas, le fermier touchera au mieux 20 % du prix de vente final de son produit. Il y a des cas où c'est encore moins que cela. Plus la chaîne d'intermédiaires s'allonge en fonction de la distance entre la ferme et le consommateur, plus nous payons pour de l'énergie et moins nous payons pour le produit consommé en tant que tel.

La sécheresse de l'été 2012 aux États-Unis a accentué le stress sur les marchés alimentaires mondiaux. C'est par centaines que des records de température y ont été dépassés et, au pire de l'été, on estimait que 50 % des récoltes étaient sérieusement menacées. La stratégie énergétique américaine axée sur la diminution de la dépendance envers les importations de pétrole a des effets pervers. Non seulement on cultive les sols pour faire rouler les voitures, mais on pratique le plus possible la monoculture d'organismes génétiquement modifiés (OGM), ce qui, à la longue, ne fait qu'appauvrir le couvert agricole du pays. Cette approche d'appui aux géants agricoles a un effet sur les marchés du coton et des céréales issus des pays du Sud-Est asiatique, entre autres. Une simple diminution de la consommation d'essence par kilomètre parcouru contribuerait beaucoup plus à l'équilibre énergétique américain.

La mondialisation de l'alimentation a eu pour conséquence d'exclure des marchés agricoles des centaines de milliers de petites fermes sur le seul continent nord-américain. Cette approche de cultures intensives s'est généralisée dans tout le monde occidental. Il n'y a pas un seul secteur agricole, selon le mode OCDE, qui ne soit subventionné ou appuyé par l'État d'une façon ou d'une autre.

Tout comme les produits du bois chinois font une concurrence insoutenable aux producteurs locaux, les fraises mexicaines, début juin à Montréal, se vendent moins cher que les premiers arrivages locaux. Le fromage européen subventionné nuit lui aussi aux producteurs de chez nous. Nous savons tous à quel point les marchés agricoles sont tordus. Un tel modèle économique ne saurait être viable à long terme, ni soutenable du point de vue de l'environnement. Une simple taxe sur les carbokilomètres apporterait une sérieuse correction au marché. Il nous faudrait payer le vrai prix de ce que nous mangeons. Et tant qu'il n'y aura pas de prix sur le carbone, la mondialisation de la nourriture continuera de multiplier ou de maintenir les iniquités. Mais pour contrer soi-même ces distorsions, il reste toujours une solution simple : l'achat local !

Justement, chez nous, certains investisseurs s'attaquent de front au marché alimentaire et là où on ne les attendait pas. À Montréal, les fermes LUFA se sont installées sur le toit d'édifices commerciaux en plein quartier commercial, mais en même temps à deux pas du Marché Central qui dessert les commerces d'alimentation du grand Montréal. La première serre couvre une surface de plus de 3 000 m^2 et l'aventure ne s'arrêtera pas là. Une seconde de plus de 4 000 m^2 est entrée en production à Laval à l'automne 2013. Avec plus de 2 500 membres, ce sont 500 paniers de produits qui sont garnis tous les jours. Aux achats auprès de producteurs locaux, on a même commencé à ajouter du pain, permettant d'élargir le contenu des paniers. Plus de 90 % de la clientèle des fermes LUFA se trouve sur l'île de Montréal. Les commandes se font par Internet jusque tard en soirée, et la livraison des produits frais est assurée le lendemain. Un mode de gestion unique permet cette efficacité opérationnelle avec à peine une trentaine d'employés à la clef.

Une grande variété de légumes sont produits dans ces serres de haute technologie qui, de surcroît, récupèrent l'eau de pluie et ont une demande énergétique très basse, étant donné leur emplacement sur les toits d'édifices commerciaux. En hiver, ce sont les pertes de chaleur des étages inférieurs qui fournissent une grande partie du chauffage des serres et la facture d'essence quotidienne pour la livraison, locale uniquement, est ridicule en regard de ce qui est livré !

La petite révolution que propose ainsi Mohamed Hage, cofondateur et principal actionnaire de LUFA, consiste à se limiter à un marché local et à vendre sa production avec des paniers familiaux hebdomadaires. Une trentaine de points de chute rendent facile l'accès aux paniers de légumes. Tout à fait semblable à l'initiative d'un autre groupe qui fait la promotion de l'agriculture soutenue par la communauté, soit Équiterre, sa démarche est cependant complètement urbaine !

Dans la foulée de cette renaissance de l'agriculture urbaine, on voit aussi apparaître depuis quelques années la production de miel. Des ruches sont installées sur les toits d'édifices, voire sur des tours du centre-ville. Au dire des producteurs, les fleurs de la ville sont meilleures pour les abeilles, car elles ne sont pas attaquées par les pesticides et autres produits chimiques qui sont déversés sur les terres agricoles. Certains ruchers profitent même de la proximité du Jardin botanique ! Logique, non ?

Ce retour à l'agriculture urbaine dans les grandes villes d'Amérique ne se fait pas trop tôt. Certaines villes ont certes une avance dans le domaine, Seattle ou Vancouver sur la côte du Pacifique, par exemple. Mais il faut aller beaucoup plus loin que quelques exemples phares. Le citoyen consommateur doit comprendre le coût énergétique et environnemental de ce qui aboutit dans son assiette.

Dorénavant, l'aménagement urbain devra tenir compte de la nécessité de rapprocher la production alimentaire du consommateur. Cela pourra s'effectuer de plusieurs façons : production agricole urbaine dans un nombre grandissant de parcelles et jardins, mais aussi, comme nous l'avons vu plus haut, innovation multipliant les usages mixtes et complémentaires de lieux en apparence sans vocation agricole. Des jardins communautaires, même temporaires, naissent sous les autoroutes, sur des lotissements voués à un éventuel développement industriel ou commercial. Réflexe sain qui repose sur une évidence : le citoyen moyen sait qu'il doit agir localement, puisqu'il n'a aucune sorte d'influence sur les grands débats planétaires. Mondialisation des approvisionnements alimentaires, débats sur le climat qui stagnent par manque de volonté politique des pays riches en particulier, dépersonnalisation du commerce et élimination d'emplois : tout cela ne fait que diminuer notre capacité d'agir et augmenter notre niveau de frustration.

Cela dit, il y a des signes positifs dans l'air... L'agriculture biologique avait atteint plus de 37 millions d'hectares en 2009, une hausse de presque 6 % par rapport à l'année précédente. À ce rythme, la surface en production doublerait en 12 ans ! En 2011, le marché bio atteint les 63 milliards de dollars. Et comme on a constaté une hausse de 150 % en moins de 10 ans, on peut imaginer que la part du bio ne pourra aller qu'en s'accroissant. On dénombre maintenant presque deux millions de producteurs bio dans le monde ; il s'agit donc d'une tendance forte !

Il est frais, mon poisson ?

Quand on s'attarde à l'alimentation, un secteur est à surveiller en particulier : celui de la pêche commerciale. Pour la première fois en 2010, la production mondiale en aquaculture a dépassé la pêche traditionnelle. Juste en 2009, la hausse nette des approvisionnements a été comblée à 80 % par la production contrôlée dans des parcs en eau douce ou encore en bordure de mer. C'est une bonne nouvelle, mais il ne faut pas perdre de vue qu'il y a plus du double de bateaux de pêche en mer par rapport à il y a 20 ans. Ajoutez à cela des technologies de pointe et, malgré cela, le niveau net des captures a plafonné depuis plusieurs années. Par ailleurs, la pollution génétique provoquée par les parcs côtiers de production prend de l'ampleur. Le saumon d'élevage de l'Atlantique du Canada a des puces ! Phénomène qui entraîne des effets dévastateurs sur cette production, pendant que les fuites en provenance de ces parcs attaquent l'intégrité des saumons sauvages. Sur la côte ouest canadienne, les œufs des saumons échappés viennent de parents qui n'ont pas connu la migration inscrite dans le code génétique des saumons sauvages. À terme, cette anomalie en fera des orphelins de patrie, parce qu'ils ne pourront pas perpétuer le cycle naturel de production, ne sachant pas retourner à leur rivière d'origine. Ces hybrides n'auront pas de mémoire familiale ! Il est bon, votre saumon ?

Que faire ? Comme pour le reste de notre alimentation, nous interroger sur l'origine du produit. Le saumon sauvage ou biologique que l'on trouve dans nos poissonneries se vend beaucoup plus cher, le double du prix en général, ce qui implique de faire des choix difficiles. En manger moins et s'assurer de la traçabilité ? Hélas, ce saumon n'est pas à la portée de tous, à ce prix. Mais justement, la question est là : l'abondance à faible prix d'une nourriture de piètre qualité est-elle désirable ? Quelle économie sera compatible à long terme avec la sauvegarde de la qualité alimentaire ?

Le virage qui s'impose

La rencontre de juin 2012 à Rio ne représente qu'un premier pas ; tout reste à faire pour mettre à jour une nouvelle économie centrée sur l'humain et sur la pérennité du capital naturel. Mais l'essentiel pour réussir, nous l'avons déjà : la main-d'œuvre, soit sept milliards d'humains! L'espoir repose sur le fait que la forte majorité des habitants de la planète a tout à gagner en prenant ce virage, pendant qu'une infime minorité n'a que son argent à perdre. Il faut espérer que les fous du gain ne coulent pas le bateau avant que l'équipage ne se mutine, car le système économique actuel n'est pas viable avec son appétit pour le profit à tout prix! Un changement de régime s'impose. En tout premier lieu, nous nous devons de réagir au problème le plus alarmant: le *fast food*, dont la production entraîne la consommation d'une énorme quantité d'énergie fossile, ce qui fait de nous des accros en urgent besoin de désintoxication.

La facture en pétrole, bien qu'elle ne soit pas assez élevée encore, devrait pourtant nous suffire comme avertissement. Nous savons tous trop bien que cela ne s'arrangera pas avec le temps, loin de là. En 2000, la consommation quotidienne de pétrole se situait aux environs de 76 millions de barils par jour. Le prix du Brent (mer du Nord) tournait autour de 28 $. La facture mondiale annuelle atteignait alors presque 800 milliards de dollars. En 2010, nous avons atteint une consommation de 87 millions de barils par jour, au prix de 80 $ le baril. Au total, la facture a dépassé 2,5 billions. Quand le Brent a atteint 100 $ en 2011, il a fallu ajouter encore 500 milliards à cette facture. Fin 2012, le cap des 90 millions de barils par jour était atteint[81], à un prix d'environ 110 $ le baril, pour une facture totale de 9 900 000 000 $, soit plus de dix fois le coût de la même facture en 2000! Nous ne pourrons pas suivre éternellement ce rythme. Il faut changer de cap, et vite[82].

La facture à payer après l'explosion de Deep Water Horizon, cette désormais célèbre plate-forme pétrolière du golfe du

81. Fin 2012, la barre des 90 millions de barils par jour a été dépassée. Chiffres tirés de Jeff Rubin, *The end of growth*, Vintage Canada, 2012.

82. Selon l'Agence internationale de l'énergie, la consommation de pétrole atteindra plus de 100 millions de barils par jour d'ici 20 ans. http://www.iea.org/newsroomandevents/pressreleases/2013/november/name,44368,en.html

Mexique, a atteint les 41 milliards de dollars, selon BP, sans parler de l'amende versée par la compagnie au gouvernement américain, qui dépasse les huit milliards. Les actionnaires en subiront la conséquence, certes, mais qui d'autre ? Quelle entourloupette trouveront les comptables de BP pour amortir cette perte ? Quelle faille dans le mur fiscal sera utilisée pour socialiser ces milliards ? Et le saurons-nous jamais ? De plus, qui pourra évaluer avec justesse les coûts environnementaux réels de cette explosion ? Il faudra sans doute des années pour avoir une idée approximative des dommages causés par les millions de litres de pétrole qui se sont déposés au fond du golfe du Mexique.

Il y aura un jour une limite à ce qu'il sera économiquement, et surtout socialement, acceptable de subir à l'égard de ce pacte du diable. Le mouvement Occupy Wall Street n'est pas le fruit de l'impatience d'une bande d'écolos ou de fumeurs de pot ! Il est issu d'une compréhension réelle des injustices qui découlent de ces marchés de dupes qu'est la Bourse, où l'on mise sur la valeur spéculative de biens de base comme le pétrole ou les céréales, et surtout le secteur bancaire, toujours plus avide. Il faut trouver mieux à faire avec nos économies que de payer une facture énergétique sans plafond apparent. Évidemment, le premier pas doit être la diminution de la demande en énergie. Tout débat énergétique qui ne commence pas par le préalable de la diminution de la consommation est voué à l'échec. Il faut assécher graduellement la demande. Ne pas accepter cette évidence équivaut à ne pas mettre un bouchon au fond de la baignoire alors que le robinet coule à flot !

Coopératisme

Mais y a-t-il une ou des solutions de rechange au capitalisme à tout crin ? Peut-on miser sur une forme d'économie plus respectueuse de l'humain ? Peut-on maintenir, voire augmenter, le bien-être matériel d'une famille sans nécessairement passer par tous ces abus ? Y a-t-il un ou des outils qui pourraient aider à la nécessaire transition économique et énergétique devant les abus des marchés spéculatifs ? Et si le coopératisme s'avérait une option viable pour effectuer ce virage obligé ?

Le coopératisme est l'antidote parfait au capitalisme sauvage. En quoi, direz-vous ? Tout d'abord, il s'agit d'un mode économique basé sur l'entraide, la solidarité. La démocratie directe est au cœur de tout organisme coopératif. Le respect de la personne, l'équité et le sens des responsabilités en sont les valeurs portantes. Les membres d'une coopérative ne s'exploitent pas entre eux, ne misent pas sur une échelle hiérarchique qui néglige ceux du bas au profit de ceux du haut. Le capital d'une coopérative, peu importe son domaine, reste collectif. Les gestionnaires élus peuvent être remplacés ; de plus, ils n'ont pas comme but premier de s'enrichir personnellement, mais de voir à la croissance du bien des membres de la coopérative.

Comme le capital humain constitue le ciment du coopératisme, on a tout avantage à s'assurer de la meilleure éducation, de la meilleure formation de tous les coopérants. On encourage l'indépendance et la pensée critique. Tous ces ingrédients se résument en un mot : démocratie. Corruption dans le milieu coopératif ? Tout est possible, évidemment, mais *a priori* non, car le système d'adhésion ne le permet pas vraiment de par sa structure même. Les membres ont tous un intérêt direct au développement équitable de l'entreprise, puisqu'ils en profitent collectivement.

Pour ceux et celles qui ont encore une image « néo-grano » des coopératives, il convient de mettre un certain nombre de chiffres sur la table. On compte plus de 3 000 coopératives, totalisant 90 000 emplois, pour le Québec seulement. Il y a plus de 750 000 coopératives dans le monde et leurs 100 millions de membres génèrent un chiffre d'affaires annuel de plus de un trillion de dollars (1 000 milliards). On est loin de l'économie de fond de cour !

Des prix Nobel ont été décernés à des personnes comme Wangari Maathai, la Kenyane qui a lutté pour les droits des femmes et pour la mise en place de coopératives forestières dans son pays, souvent au péril de sa vie, ou encore à Elinor Ostrom, une Américaine que nous avons eu le privilège de croiser à Copenhague, qui a reçu cette distinction en 2009 pour son travail sur l'efficacité des petites économies régionales. Muhammad Yunus, économiste, professeur et fondateur de la Grameen Bank au Bangladesh a, quant à lui, reçu le Nobel de la Paix en 2006 pour son travail sur le microcrédit au service du développement social issu de la base citoyenne. La longue tradition d'accorder le prix Nobel d'économie à un économiste classique issu des grandes écoles de pensée économiques a été laissée de côté ces dernières années pour souligner le travail de ceux et celles qui réfléchissent sur les modèles économiques alternatifs.

Plus encore, les coopératives ou autres partenariats semblables sont souvent le seul outil qu'il reste aux employés d'une entreprise qui risque de fermer, les mettant à la rue. Selon la Fondation québécoise de l'entrepreneurship, d'ici 2020, plus de 45 000 entrepreneurs vont se retirer des affaires au Québec. Il y a certainement un bassin d'entreprises solides qu'il vaut la peine de sauver. Toutes les formes de partenariat sont possibles, mais dans toutes les options devraient se retrouver les travailleurs. Comme il y a des fonds d'investissement de travailleurs gérés par les grands syndicats, il devrait y avoir l'équivalent pour appuyer la création d'entreprises coopératives. Pourquoi ne pas répéter, avec une variante pour le coopératisme, le modèle de prise d'actions avec déduction fiscale à la source ? Nous sommes rendus à l'âge d'or des coopératives. Nous devons passer du sauvetage d'entreprises et de la création de fonds d'investissement dédiés à la mise sur pied d'un système économique qui fait une vraie place au partenariat coopératif.

Un bel exemple nous vient du Grand Nord. Les 14 communautés du Nunavik, qui exploitent toutes sortes de commerces, ont un chiffre d'affaires qui approche les 100 millions de dollars. Rejointes par les autres communautés de la région, elles ont fondé une fédération et leur évolution les a menées à peser lourd dans la balance : le chiffre d'affaires de la Fédération des coopératives du Nouveau-Québec a atteint plus de 230 millions de dollars par année. Évidemment, les dividendes reviennent aux communautés[83].

La purge entreprise par la Commission Charbonneau, cette commission d'enquête sur l'octroi et la gestion des contrats publics dans l'industrie de la construction, devrait nous inciter à mettre en place une économie où les intérêts de quelques privilégiés et du *nous* priment sur les intérêts du *eux* ! On ne s'attendra pas à ce que les grands travaux soient faits par des coopératives, certes, mais il s'agit néanmoins de gérer le capital commun quand on coule des fortunes d'argent public dans le béton des ponts, trottoirs et autoroutes. Une vérification systématique de ces énormes investissements par des tiers nous rapprocherait un peu plus d'une nécessaire gestion responsable des deniers publics.

Si les coopératives ont mieux résisté aux crises économiques, la raison est simple : l'intérêt collectif, celui des membres, y passe avant celui des *happy few* qui reprennent leurs billes et partent avec leurs bonus de toutes sortes dès que l'insécurité économique s'installe.

Les valeurs du coopératisme sont tout à fait compatibles avec une gestion responsable des avoirs communs. L'un ne saurait même aller sans l'autre. On ne peut piller, abuser, exploiter la

---

83. Marie Tison, « Les Coops, le plus grand employeur privé au Nunavik », *La Presse*, 10 février 2013.

spéculation et imaginer, une fois le dommage fait, qu'il suffira de jouer dans les colonnes de chiffres et produire un rapport annuel sur le développement durable pour avoir une approche responsable envers les richesses à notre disposition. Il est plus que temps de passer aux actes.

L'HÔTELLERIE AUTREMENT

Vous avez déjà entendu parler de l'hôtel L'Autre Jardin, à Québec ? Il s'agit d'un hôtel pas comme les autres, d'un hôtel équitable. Eh oui, vous avez bien lu : équitable.

Ce projet est né de l'organisme Carrefour Tiers-Monde, voué à la sensibilisation, à l'éducation, au développement durable, à la solidarité internationale et à la mobilisation des gens d'ici.

L'hôtel est un véritable sanctuaire du commerce équitable, une preuve qu'on peut faire les choses autrement, même dans le domaine de l'hôtellerie. Tout y est : literie faite au Québec à partir de fibres biologiques (http://www.fibrethik.org), nourriture locale, biologique ou encore équitable... même la décoration qui orne les murs est issue du commerce équitable ! Bel exemple d'économie sociale, L'Autre Jardin a reçu plusieurs prix, dont le premier prix du Concours québécois en entrepreneurship en 1999 !

L'ardoise de L'Autre Jardin
© *Steven Guilbeault*

STEVEN RACONTE...

Coteau Vert

« J'ai commencé à rêver à ce projet il y a déjà une vingtaine d'années. À l'époque, ce type de projet n'existait pas encore au Québec, mais il y en avait quelques exemples ailleurs en Amérique du Nord, et plusieurs en Europe. Des gens avaient décidé de se regrouper afin de mettre sur pied une coopérative d'habitation : plus que de simples logements sociaux, il s'agissait de bâtiments écologiques exemplaires.

J'ai donc commencé à travailler sur un projet semblable ici. Ce n'était pas une mince tâche : il fallait essayer de trouver du financement, un terrain pour établir ce nouveau projet — ou encore un bâtiment existant qui pourrait être retapé (pas facile, dans un cas comme dans l'autre, alors que nous étions en plein essor immobilier) —, trouver le bon groupe de personnes avec qui travailler pendant des années, etc.

Vers la fin des années 1990, j'ai commencé à réfléchir plus sérieusement avec un premier groupe d'amis et de connaissances. On se voyait toutes les deux ou trois semaines et, pendant quelques années, nous avons essayé de concrétiser le projet. Un modèle de coop qui avait beaucoup retenu notre attention était celui du « *co-housing* » ou cohabitat. Ce modèle, qui a vu le jour au Danemark au début des années 1960, permet « l'aménagement de logements qui conservent les bénéfices de la maison privée, tout en permettant la vie en communauté »[84]. Essentiellement, ce type de coop réduit les espaces privés comme la salle à manger ou la cuisine au profit d'espaces communautaires. Donc, on y cuisine et on y mange en groupe. Hélas, après quelques années de travail, le groupe s'est dissous sans que le projet voie le jour.

Quelques années plus tard, avec ma conjointe, nous faisions la rencontre d'un nouveau groupe de personnes qui partageait cette vision de logement coopératif. Nous avons alors rapidement pris

---

84. http://www.quebecurbain.qc.ca/2004/12/20/le-cohousing-est-a-nos-portes/

contact avec l'entreprise d'architectes L'Œuf, très ouverte à ce genre de projet[85]. Si je devais mettre le doigt sur l'un des ingrédients les plus déterminants de la réalisation de notre projet, dans sa deuxième incarnation, le partenariat avec cette firme serait le premier. En plus de nous accompagner du point de vue de la technique, L'Œuf nous a également aidés à dénicher du financement, nous permettant de vraiment lancer le projet. S'est ensuite ajouté à notre petite aventure un groupe de personnes servant de ressources techniques nommé Bâtir son quartier[86]. Ce groupe a pour mandat d'aider les citoyens souhaitant participer à des projets de logements sociaux ou de coopératives. Cet aide va du volet technique — en agissant comme lien auprès d'experts tels les ingénieurs et les architectes — jusqu'au travail auprès des institutions financières. Cette collaboration est particulièrement déterminante lorsqu'il s'agit de discuter avec les entrepreneurs au moment de la construction. Bâtir son quartier fut une autre des composantes-clés de notre démarche.

Les hauts et les bas de la réalisation de ce rêve

Notre rêve était ambitieux : 95 logements, auxquels s'ajoutait un ensemble de logements sociaux (non pas une coop, mais bien un OBNL) de 54 appartements baptisé « Un toit pour tous ». Le tout avait été élaboré en étroite collaboration, les deux projets occupant ainsi tout un pâté de maisons ; quelle occasion ! Nous nous sommes donc mis à rêver d'une belle cour intérieure, espèce de parc au sein même des murs…

Pendant huit ans, le projet a connu son lot de difficultés, avec en tête la vétusté du Code du bâtiment du Québec en matière de construction écologique. Le manque de normes à contenu

85. Cette firme a réalisé plusieurs projets de ce type : http://www.loeuf.com/?lang=fr et.

86. http://www.batirsonquartier.com

environnemental explique en partie le retard qu'a pris le Québec en construction verte. En effet, s'il nous a été très difficile de trouver des matériaux naturels ou écologiques au prix que nous pouvions accepter de payer, c'est parce que ces derniers ne sont pas encore systématiquement intégrés dans nos pratiques et nos normes.

Nous avons donc dû faire preuve d'une certaine ingéniosité en inventant, en quelque sorte, ce qui n'existait pas encore. Nous avons également été amenés à sacrifier certaines idées avant-gardistes, afin que le projet se concrétise. Nous espérons que le travail de défrichage ayant été fait, les projets semblables qui sont actuellement en gestation pourront se réaliser plus facilement et plus rapidement.

Un des volets laissé de côté est l'utilisation d'énergies renouvelables comme le solaire. Les faibles prix de l'électricité au Québec sont un frein, du moins partiel, à une plus grande utilisation de cette forme d'énergie.

Cela étant dit, plusieurs facteurs à Montréal sont favorables au bâtiment vert. L'un des plus remarquables est le transport collectif. Le Coteau Vert a ainsi été bâti tout à côté d'une station de métro et d'un terminus d'autobus. Les résidants ne sont qu'à quelques minutes du centre-ville et de parcs bien ombragés. De plus, la coop se trouve tout près d'importantes pistes cyclables ; l'une traverse l'île du nord au sud et les autres vont de l'est à l'ouest en passant par divers parcs.

Malgré ces atouts importants, les premiers croquis de l'aménagement de la cour intérieure que nous avons reçus des architectes faisaient de cette cour un… stationnement pour voitures ; 75 espaces, pour être précis ! Le parc auquel nous rêvions serait pavé. Était-ce la fin de notre espace vert ? En vertu d'une norme d'aménagement urbain en vigueur à Montréal, il faut prévoir un espace de stationnement par deux logements que l'on construit. Comme notre projet visait le logement social, nous n'avions ni les moyens, ni l'intention d'accorder une priorité au stationnement. Alors, comment sommes-nous passés d'un stationnement de 75 places au parc que vous voyez sur la photo ci-dessous ? Grâce au gros bon sens ! L'ensemble des intervenants de la Ville et de l'arrondissement, de même que les professionnels de divers métiers, ont vite convenu qu'il serait ridicule de se conformer aveuglément à cette norme, compte tenu du type de projet et de sa proximité des transports en commun et des autres infrastructures de transport actif.

La cour intérieure du Coteau Vert
© *François Tanguay*

Je tiens d'ailleurs à remercier personnellement pour son travail le maire de l'arrondissement de Rosemont de l'époque, André Lavallée. C'est beaucoup grâce à son soutien indéfectible que nous avons pu réaliser notre projet de cour intérieure.

De 75 espaces de stationnement, nous sommes donc passés à 12, dont environ la moitié réservés à des personnes à mobilité réduite, et les autres à Communauto. Comme une voiture de Communauto peut servir jusqu'à 20 ménages, nous sommes arrivés à respecter, d'une certaine façon, la règle « un espace de stationnement par deux logements »... Merci, André !

Nous avons aussi, lors de la conception, intégré des éléments liés aux changements climatiques. Les vagues de chaleur meurtrières que nous avons connues durant les 15 dernières années, par exemple à Chicago en 1995 ou en Europe en 2003, nous ont permis de comprendre que ce seront largement les populations pauvres des zones urbaines, au nord comme au sud, qui subiront le plus les impacts des changements climatiques et particulièrement ces vagues de chaleur. En effet, la vague de chaleur de 2003 a fait près de 70 000 victimes dans le sud de l'Europe, dont environ 20 000 en France[87]. Ce triste épisode a démontré à quel point les personnes les plus vulnérables aux augmentations de température en milieu urbain sont principalement les personnes âgées, celles qui habitent dans des quartiers pauvres où les arbres et les parcs sont en nombre très réduit, et celles qui n'ont pas les moyens de se payer un système de climatisation. Nous avons donc intégré dans notre projet des éléments qui permettraient à l'ensemble des occupants de la coop, riches et pauvres, d'avoir accès à un minimum de services gratuits : ventilation naturelle pour tous les appartements, plantation de feuillus du côté sud pour bloquer une partie des rayons du soleil en été et ainsi éviter qu'il fasse trop chaud dans les appartements.

Une autre innovation écologique importante du Coteau Vert est l'utilisation de la géothermie pour chauffer et refroidir les appartements. La géothermie est une source d'énergie encore peu connue et encore moins utilisée. Pourtant, le potentiel de la géothermie est considérable au pays.

Outre la boucle de géothermie, le chauffage central de l'eau et la réduction des espaces de stationnement, nous avons aussi réussi à utiliser beaucoup de matériaux sains et écologiques comme de

87. http://www.notre-planete.info/actualites/actu_1139_bilan_canicule_2003_70000_morts_Europe_20000_morts_France.php

CIRCUIT SOUTERRAIN

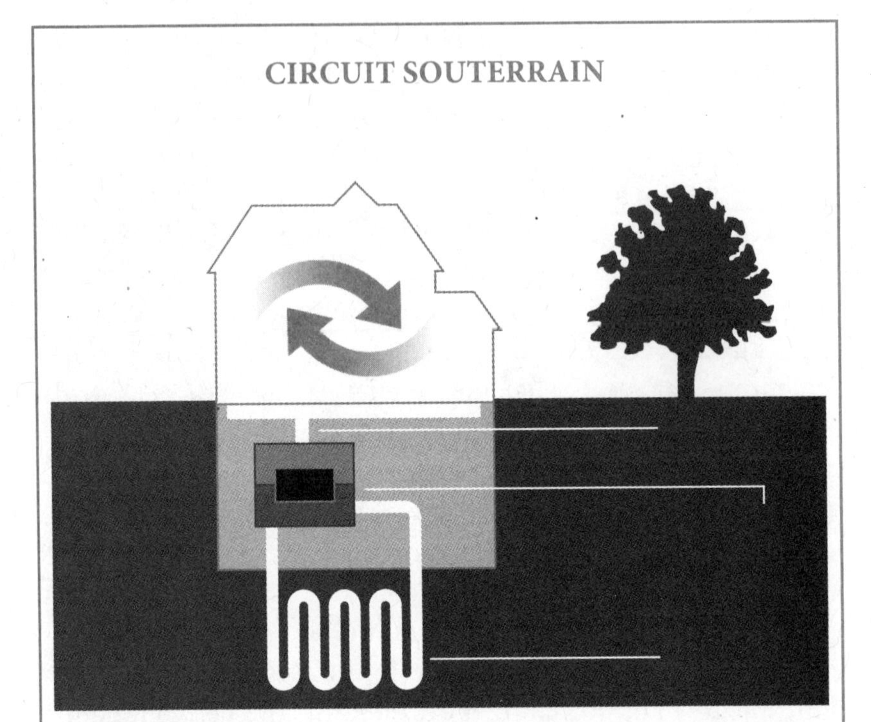

Le circuit souterrain constitue la source de chaleur — ou de fraîcheur — du système géothermique. Il peut être installé dans le sol, dans une nappe d'eau souterraine, ou encore connecté à un puits classique — il s'agit alors d'un système fermé. Il peut également être connecté à un puits classique, il s'agit alors d'un puits ouvert.

Un liquide (mélange d'antigel et d'eau) circule dans la canalisation souterraine et dans la thermopompe. L'hiver, ce liquide puise la chaleur du sol ou de l'eau souterraine ; l'été, il capte l'air chaud de la maison et l'évacue dans le sol. Le circuit fermé peut être configuré à l'horizontale ou à la verticale. Il peut aussi être installé dans une nappe d'eau souterraine. Le circuit fermé vertical est le plus courant, car il s'adapte bien aux terrains de superficie moyenne.

Source : http://www.hydroquebec.com/residentiel/geothermie/

Steven et son fils Édouard faisant l'achat de bois FSC chez un marchand RONA
© La Coalition BOIS

l'isolant à base de soya, de la laine de roche (faite à partir de roche et de matières recyclées) et du bois certifié comme le bois FSC.

Qu'est-ce que la certification FSC ? Il s'agit du *Forest Stewardship Council*, un système de certification de la coupe et de la gestion des forêts développé peu après la Conférence de Rio de 1992. L'une des particularités du FSC tient au fait que plusieurs de ses membres fondateurs sont des organisations environnementales, comme Greenpeace et le Sierra Club. Le système prévoit notamment la vérification et la validation des pratiques des compagnies forestières par une tierce partie, tant du point de vue de l'environnement que de celui des relations avec les Premières Nations et les communautés locales.

Nous aurions également aimé installer un toit vert. Pourquoi cet enthousiasme pour les toits verts ? Pour plusieurs raisons. D'abord, entre un toit noir couvert de goudron et un miniparc sur le toit de votre maison, la question de l'esthétique et du plaisir penche fortement du côté du toit vert ! Autre avantage du point de vue des Municipalités : au lieu d'évacuer l'eau de pluie, les toits verts en retiennent environ 75 %, ce qui veut dire moins d'eau dans le réseau d'égouts et dans nos usines de filtration des eaux usées. Un dernier bénéfice très séduisant pour les utilisateurs est la réduction importante des îlots de chaleur ainsi que de l'entrée de chaleur par le toit. Dans ce dernier cas, la réduction est de l'ordre de 91 à 99 %, selon le type de toit végétal installé. À l'heure du réchauffement climatique où les étés sont de plus en plus chauds, il s'agit d'un avantage majeur. D'ailleurs, des villes comme Montréal rendront bientôt obligatoires les toits blancs ; nous devrions donc voir à court terme une réduction notable des îlots de chaleur dans les villes qui agiront dans ce sens.

Hélas, nous n'avions pas les moyens d'installer un toit vert sur l'édifice de notre coop, du moins pour l'instant. La solution de remplacement fut un toit plat qui offre certains des avantages du toit vert, par exemple en ce qui concerne la réduction de la chaleur sur le toit et donc les besoins moindres en climatisation. Nous avons toutefois prévu une structure qui pourrait éventuellement accueillir un toit vert si la coop en a les moyens au cours des prochaines années.

De tous les projets sur lesquels j'ai travaillé, celui du Coteau Vert est certainement l'un de ceux dont je suis le plus fier... Peut-être parce qu'il combine à la fois la protection de l'environnement, l'utilisation d'énergies renouvelables et le transport collectif et actif, le tout basé sur un modèle de développement économique qui vise la collectivité avant l'individu. »

Pour la suite des choses...

Que retenir de ce chapitre ? Qu'une partie importante des problèmes que nous connaissons, tant du point de vue de la société que de l'environnement, tient au fait qu'aujourd'hui, l'économie est devenue une fin en soi et non pas un moyen d'atteindre un objectif commun. Quel pourrait être cet objectif commun ? Pourquoi pas un développement individuel et collectif équitable et écologique, en n'oubliant pas le lien intergénérationnel ?

Nous n'avons plus les moyens de compter sur un scénario de type « cours normal des affaires », bien nommé *business as usual (BAU)* en anglais. Il ne nous faut rien de moins qu'une révolution économique guidée par l'adaptation aux changements climatiques et misant sur une transition énergétique qui aboutira à la mise au banc des énergies fossiles le plus rapidement possible.

V
L'efficience : passer à l'action

Comme nous venons de le voir, il y a des solutions de remplacement au développement économique, à la propriété unique ou à la performance énergétique. Au Coteau Vert, on peut ainsi, par voie alternative, en arriver à une certaine forme d'efficience sociale et économique. Une cour commune et un local à l'intention de groupes deviennent ainsi une extension du chez-soi. Nous sommes ici hors du sentier de l'exclusive rentabilité économique guidée par les colonnes de chiffres. Le projet de logement collectif devient une démarche d'appartenance sociale ; il y a là une part d'intangible qui élargit le sens de l'expression « valeur ajoutée ». Et comme nous l'avons vu, le rôle des élus locaux peut ici s'avérer important.

STEVEN RACONTE...

Josée Duplessis

« Mon amie de longue date, Josée Duplessis, a annoncé son retrait de la politique municipale en septembre 2013 après deux mandats à l'hôtel de ville de Montréal.

Je connais Josée depuis l'époque de l'université. En fait, je l'ai connue quand elle gravitait autour des personnes avec qui j'allais fonder Équiterre quelques années plus tard.

Avant d'arriver en politique, Josée a piloté une troupe de théâtre qui montait des pièces pour les jeunes sur le thème de l'environnement, elle a dirigé une entreprise employant près de 50 personnes, a été auxiliaire d'enseignement à l'École de technologie supérieure (ETS) sur les questions de développement durable, en plus de faire de la consultation dans ce domaine. Elle a également travaillé pendant trois ans pour le Conseil régional de développement de l'Île de Montréal (aujourd'hui la Conférence régionale des élus).

En 2005, elle s'est d'abord jointe au parti du maire Tremblay pendant un mandat, avant d'aller du côté de Projet Montréal. Elle a alors fait partie de la première vague d'élus de cette nouvelle formation municipale.

Pistes cyclables, transport en commun, compostage… Pendant huit ans, Josée a travaillé à faire avancer sa ville, toujours dans un esprit de coopération. Très peu pour elle, cette espèce d'aveuglement partisan qui caractérise parfois nos politiciens. Et c'est sans doute un peu grâce à la qualité de son engagement qu'elle a gravi sans heurts les échelons de l'administration municipale, jusqu'à devenir présidente du comité exécutif.

Un des dossiers qui lui tenait beaucoup à cœur était celui du compostage, qu'elle a pratiquement porté à bout de bras pendant longtemps. C'est en grande partie Josée qui a mis en place en 2008 le projet-pilote de collecte à domicile des matières organiques. Une première phase a été implantée auprès de quelque 2 000 ménages du Plateau-Mont-Royal. En deux ans, cette opération a permis de détourner près de 300 tonnes de matières organiques de l'enfouissement vers un site de compostage. Le programme continue aujourd'hui de prendre de plus en plus d'ampleur, même si Montréal accuse encore un retard important dans ce domaine par rapport à d'autres grandes villes canadiennes. Josée s'est par ailleurs beaucoup investie dans le dossier des sites de compostage et des usines de biométhanisation qui doivent être construites sur l'île de Montréal au cours des prochaines années.

Lorsque je lui demande ce dont elle est le plus fière, elle répond immédiatement que c'est de son travail avec la communauté, de la collaboration avec les citoyens, tantôt pour concevoir un nouveau parc de quartier, tantôt pour mettre en place des mesures d'apaisement de la circulation, ou encore pour l'instauration d'un comité permanent sur l'agriculture urbaine.

Après huit ans de bons et loyaux services, elle a estimé que le temps était venu de prendre une pause de la vie politique. Sage décision qui l'honore ; d'ailleurs, sans l'ombre d'un doute, cette pause est bien méritée. On peut toutefois imaginer que Josée ne se tiendra pas très loin de son terrain d'intervention dans les années à venir ; l'aménagement du territoire et la vie municipale, c'est trop dans sa nature. »

Ma maison, mon territoire

Un manque de planification urbaine et de prévoyance ne peut que créer des inconvénients, entraîner des coûts et une perte de jouissance sociale pendant des années. Après, c'est toujours plus compliqué, plus cher et moins agréable de donner à un milieu de vie un minimum d'âme. L'efficience ne se mesure donc pas uniquement en performance énergétique. On pourrait même avancer que la consommation énergétique est davantage une conséquence qu'un moyen. Toute infrastructure a des répercussions directes sur la demande en énergie dans toute une série de domaines. Des rues mal orientées augmentent les besoins en chauffage et en ventilation des habitations, et demandent un éclairage accru à cause du manque de luminosité naturelle ; un abus de pavage nuit au drainage naturel ; l'absence d'arbres matures contribue à la formation d'îlots de chaleur… L'occupation de terres agricoles pour étendre les banlieues éloigne la ferme de la ville, le citoyen de son travail, les amis des enfants…

L'aménagement du territoire doit mettre le citoyen, la famille et la vie de quartier, de village, au cœur de notre existence, pas l'accès en voiture au centre-ville, pas la proximité de tel ou tel centre commercial. De plus, à partir du moment où nous manquons l'occasion de faire une planification optimale, énergétiquement responsable, de nos lieux de vie, nous ne pourrons que continuer dans la voie de l'inefficience, voire du gaspillage.

Des maisons, voire des quartiers entiers obligatoirement orientés vers le soleil seraient un bon départ. Des stationnements multiemplacements et non individuels, des dépôts de déchets en îlots, une préservation maximale de la nature, des corridors verts entre les zones habitées : tout cela doit guider notre planification du paysage habité lors de la mise en disponibilité de nouveaux espaces urbains ou semi-urbains.

Une politique d'afforestation urbaine, le cas échéant, redonnera une âme, une identité nouvelle à certains anciens secteurs plus ou moins laissés pour compte. Ne perdons pas de vue que l'essentiel de la déforestation en Amérique se fait en zones urbaines. Ce sont les nouveaux quartiers — conçus sans le moindre souci de créer de nouveaux lieux de rencontres et de vie — ainsi que les cinéplex et centres commerciaux qui grugent ce qu'il reste de boisés urbains et d'espaces verts insuffisamment protégés. Une protection féroce des bonnes terres agricoles, en particulier à proximité des grands centres, doit empêcher la perte des derniers havres de biodiversité près de nos villes. Le quart est tout bêtement sous nos pieds, dans le sol : pas la peine d'aller bien loin pour agir sur sa protection !

Une agriculture de proximité doit également trouver sa place dans les villes. Les jardins communautaires en sont une belle manifestation. Cependant, il reste encore plein d'occasions, d'avenues non fréquentées, comme les jardins sur les toits, la

Terrains récupérés d'une ancienne zone industrielle à Victoria, en Colombie-Britannique
Façade au sud, piste cyclable, zone d'ombre et stationnement collectif
© *François Tanguay*

récupération de ruelles, de terrains vagues ou abandonnés. Pensons également à l'apiculture pour la pollinisation de toute la végétation issue de ces initiatives... sans oublier les belles aventures comme celle des serres LUFA, qui font une production commerciale de fruits et légumes sur les toits d'une zone située au cœur de la ville (voir p. 134).

Où il fait et fera bon vivre

Dans le monde capitaliste, la maison a depuis longtemps cessé d'être un lieu de vie pour devenir un espace économique, spéculatif et impersonnel. La question de la pérennité, qui devrait orienter l'achat d'un domicile, a cédé sa place à celle de la valeur projetée, espérée de notre *investissement*. À partir de cette déformation, nous avons, avec facilité, franchi le pas nous éloignant du domicile pour nous tourner vers « le bâtiment aux normes ». En effet, la construction de nos maisons obéit aux divers codes liés au bâtiment. Hélas, trop souvent ces normes s'avèrent insuffisantes. On n'a qu'à regarder du côté de la performance énergétique de nos bâtiments, qui n'ont même pas encore de cote de consommation à respecter à cet égard, contrairement à ce qui s'observe en Europe, notamment. Les normes, ici, c'est le minimum légal, pas plus, pas mieux !

Du côté de l'Europe, où les prix des différentes sources d'énergie sont beaucoup plus élevés — surtout à cause de fortes taxes sur les énergies — où l'achat d'une maison correspond généralement à l'idée de la léguer aux générations à venir, on trouve une approche normative de l'habitat qui est à des années-lumière de la nôtre.

Sans tomber dans une vision passéiste, on peut quand même regretter que la perception de quelque chose d'aussi fondamental que le lieu qui se trouve au centre de notre vie se soit embourbée dans la spéculation. Comme pour les voitures, objets éphémères s'il en est, le prix des maisons à vendre est affiché avec un mode de paiement à la semaine, histoire de rendre *le produit* plus alléchant. L'habitat est tombé dans le panneau de l'éphémère, comme tous les gadgets qu'on y trouve et qui deviennent obsolètes avant même d'être usés ! Ainsi, chaque année, le 1er juillet, jour du grand déménagement collectif, on trouve une quantité incroyable de trésors abandonnés sur les trottoirs et les coins de rues de nos villes, ultime preuve de notre consumérisme maladif et de notre transhumance perpétuelle.

Cette culture de l'éphémère qui se déverse sur nos trottoirs tient plus du gaspillage que de la mise au rancart d'objets vétustes ou usés. Quand nous consommons des maisons en rangées dans nos interminables banlieues, ne faisons-nous pas appel au même esprit ? Ce transfert collectif de nos valeurs vers l'impersonnel, le jeter-après-usage ou la maison achetée comme s'il ne s'agissait que d'un autre bien de consommation, devrait nous inciter à entreprendre une réflexion sérieuse sur l'aménagement du territoire.

Nous devons ajouter une valeur affective à ces nouveaux développements linéaires et sans âme de nos banlieues devenues autant de cités-dortoirs. Il faut faire de ces nouveaux territoires des lieux de vie où la qualité des aménagements collectifs permettra de développer un authentique sens du lieu communautaire — en anglais on dira « *the commons* » —, voire une identité qui incitera à l'enracinement à long terme et à une valeur sociale ajoutée beaucoup plus essentielle au bien-être que les bungalows fabriqués en série et plantés en rangs dans des champs de maïs.

Il faut du même coup revoir notre façon d'aborder la normalisation, la construction, la rénovation et surtout les besoins énergétiques à vie de nos maisons et domiciles. Construire aux normes, aujourd'hui, revient à faire ce qu'il est obligatoire de respecter, pas plus ! Nous avons perdu nos repères humains devant l'uniformisation et la standardisation de l'habitat. Il ne faut pas se leurrer : les banlieues de plusieurs milliers de maisons pratiquement identiques, sans cœur physique, sans place publique fréquentée, ne peuvent pas constituer un tissu social viable, durable.

On commence par ailleurs à prendre la pleine mesure de la valeur temporelle d'une maison en regard de la hausse constante des prix sur le marché de l'habitation. Dans un marché si spéculatif, on sera peut-être tenté de vendre sa maison à prix fort, mais pour acheter quoi, où et à quel prix ? Sans parler de la perte d'appartenance au lieu et du tissu social qui sera à refaire. Comment expliquer autrement le phénomène de la rénovation qui, depuis quelques années, a rejoint puis dépassé en importance celui de la construction de maisons neuves ? Des maisons de moins de 20 ans sont déjà en rénovation.

Ce constat doit nous interpeller sur deux plans. Tout d'abord, comment se fait-il qu'après si peu d'années, on en soit à retaper une maison pour laquelle on a investi une part importante de nos économies et de notre revenu mensuel ? Avons-nous mis tant d'énergie et d'économies dans un bien à courte vie et jetable ? La recherche du meilleur prix ne devrait-elle pas d'emblée considérer aussi la qualité ? Achetons nous un bien durable ou engageons-nous des mensualités ?

Heureusement, un simple exercice comptable a incité beaucoup de familles à rénover leur demeure pour en augmenter la performance énergétique au lieu de miser sur un marché spéculatif achat-vente. La crise économique presque continuelle dans laquelle nous naviguons tant bien que mal devrait nous inciter encore plus à privilégier un habitat intergénérationnel, qui pourra être transmis aux générations suivantes, en toute logique. Une fois ces évidences nommées, il faut s'intéresser à notre mode de vie et à l'endroit où nous choisissons de vivre… L'habitation de demain ne doit pas être un gouffre à énergie pour cause de performance énergétique déficiente.

La puissance de la non-demande

Pour l'Union européenne, les villes de demain seront productrices nettes d'énergie. Les réseaux de transport intégrés liés à des services de communication appuyant l'efficience énergétique feront de ces villes intelligentes des productrices d'énergie qui maintiendront des emplois durables et apporteront une qualité de vie accrue à toute la communauté. Les réseaux électriques intelligents appuieront, par exemple, des transports en commun électrifiés. Du rêve ? Détrompez-vous ! Les 30 premières villes intelligentes sont choisies et la Communauté européenne y investira 11 milliards d'euros (environ 14 milliards de dollars) avant 2020. Déjà, les grappes industrielles axées sur l'innovation énergétique et l'efficacité urbaine se comptent par dizaines. C'est à coups de milliards que l'Europe se dirige vers un nouveau paysage énergétique.

Le plan SET (Strategic Energy Technology) mis en place par l'UE a pour but de réduire de 80 % ses émissions de CO_2 pour 2050[88]. En 2030, plus de 250 000 emplois auront été créés dans les industries dites *Clean Tech*. Dans le bilan énergétique global, on mise sur l'énergie éolienne à hauteur de 30 % de l'énergie totale consommée. Le Danemark, qui fait partie des géants en ce qui concerne la part de l'éolien dans le bilan énergétique, a déjà dépassé les 20 %, et plusieurs pays, dont l'Allemagne, ont fait le choix de sortir du nucléaire à court ou moyen terme. Même la France, qui compte aujourd'hui sur le nucléaire pour 85 % de son électricité, a décidé de prendre un recul devant son choix historique. Que savent les Européens que nous semblons ignorer ?

Il est vrai que toute transition énergétique n'est pas si simple à réaliser en première analyse. Malgré elle, l'Allemagne a dû recommencer à acheter de l'électricité issue de la production au charbon. Le Japon, en fermant son parc nucléaire, n'a pas eu le choix de faire de même, étant donné son isolement géographique. Il y aura partout des retours en arrière temporaires et des ajustements de parcours, mais ce qui importe, c'est la volonté politique de changer de direction. À moyen terme, et surtout à long terme, les résultats seront positifs. Le choix d'une efficacité énergétique accrue aura des effets directs sur les besoins en énergie, et cela entraînera des répercussions majeures sur la demande en énergie. Comment ? Revenons à l'UE. Selon Phillips, le numéro un mondial de l'éclairage efficace, l'énergie utilisée pour éclairer les rues européennes pourrait diminuer de presque 60 % en quelques années, et celle nécessaire à l'éclairage des commerces

88. http://setis.ec.europa.eu/

et des maisons de 80 %. On peut faire mieux, car en Europe — où l'énergie est pourtant beaucoup plus chère qu'en Amérique[89] —, les trois quarts des édifices sont encore équipés de systèmes d'éclairage désuets et inefficaces. Dans ce seul domaine, des économies annuelles de plus de six milliards d'euros sont réalisables dès maintenant. Autant d'énergie qu'on n'aurait plus à produire ! Si 10 ou 20 % du nucléaire français doit être retiré du bilan énergétique de la France, l'avenue de la non-demande — l'énergie la moins chère ! — prend tout son sens économique. Et imaginons un seul instant son potentiel pour l'Amérique ! Pourrons-nous nous opposer éternellement à des hausses du prix de l'électricité chez nous et espérer en même temps que les performances énergétiques de nos maisons, commerces et logements collectifs s'améliorent ? On peut en douter.

Le signal de prix est essentiel. Puis doit suivre une forte volonté politique à tous les niveaux décisionnels. En Europe, les grandes orientations sont communes, puis, chaque pays, ville ou région doit agir en se basant sur les cibles de l'Union.

FRANÇOIS RACONTE…

« Des Québécois de la région d'Amos peuvent déjà témoigner de l'efficience énergétique européenne. À l'hiver 2011, j'ai dirigé une mission d'élus et de décideurs de la région d'Amos, en Abitibi. Le but était de leur faire connaître les derniers développements de l'industrie de la construction en Europe en général, et en Autriche en particulier. Après avoir participé à un forum de deux jours à Vienne, qui incluait une visite du plus grand salon de l'habitat au pays, nous avons pris la route. Visites d'usines de maisons préfabriquées, rencontres avec

89. Dans la majorité des pays européens, l'électricité coûte deux, trois, voire quatre fois plus cher qu'au Québec. Le kilowatt-heure est à 0,27 $CAN en Autriche et à 0,30 $CAN au Danemark. Disons que ces prix motivent sûrement à rechercher une meilleure efficacité énergétique !

les meilleurs spécialistes du domaine, visites de laboratoires d'essais techniques... Puis, comme cadeau, je me suis arrangé pour faire dormir tout ce beau monde à Sonnenplatz, un petit village très particulier du centre de l'Autriche. On peut y louer des maisons pilotes de la dernière génération des habitations à haute performance énergétique. Certaines sont solaires, d'autres à très basse demande énergétique, et d'autres encore sont des maisons dites passives. Ces dernières n'ont même pas de système de chauffage, sinon un système d'appoint ponctuel, puisque leurs besoins énergétiques sont inférieurs de 90 % par rapport à ceux des maisons dites traditionnelles. Avec une consommation annuelle réduite à moins de 15 kWh/m^2, on se situe à des années-lumière de ce que nous avons de mieux sur le marché nord-américain, qui tourne davantage autour de 150 ou 180 kWh/m^2 !

Comment cela est-il possible ? La plupart des pays européens ont institué des normes de performance énergétique parmi les plus exigeantes du globe. Cela entraîne pour l'industrie de la construction une obligation de qualité de construction irréprochable : qualité des matériaux élevée et certification difficile à obtenir. Par conséquent, le milieu de la construction à haute performance énergétique est devenu très compétitif. Autre fait notable en Autriche : le logement social est le secteur du bâtiment où l'on applique les meilleurs standards de construction et de rendement énergétique au pays ! C'est une plume à son chapeau pour une entreprise que d'avoir été choisie pour y construire du logement social. Là-bas, on a compris qu'étant donné les prix de l'énergie, les moins nantis et les communes responsables de ces logements n'ont tout simplement pas les moyens de payer une facture élevée. Ce n'est donc pas rentable pour la Municipalité de les loger dans des habitations de mauvaise qualité construites en visant le coût au mètre carré le plus bas !

Le marché européen de la construction se tourne de plus en plus vers la préfabrication en usine dans des conditions de travail optimales, ce qui maintient les coûts le plus bas possible, puisque l'assemblage sur le site peut se faire en général en moins de trois jours ! Il n'y a pas de secret : mieux construire s'avère rentable pour tous, y compris pour la balance des comptes nationaux.

Mes amis d'Amos ont donc dormi dans trois types de maisons à basse consommation énergétique en plein mois de février au cœur de l'Autriche. Au réveil, certains ont cherché dans les penderies des appareils de chauffage qui n'existaient pas. Un simple compresseur et un échangeur d'air faisaient en général office de centrale énergétique ! Dans une maison, une seule plinthe électrique de 500 W servait de chauffage d'appoint dans chaque pièce. C'est à regret que nous sommes rentrés au chic hôtel de Vienne !

Dans un pays où le kilowatt-heure est quatre fois plus cher qu'au Québec, on voit dans de telles maisons des factures d'électricité annuelles de moins de 600 $ (qui incluent le chauffage, l'eau chaude et la climatisation). Bien au-delà des normes, il y a une qualité de construction, un suivi serré des règlements et, surtout, une compétition entre constructeurs quant à la performance énergétique et aux garanties de rendement. Certains constructeurs garantissent leurs maisons, travaux et performance énergétique pour 20 ans ! On croit rêver… Pourtant, ils ne sont pas sous les tropiques. »

Ici, en Amérique du Nord, les exemples sont si rares qu'il vaut la peine de souligner le cas de Vancouver. Dotée d'un plan ambitieux, *Vancouver Greenest City 2020*[90], la Ville veut devenir la capitale verte du continent. C'est bien parti, d'ailleurs, puisque l'empreinte carbone de Vancouver est déjà la plus basse avant même que son plan n'entre complètement en vigueur. On veut,

90. http://vancouver.ca/green-vancouver/greenest-city-2020-action-plan.aspx

entre autres, augmenter de 50 % le nombre d'emplois liés aux industries et commerces verts, ceux qui misent non seulement sur des technologies performantes ou innovantes, mais dont les biens produits ont des conséquences positives sur l'environnement. On veut que 50 % des déplacements urbains soient faits à vélo, à pied ou en transports en commun. On reverra les normes de construction et tous les édifices construits au centre de la ville devront avoir la certification LEED OR. Et toutes ces belles mesures découlent d'un seul point de départ : UNE VISION !

Plus près de chez nous

De toute évidence, pour les Européens, il s'agit de se doter d'une vision d'abord, la réglementation devenant ensuite l'outil qui balise le chemin choisi. On constate que lorsqu'il s'agit de cohérence politique, l'Europe n'a qu'une voix. Et chez nous ? Bien qu'encore assez fragmentaires et assez limitées dans le nombre, quelques initiatives de planification urbaine axée sur une meilleure performance environnementale et énergétique doivent être soulignées.

La plus intéressante est celle de Victoriaville, qui, depuis les belles années de Normand Maurice, le père incontesté de la culture du recyclage au Québec, n'a cessé d'être aux premières lignes de l'audace politique d'aménagement responsable. Le programme Habitation Durable a été mis en place en juin 2011 pour inciter les citoyens à construire et à rénover en respectant l'environnement[91]. Un programme de subvention directe permet à tout nouveau propriétaire de recevoir un montant qui peut atteindre 8 000 $ pour l'engagement le plus marqué. Un cahier des charges très élaboré permet de mesurer cet engagement par un système de points : on obtient ainsi une, deux ou trois étoiles. Une série de partenaires offre en plus des rabais sur ses produits. Ce qu'il y a de fascinant dans cette aventure, c'est que

---

91. http://www.habitationdurable.com/

les entrepreneurs se sont fait prendre au jeu et qu'une saine compétition est en train de transformer le marché de l'immobilier neuf dans cette ville. Les entreprises de construction peuvent d'ailleurs se faire accréditer pour la norme Habitat Durable. C'est exactement ce qui s'est produit en Autriche quand on a opté pour des normes de performance environnementale plus exigeantes : cet encadrement réglementaire a permis au milieu des affaires d'aller de l'avant avec des normes qualitatives qui entraînaient leur part de récompenses monétaires et énergétiques pour toutes les parties concernées.

Mais cette belle audace régionale ne semble pas, dans l'immédiat, être à la portée de tout le Québec, qui en a pourtant un besoin criant. Pourquoi ? Parce qu'il n'y a pas de vision nationale. Le niveau décisionnel régional, voire municipal, fera peut-être en sorte, à terme, que les décisions fondamentales se prendront enfin au niveau national. Ce que nous enseigne Victoriaville, c'est que nous sommes peut-être à la veille d'une petite révolution sur la qualité de l'habitat qui ira de bas en haut, qui forcera la révision, au niveau national, des standards trop bas qui sont en place actuellement. C'est en tout cas la direction à prendre !

VOUS PAYEZ UN TARIF OU UNE FACTURE ?

Comme on peut le constater, une plus grande efficacité énergétique passe d'abord par une acceptation de notre mauvaise performance actuelle. Une fois ce constat établi, il faut chercher les facteurs incitatifs qui pourraient nous mener sur la bonne voie. Quelle ampleur devra avoir le signal politico-économique pour qu'on l'entende ? Aurons-nous le courage politique de vraiment transformer notre code du bâtiment, de l'axer enfin sur la meilleure performance énergétique possible ? Les grandes entreprises, les architectes, ingénieurs, planificateurs du territoire et autres décideurs se mettront-ils à table pour défendre autre chose que le *statu quo* ? Oserons-nous accepter des hausses de tarifs qui nous inciteront à faire preuve d'une meilleure discipline énergétique ?

Au Québec, il y a un problème de perception et de compréhension de la différence entre un tarif et une facture. Cette mauvaise interprétation est hélas trop souvent entretenue par les groupes qui sont censés défendre le consommateur. Qu'ils soient écolos, sociaux ou industriels, les porte-parole de ces groupes contribuent tous à leur façon à mal renseigner le public. Qu'ils se réjouissent collectivement d'un gel ou d'une baisse des tarifs d'électricité, par exemple, on ne s'en étonnera pas, mais qu'ils crient au meurtre quand ils font face à des augmentations tarifaires de 1 ou 2 % dépasse l'entendement. En revanche, quand les mêmes consommateurs achètent de l'eau embouteillée par contenants de 20 L ou par caisses de 24 bouteilles de 500 ml (de l'eau, soit dit en passant, souvent tirée de la même source que celle de leur robinet !) sans sourciller sur le prix, y voyant une aubaine, on est en droit de manifester un minimum de cynisme à l'égard de leur réaction devant les prix de l'énergie ! Une augmentation du prix de l'eau de 1 500 % devant une augmentation des tarifs d'électricité de 2 %… Cherchez l'erreur ! Pourtant, il faudra qu'un jour cette contradiction soit assumée…

Tant que la moindre augmentation des tarifs d'électricité au Québec mettra le feu aux poudres, on pourra difficilement imaginer une amélioration significative de nos performances énergétiques. Une électricité à si bas prix c'est bien, mais l'effet pervers, c'est que nous ne l'utilisons pas aussi efficacement que si elle était plus coûteuse. On pourrait dire la même chose du pétrole. Son prix, qui est ici encore au moins 50 % moins cher qu'en Europe, où le parc automobile est plus performant, encourage directement l'utilisation de véhicules énergivores et polluants. En résumé, des tarifs trop bas nous empêchent de regarder de plus près notre facture et d'éventuellement réduire notre consommation !

Considérons plus en détail le cas de l'électricité. À la fin de chaque période de facturation, nous recevons une facture indiquant les tarifs qui s'appliquent à notre cas, la consommation mesurée et, taxes ajoutées, la somme à payer[92]. Or ce qui influence directement la facture de l'usager, c'est une combinaison de deux éléments : le tarif ET la consommation. Une augmentation de 2 % des tarifs peut ne pas résulter en une facture plus chère de 2 %, tout simplement parce que c'est nous, les utilisateurs, qui contrôlons la consommation. Réduire sa température de chauffage de 2 °C, se doter de thermostats programmables, y aller plus modérément avec la climatisation, se doter d'un éclairage à faible consommation d'énergie et d'appareils électroménagers Energy Star performants : voilà autant de mesures qui font diminuer la facture, même après une hausse des tarifs !

Au Québec, des programmes d'économie d'énergie visent spécifiquement les plus démunis qui n'ont pas les moyens de se payer les équipements ou l'expertise qui contribuent à réduire les factures d'électricité. Le plus fou, c'est que ce sont en général des programmes implantés par les mêmes organismes qui défendent bec et ongles les droits des consommateurs devant la Régie de l'énergie, tout en étant mandatés par les distributeurs pour installer gratuitement ces mesures de réduction de la demande ! N'y a-t-il pas là un manque de cohérence ? Il faut arrêter de hurler devant des hausses de tarifs aussi minimes que celles proposées ces dernières années et cesser de nous faire les complices de cette démesure tordue !

Maintenant, une colle : quel est le premier pays, et le seul, à avoir éliminé l'éclairage incandescent en faveur de la nouvelle génération d'ampoules écoénergétiques ? Réponse à la fin du chapitre, ne trichez pas !

92. Durant mes dix années comme juge administratif à la Régie de l'énergie, j'ai toujours été étonné de constater à quel point les participants ne semblaient pas comprendre que ce n'est pas *a priori* la facture finale des clients qui est approuvée, mais bien un ou des tarif(s).

Tout existe déjà

Les maisons de l'avenir devront être autosuffisantes en énergie, même et surtout en zones nordiques. Or de tels bâtiments existent déjà en Scandinavie et dans toute l'Europe de l'Ouest… des régions bien connues pour leur ensoleillement tropical, n'est-ce pas ? Qui n'a pas rêvé d'aller passer ses vacances d'hiver au soleil de Vienne ou de Stockholm ? Pourtant, en Autriche, championne absolue du solaire, on compte plus de un mètre carré de capteurs solaires installés par habitant. Au Canada ? Citer des chiffres serait gênant, il y aurait trop de zéros après la virgule décimale, et rien devant !

L'efficacité énergétique des bâtiments passe par une approche simple : codifier, concevoir, construire et entretenir dans le seul but de réduire à des broutilles les besoins en énergie à vie de nos domiciles. Là réside l'avenir : non seulement viser une approche carbone zéro, mais tendre à faire de nos bâtiments des producteurs nets d'énergie ; alimenter nos voitures avec l'énergie de nos maisons et non pas seulement chercher à diminuer à un niveau raisonnable la facture annuelle d'électricité et de chauffage de notre domicile. Et c'est tout à fait réalisable. Amory B. Lovins, véritable gourou de l'efficacité énergétique aux États-Unis, a déjà mis au point avec General Motors une minicentrale énergétique pour usage domiciliaire qui, en plus de chauffer, d'éclairer et de climatiser la maison, charge le véhicule électrique qui est dans l'entrée. Cet appareil testé depuis quelques années reviendrait à moins de 10 000 $! D'un seul coup, la voiture électrique semble présenter beaucoup d'avantages…

Pour atteindre une efficacité énergétique collective supérieure, il ne s'agit pas d'envoyer un homme sur la Lune ou d'inventer des technologies qui seront à maturité dans 20 ans ; il suffit de passer aux actes maintenant, puisque tout ce qu'il faut pour parvenir à un tel niveau de performance énergétique existe déjà et, dans bien des cas, en opération à grande échelle.

En Europe, au-delà des normes d'isolation et d'étanchéité, l'évaluation finale de la performance énergétique d'un bâtiment se mesure en kilowatts-heure perdus par mètre carré et par année. Selon cette norme, plus petite sera la perte d'énergie, mieux sera coté le bâtiment. Ainsi, les maisons dites passives consomment dix fois moins d'énergie au mètre carré que la dernière génération du parc immobilier. D'ici moins de dix ans, la nouvelle politique du bâtiment européenne exigera que tout nouveau bâtiment ait une demande nette d'énergie… nulle ! Chez nous, cette politique n'existe même pas encore dans nos fantasmes !

Par où commencer ?

Ce qu'il y a de plus difficile à changer, ce sont les idées et les comportements. Peu importe la vision proposée, si les décideurs et les donneurs d'ordres ne font pas l'effort de l'adopter, il s'avérera difficile d'aller dans les détails ! On sous-estime largement l'efficacité comme source d'énergie : pas de gros barrages, pas de béton coulé, pas de rubans à couper par des élus et, surtout, pas de gros chiffres à mettre dans les budgets et les annonces politiques.

La part d'économie que l'on peut attribuer à l'efficacité énergétique reste difficile à évaluer. Le plus souvent, les chiffres avancés se basent sur des comparaisons. Or comparer le rendement énergétique d'une maison à construire avec celui d'une autre qui a 20 ou 30 ans tient de la spéculation plus que de la science. L'énergie dont on ne crée pas le besoin reste fictive, alors comment pourrait-on donner une juste place à la performance énergétique dans une économie du gaspillage ?

Nous disposons de données assez précises sur la consommation moyenne annuelle d'une maison. Nous pouvons même ventiler cette consommation entre les appareils électroménagers, le chauffage et la climatisation. Mais comment la future maison pourra-t-elle se comparer à celle que nous avons construite la semaine dernière en banlieue de Montréal si nous utilisons des barèmes erronés ?

En effet, un vice méthodologique semble incontournable dès le départ : les normes de construction au Canada sont davantage liées à des critères de sécurité, de qualité de l'air, de résistance au feu, entre autres, qu'à l'efficacité énergétique. Même les normes sur les isolants et autres pare-vapeur sont en quelque sorte établies à l'envers. La performance énergétique n'est JAMAIS un critère majeur d'évaluation d'un bâtiment. Pourquoi, direz-vous ? C'est pourtant simple : on mise sur des valeurs minimales d'isolation et d'étanchéité, mais en aucun cas on n'évalue la véritable performance énergétique du bâtiment en s'intéressant aux vrais coupables : les pertes d'énergie !

LA MAISON DU DÉVELOPPEMENT DURABLE SE RACONTE...

La Maison du développement durable (MDD[93]) est un bâtiment écologique situé dans le quartier des spectacles, en plein Montréal. Le projet a été rendu public en novembre 2007 par les membres fondateurs et a reçu l'appui du gouvernement du Québec, d'Hydro-Québec et de plusieurs entreprises du secteur privé, notamment RONA, Bell et Cascades. C'est au printemps 2011 que l'ouverture officielle a eu lieu. Projet ambitieux, première nouvelle construction certifiée LEED Platine au Québec, la MDD, comme tous les projets pionniers, est l'aboutissement d'un travail ardu. Il s'agit d'une belle réussite quant à la réduction des pertes d'énergie[94].

---

93. En novembre 2013, la MDD a remporté le prix du public de l'Ordre des architectes du Québec.

94. En septembre 2011, la MDD a été certifiée LEED Platine, soit la plus haute cote possible. Elle était d'ailleurs le premier bâtiment de ce type à l'atteindre au Québec.

La MDD en quelques mots :

- Un partenariat entre huit organisations : on pense à des écologistes comme ceux d'Équiterre, à un groupe de défense des droits humains comme Amnistie internationale (le chapitre francophone canadien), en passant par Option consommateurs et le CPE le Petit Réseau ;
- Un édifice qui consomme environ 50 % de l'énergie d'un bâtiment commercial de taille comparable ;
- Un lieu où se consomme de 55 à 58 % moins d'eau que dans un bâtiment comparable ;
- Une grande qualité de l'air intérieur.

Normand Roy était chargé de mener le projet MDD pour Équiterre ; nous lui avons posé quelques questions.

La MDD représentait plusieurs défis. Quels étaient les plus importants ?

Plus qu'un projet technique, plus qu'un défi économique, la MDD est le fruit d'une démarche culturelle. Avec ce genre d'édifice, on construit presque toujours un prototype. Chaque édifice est unique et on est loin des projets domiciliaires construits en rangées, basés sur un ou quelques modèles. Si on décide en plus de travailler dans le cadre des standards LEED et de se donner des objectifs de démonstration, on se retrouve avec une démarche encore plus complexe. Nous avons 20 ans de retard au Québec pour tout ce qui concerne la construction, les donneurs d'ordres et la conception d'un bâti performant. Le prix de l'énergie et de l'ensemble des ressources est beaucoup trop bas pour justifier les gains en efficacité énergétique, entre autres. Le cadre bâti n'est pas pris assez au sérieux. Cela ne nous a pas facilité la vie. Malgré tout, nous avons réussi à installer un système géothermique, un toit vert, du verre triple pour le fenêtrage de tout l'édifice, etc.

La MDD, sur la rue Sainte-Catherine à Montréal
© *Bernard Fougères*

Quels sont les principaux obstacles que vous avez dû surmonter ?

Le financement d'un projet de ce type n'est jamais simple. Il y a beaucoup d'innovation, comme notre mur végétal filtrant. Le code du bâtiment nous a aussi posé des problèmes. Nous aurions aimé mettre plus de bois dans le projet, entre autres pour la structure. Les ajouts que nous proposions auraient augmenté la facture de plus de deux millions de dollars… Par contre, nous avons eu une démarche innovante en intégrant l'entrepreneur général à l'équipe de conception dès le départ. Cela nous a permis d'être au fait de la réalité des gens de terrain très rapidement, de rapprocher nos rêves de la réalité. Cela a été un gros atout. Nous avons entre autres obtenu la mise en œuvre d'une recette de béton dotée de 20 % de poudre de verre. Bien que notre cible de rendement énergétique ne soit pas encore atteinte, notre édifice consomme quand même la moitié de l'énergie nécessaire pour un bâtiment conventionnel

Mur végétal dans le hall d'entrée de la MDD
© *Bernard Fougères*

de même dimension. Ce qu'il reste à faire par ailleurs, c'est de sensibiliser les occupants au rôle qu'ils ont à jouer dans la performance du bâtiment. Bien au-delà des défis techniques, nous devons également relever celui de notre comportement à l'égard des lieux où nous travaillons, où nous vivons.

STEVEN RACONTE...

Une journée dans la Maison du développement durable

« Aujourd'hui, comme la plupart du temps, je me rends au bureau à vélo. Ça tombe bien, le stationnement pour vélos est très grand. La MDD a décidé de ne pas bâtir de stationnement pour les voitures, l'édifice étant situé à mi-chemin entre deux stations de métro. Nous avons d'ailleurs fait une étude des comportements des habitants de la MDD avant le déménagement et après ; leur

Toit vert de la MDD
© Bernard Fougères

installation à la MDD a permis de réduire leurs émissions de GES d'environ 30 %.

Aujourd'hui, comme la plupart du temps, je prends quelques secondes pour admirer le mur végétal qui trône dans l'atrium, à l'entrée de l'édifice. Je monte ensuite à mon bureau ; les lumières s'allument dès que j'y entre, puisque notre édifice est équipé de détecteurs de mouvement. Le même système éteint à la fois l'éclairage et la ventilation lorsqu'il n'y a pas d'activité dans une pièce. Dans les faits, il arrive souvent que je n'utilise pas les lumières dans mon bureau tellement la lumière naturelle y est abondante.

Bon, en lisant les lignes suivantes, vous aurez peut-être l'impression que je vous donne trop de détails… mais l'anecdote en vaut la peine et cela me frappe chaque fois que je vais aux toilettes ! Il y a bien sûr de l'eau potable dans les lavabos, mais nous utilisons l'eau de pluie qui nous vient du toit vert pour alimenter nos toilettes. Un organisme issu du gouvernement du Québec a exigé que l'on mette, au-dessus des toilettes, un petit écriteau d'avertissement : « Eau non potable ». Je ne sais pas pour vous, mais il me prend rarement l'envie de boire à même la toilette ! »

Donner un sens à une société efficiente et responsable

Le Québec, comme le reste de l'Amérique, a beaucoup de chemin à parcourir pour prétendre à l'efficience. Tout d'abord il faut s'attaquer au gaspillage, qui est endémique. En même temps, graduellement, nous devons entreprendre dès maintenant le virage vers l'efficience partout où c'est possible.

Sans signal de prix, tout cela ne restera que de l'ordre du fantasme. Entendons-nous : signal de prix ne veut pas dire hausse de prix arbitraire. Comme nous l'avons vu plus haut, une comptabilité inclusive et la traçabilité des produits et des biens sont à la base de ce virage. Mais plus encore, chacun d'entre nous doit assumer sa part du travail. Les malheureux incidents dans les *sweat shops* d'Asie du Sud-Est ne doivent plus représenter le seul signal attendu avant de repenser nos achats « pas chers » ! Pour faire fonctionner notre économie de magasins à un dollar, il y a quelque part des salaires de un dollar par jour, des usines polluantes et des fonctionnaires corrompus.

Le comportement éthique ne peut pas être séparé de l'achat responsable, qui ne peut pas être isolé des droits de la personne. Tout se tient et nous sommes en bout de chaîne le maillon fort qui peut et doit donner un sens à une société efficiente et responsable. Certains y perdront une part de leur richesse indécente, mais beaucoup, en échange, y gagneront davantage à manger et une amélioration de leurs conditions de vie misérables.

Quel pays est le premier et le seul à avoir éliminé l'éclairage incandescent ? **Réponse :** Cuba !

VI
Le virage énergétique : le sens des priorités

Nous avons déjà vu à quel point la crise climatique est intimement liée à notre dépendance au pétrole. Pouvons-nous imaginer et, pourquoi pas, amorcer un virage vers un système énergétique différent ? Ou sommes-nous, comme on l'entend souvent, à la merci de ces grandes entreprises et des gouvernements qui refusent de prendre leurs responsabilités ?

Pour nous, le choix est clair, et ce chapitre vise à montrer comment, sur certains aspects, nous avons déjà commencé à entreprendre cette transition plus que nécessaire. Bien entendu, il reste encore beaucoup à accomplir, mais le virage est amorcé, timidement…

Les grands enjeux

«LA MEILLEURE ÉNERGIE À LA MEILLEURE PLACE
POUR CHAQUE SERVICE ÉNERGÉTIQUE.»

L'expérience nous a appris que ce simple énoncé doit être l'assise de toutes nos politiques énergétiques et environnementales. On vante beaucoup l'énergie solaire, c'est bien, et nous en sommes de fervents défenseurs, mais il y a des services que l'énergie solaire ne rendra jamais ou pas avant très longtemps : par exemple, faire fonctionner une papeterie, servir de combustible à un bulldozer ou encore fournir en énergie un avion gros porteur. Tout cela nous oblige à faire appel à une autre ressource énergétique.

Voilà pourquoi, avant d'entreprendre un débat social sur nos choix énergétiques, il faut regarder de plus près la liste des services énergétiques requis, l'ampleur de nos besoins, la meilleure source pour les satisfaire. Par-dessus tout, nous avons l'obligation de chercher à réduire notre demande pour toutes les formes d'énergie. Le régime minceur *avant* de regarder le menu ! Il sera nettement plus simple, par la suite, de débattre des orientations énergétiques futures.

Toute planification stratégique à long terme doit d'abord considérer le bilan qualitatif de chaque part de notre tarte énergétique. Vivons-nous dans des maisons énergétiquement optimales ? Avons-nous les appareils ménagers les plus efficaces ? Roulons-nous dans des véhicules utilisant le meilleur combustible pour le service rendu ? Avons-nous fait tout ce qu'il faut pour privilégier le transport en commun ? Ce bilan énergétique collectif doit absolument être établi. Après, et seulement après cet exercice, on pourra entreprendre un débat quant à nos choix énergétiques pour l'avenir.

Les coûts sociaux, économiques ou environnementaux d'un manque de planification stratégique sont sans doute incalculables, mais ils sont certainement élevés. Aligner les maisons en rangs d'oignon sans même tenir compte de la course du soleil, ne pas concevoir de lieux de rencontre autres que des centres commerciaux pavés comme des billards au centre des nouvelles communautés ne peut contribuer à créer un tissu social dynamique. Ce genre de manque de vision fait de ces zones périurbaines des lieux où le sens collectif ne peut pas exister. C'est par conséquent dans cet anonymat que croît la demande en électricité, qu'augmente année après année la consommation d'essence par famille, avec les embouteillages qui en résultent. Nous devons faire mieux.

Ainsi, dans un premier temps, nous devons pousser la demande de l'ensemble des énergies à leur seuil d'efficacité maximale. Il ne sert à rien d'investir dans d'autres choix énergétiques si nous n'avons pas fait l'essentiel : optimiser chaque source et chaque usage. Ouvrir le débat sur l'acceptation sociale de tel ou tel mode de production d'énergie avant d'avoir débattu de la diminution de la demande fausse la donne dès le départ. La fin du gaspillage et de la non-efficience doit avoir préséance sur tout, et cette évidence est pourtant loin d'être acquise pour la plupart des consommateurs. Le débat sur l'avenir énergétique devient tout autre lorsqu'on a d'abord opté pour l'énergie la moins chère, la moins polluante, celle dont l'analyse de cycle de vie est de loin la plus concluante et qui est utilisée au meilleur endroit compte tenu du service à rendre. Nous en sommes convaincus, il faut d'abord miser sur l'énergie dont on ne crée pas le besoin.

Par la suite, nous devons tabler sur ce que la nature offre de plus abondant et de moins perturbant à utiliser : le soleil, le vent et, oui, l'eau qui coule dans nos rivières. Pas besoin de technologies de pointe pour bien orienter une maison, une rue ou pour aménager intelligemment un quartier. Le vent, ne l'oublions pas, est plus constant et plus fiable que le soleil sur une année en ce qui a trait au potentiel énergétique et à la fiabilité d'approvisionnement. On sait avec beaucoup plus de précision d'où il viendra et à quel moment de l'année (l'hiver !!!) il soufflera plus fort. Dans les deux cas, vent et soleil, il s'agit de sources dont on peut optimiser l'utilisation et la moduler dès la planification du territoire.

Une maison dont la façade est orientée juste un peu vers le sud-est profitera au maximum du soleil de la matinée, le plus utile pour les matins froids d'hiver. Du même coup, les vents froids dominants de janvier, qui viennent de l'ouest et surtout du nord-ouest, frapperont l'arrière de la maison et non sa façade vitrée. On peut parfaitement avoir une rue mal orientée du point de vue de la course du soleil et tout de même s'arranger pour orienter les façades de façon optimale. Mais pour cela il faut penser autrement, sortir de la boîte carrée de notre planification urbaine indifférente aux éléments. La planification urbaine doit tenir compte du territoire. Prêtez attention en traversant les plus vieux villages du Québec : vous noterez que les maisons les plus anciennes ne sont pas nécessairement face à la rue, mais bel et bien orientées vers le soleil de midi.

Après, et seulement après avoir mené une réflexion de fond sur ces évidences, on pourra songer à amorcer la transformation, l'extraction de ressources plus exigeantes du point de vue des infrastructures et des investissements nécessaires. Malheureusement, nous n'y sommes pas encore, peu s'en faut.

Quelles énergies privilégier ?

Le Québec a fait le choix historique de l'hydroélectricité. Tant en ce qui concerne l'environnement que l'économie, ce virage est intrinsèque à l'économie québécoise. Nous sommes passés de plus de 75 % des foyers chauffés à l'huile à 75 % chauffés à l'électricité en une génération à peine. Véritable moteur industriel et économique, notre électricité constitue un avantage majeur du point de vue des coûts énergétiques et environnementaux.

Évidemment, cela ne s'est pas fait sans heurts. Nous n'avons pas encore tout à fait compris collectivement le coût social qu'ont dû payer les Premières Nations, qui ont subi leur large part d'abus à l'égard du saccage de tout un pan de leur territoire, de leur culture et de leurs traditions. Ce n'est qu'à la suite de batailles épiques devant les tribunaux qu'un dialogue convenable a été engagé.

En 2012, l'organisation américaine *Conservation Law Foundation* publiait une étude sur l'analyse des émissions de GES de différentes filières énergétiques. Cette étude montre que, sur une base du cycle de vie des filières, celles qui sont les plus intéressantes d'un point de vue des émissions de GES sont l'hydroélectricité, la géothermie, la biomasse, l'éolien et le solaire.

Hydro-Québec dispose de plus de 60 centrales hydroélectriques alimentées par un réseau important de barrages et de digues de toutes les tailles. Au total, c'est une capacité de production de plus de 35 000 MW (2 500 MW supplémentaires sont prévus à courte échéance), à laquelle s'ajoutent les quelque 5 000 MW de Churchill Falls au Labrador. Mais les bas coûts de production des années 1960 et 1970 sont révolus. Il n'y a plus d'électricité nouvelle accessible à moins de 0,10 $ le kilowatt-heure, peu importe la source, alors que le prix de vente au consommateur résidentiel est de 0,068 $ en moyenne. De plus, l'écart de coût de construction entre le prochain parc éolien et la prochaine centrale hydroélectrique s'est considérablement réduit. Nos tarifs bas dépendent pour beaucoup des plus vieilles installations et des 5 000 MW de Churchill Falls.

Nous sortons de l'époque des grands projets et nous nous dirigeons de plus en plus vers une production morcelée basée sur un ensemble de projets variés, pas nécessairement tous hydrauliques. Parcs éoliens, panneaux solaires, hydroliennes et géothermie domineront le nouveau paysage énergétique. À l'avenir, nous compterons davantage sur une diversification de nos sources, nous éloignant du modèle des grandes, et même des très grandes centrales de production d'électricité. Terminée l'époque des barrages du Grand Nord et des réacteurs nucléaires ; nous devrions nous diriger vers un modèle selon lequel nous pourrions tous contribuer à l'équilibre énergétique commun. Une multitude de petits consommateurs réduisant simplement leur demande en énergie, par l'efficacité énergétique, deviennent alors source de richesse.

Réduire la demande : une urgence !

Pour une entreprise de fourniture d'électricité comme Hydro-Québec, la gestion de la demande, toutes les heures de la journée, quelle que soit la saison, est un défi constant. En période de pointe, en hiver dans notre cas, pour subvenir à la demande, il est nécessaire de déployer toutes les mesures de réduction possibles. Par exemple, certains des clients industriels troqueront temporairement, comme ils le font depuis des années, l'électricité pour le gaz naturel. Des tarifs spéciaux encourageant cette pratique se sont avérés un facteur incitatif important les jours de grand froid où le réseau était utilisé à plein rendement. Réduire la demande de pointe par grands froids diminue la vulnérabilité aux pannes et a un effet direct sur certains des investissements les plus onéreux du distributeur, ce qui peut aller jusqu'à avoir des répercussions non négligeables sur les coûts du service. À ce titre, nous avons tous avantage, grands et petits consommateurs, à pratiquer la sobriété énergétique pour des raisons économiques, techniques et de fiabilité.

La diminution de la demande profite donc à tous les consommateurs-clients grâce aux investissements évités. Avec une marge de manœuvre plus grande, des coûts plus stables et une prévisibilité plus fiable de ses réserves, Hydro-Québec jouit, par exemple, d'une meilleure flexibilité sur les marchés d'exportation. Une communication encore plus appuyée de la part d'Hydro-Québec, au moment de la grande demande d'hiver, pourrait joindre encore plus le public actionnaire, qui a tout à gagner en faisant une gestion responsable de sa demande.

Nous n'hésitons pas à le redire : l'énergie la moins chère sera toujours celle dont on n'a pas créé le besoin. Il faut d'abord se poser la question du besoin et non pas chercher à produire encore plus d'énergie. Diminuer la demande va à contresens des credos productivistes, qui misent sur la croissance à tout crin de l'offre d'énergie, et cet aveuglement néolibéral du plus et encore plus va carrément à l'encontre de la sagesse économique. À vrai dire, l'Amérique n'a tout simplement pas la culture économique qui permettrait d'agir sérieusement sur la demande en vue de réduire l'offre. C'est tellement plus facile de faire couler plus d'eau dans la baignoire que de mettre un bouchon dans le fond ! C'est d'ailleurs un paradoxe fondamental auquel se heurte Hydro-Québec, dont la mission première est de nous alimenter en électricité, pas de nous inciter à l'économiser. Nous y reviendrons.

Voici un graphique qui montre le classement du Québec en Amérique du Nord en matière d'efficacité énergétique.

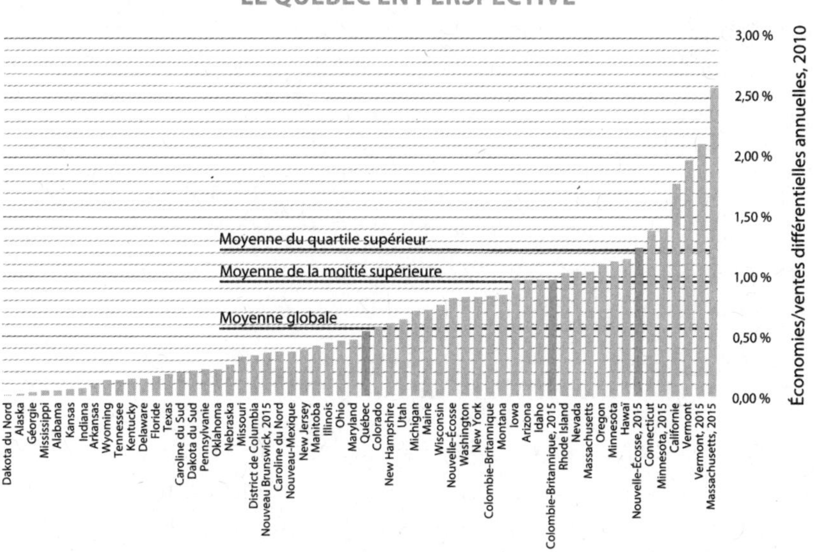

En 2010, nous avons atteint la moyenne nord-américaine.
Les années à venir annoncent-elles un recul, alors que d'autres accélèrent le pas?
Source : Dunsky Expertise en Énergie, www.dunsky.ca

Alors que nous étions en queue de peloton il y a une dizaine d'années, nous avons presque rejoint la moyenne des États et provinces sur le plan de l'efficacité énergétique. En soi, c'est très bien, mais nous sommes encore loin d'être en tête, et les prochaines années seront cruciales sur cette question : est-ce que, comme par le passé, les surplus d'électricité que nous connaissons actuellement vont signifier l'annulation de nos efforts en efficacité énergétique ? Allons-nous plutôt utiliser ces surplus à notre avantage (pour attirer ici des entreprises qui cherchent à s'approvisionner en électricité à faibles émissions de GES) ?

C'est tout ce qui concerne la planification du territoire qui doit guider nos politiques de performance énergétique, de l'orientation des rues aux normes de performance énergétique des bâtiments. Une maison non efficace, mal orientée, mal conçue et construite à la va-vite générera un gaspillage énergétique toute sa durée de vie. Pire, comme on multiplie le modèle, on se retrouve avec la nécessité de construire de nouvelles centrales électriques pour combler la hausse continue de la demande découlant de ce manque de rigueur énergétique. Investir dans de nouvelles centrales d'énergie, quel qu'en soit le type, pour combler une demande provoquée par des infrastructures inefficaces, devient alors du gaspillage, pas une source de richesse.

Une équité tarifaire nécessaire

À Hydro-Québec, une correction de la grille tarifaire s'impose. Il y a en effet un déséquilibre créé par les différents paliers tarifaires, en particulier dans le cas des tarifs domestiques. Nous ne nous attarderons pas trop sur le cas des contrats particuliers consentis à certains secteurs au début des années 1980, aux alumineries en particulier. Nous avions alors d'importants surplus d'électricité avec l'arrivée en masse des grands projets hydroélectriques. L'eau s'accumulait derrière les barrages. Il a même fallu en laisser passer par un déversement de trop-plein à un certain moment. De très généreux contrats ont alors été consentis aux alumineries et à Norsk Hydro. Des tarifs inférieurs à 0,02 $ le kilowatt-heure et ajustés au prix de l'aluminium ont eu pour résultat des manques à gagner par rapport au tarif L, celui des grandes industries. La facture a été salée : ce manque à gagner s'établissait dans les centaines de millions de dollars par année, en particulier dans les années 1990. Chaque emploi créé à l'aide de ces subventions indirectes correspondait à plus de 200 000 $ de subvention. Ça fait cher la job ! Passons.

Nous avons de nouveau des surplus projetés pour plusieurs années. Même si c'est tentant de songer à mettre en disponibilité des blocs d'énergie pour de gros consommateurs, il faudrait à tout le moins que le gouvernement, comme actionnaire, et Hydro, comme gestionnaire, prennent le temps de comparer diverses avenues vers lesquelles on pourrait diriger ce capital liquide. Mais le fait demeure : ces surplus représentent une opportunité à saisir.

Dans le domaine des tarifs domestiques, la grille tarifaire n'est plus adaptée à la réalité de la consommation du ménage moyen. La hausse de la demande, et les équipements supplémentaires que cela nécessite chez Hydro, se fait au détriment d'importants revenus potentiels pour le distributeur et, par conséquent, pour le gouvernement, qui, ne l'oublions pas, récupère les trois quarts des profits de NOTRE entreprise.

Il est plus que temps qu'un nouveau palier tarifaire soit instauré. Des maisons de 200, voire 300 m^2 et plus sont devenues monnaie courante. La dimension de la maison unifamiliale moyenne a pratiquement doublé depuis une vingtaine d'années, mais les normes d'efficacité n'ont pas suivi. Or ces grandes demeures ne sont pas liées à un boom de familles nombreuses. Une telle dimension pour une maison destinée à abriter trois ou quatre personnes a davantage à voir avec l'enflure matérielle qu'avec l'habitat utile et fonctionnel. Une maison d'une telle dimension, qui se vend souvent bien au-delà du demi-million de dollars, implique un train de vie assez élevé, du moins une capacité de s'endetter, et, par conséquent, d'en assumer les coûts réels. De plus, au final, la facture d'électricité dans ce secteur ne représente que 1 % ou 2 % des frais fixes des occupants, et ce, malgré la ribambelle d'équipements électriques qui poussent la demande annuelle de ces petits châteaux bien au-delà de 25 000 kWh. Par ailleurs, dans le cas d'une famille à revenus modestes, il n'est pas rare que la seule facture d'électricité dépasse 5 % du revenu familial. Ainsi, une hausse généralisée de toute la grille tarifaire toucherait davantage les ménages à faibles revenus que les ménages aisés.

Une nouvelle grille devrait tenir compte de ce phénomène, et la prochaine hausse tarifaire ne devrait pas s'appliquer, au-delà de l'indice des prix à la consommation, aux premiers 900 kWh par mois, qui représentent le premier palier. Le second niveau actuel pourrait être haussé annuellement selon la décision de la Régie de l'énergie, comme c'est le cas actuellement.

Une limite de consommation pourrait être utilisée pour le nouveau palier à plus haute consommation. En prenant comme repère une maison tout électrique efficace et d'une grandeur moyenne tournant autour de 160 m^2, soit environ 26 000 kWh par an si on se fie aux données d'Hydro-Québec, on mettrait en place un nouveau seuil tarifaire pour les grands consommateurs domestiques qui serait plus équitable pour tous.

Ce prochain étage tarifaire doit viser les grands consommateurs domestiques, ceux qui dépassent 30 000 kWh par an, et ils sont assez nombreux. Pour ces nouvelles maisons de 200 à 400 m^2 dont la consommation en électricité oscille de 30 000 à 50 000 kWh par an, il faut un signal de prix cohérent avec leurs choix de consommateurs et leur signature énergétique[95].

En plus, pour l'essentiel, il s'agit ici de maisons situées hors des centres ayant notamment déjà nécessité une expansion des

95. Chiffres basés sur la demande tarifaire 2013-2014 d'Hydro-Québec déposée devant la Régie de l'énergie.

infrastructures de transport. L'attrait de la banlieue est souvent la conséquence d'une combinaison de taxes plus basses et du coût élevé des appartements dans les quartiers centraux. Ce choix de quitter la ville et ses services pour les couronnes a été le sujet de nombreux débats : qui doit payer quoi et dans quelle proportion pour les services communs ? Le fait demeure que ce niveau de consommation ne reçoit pas de signal de prix et il faut corriger cet avantage tarifaire.

Mieux gérer l'avoir pour atteindre de nouveaux marchés

Avec une marge de manœuvre plus grande, des coûts plus stables et une meilleure prévisibilité de ses réserves, Hydro-Québec jouira, notamment, d'une flexibilité enviable sur les marchés d'exportation. Il faut savoir que la société d'État a engrangé historiquement une importante partie de ses profits grâce aux ventes sur les marchés adjacents. Cela est moins vrai quand les prix s'effondrent, entre autres à cause de l'arrivée massive du gaz de schiste dans la balance énergétique américaine, mais cet état de fait ne va pas durer. À terme, l'électrification du secteur des transports chez nous pourrait certainement stimuler le marché interne et compenser en partie la diminution des ventes externes. De toute façon, les prix obtenus récemment sur les marchés d'exportation sont de plus en plus près de ceux que nous payons ici. Selon nous, cette nouvelle réalité énergétique représente une occasion d'entreprendre l'électrification massive de nos modes de transport. Ces investissements dans un marché local créeront en plus des emplois ici, ce qui n'est pas le cas des exportations.

On a fait grand cas dans les médias du rôle de l'éolien dans l'augmentation des tarifs d'électricité, l'accusant de tous les maux, y compris de faire subir des pertes importantes au trésor public. La réalité est pourtant bien plus complexe qu'une bonne partie de la couverture médiatique ne l'a laissé croire. La production éolienne n'est pas responsable de la totalité de la demande de hausse des tarifs d'électricité, mais bien de la moitié seulement. Environ le tiers de la hausse demandée résulte de nouveaux investissements dans le réseau de transport et de distribution de l'électricité, pour répondre à la demande croissante dans les secteurs résidentiel et commercial, et le reste découle d'un meilleur taux de rendement qu'Hydro-Québec aimerait obtenir.

Finalement, ces surplus d'énergie électrique tant évoqués ne représentent qu'environ 1 % de la production ; l'arrivée d'une nouvelle aluminerie, l'accélération de l'électrification des transports, le retrait du mazout lourd sont autant de facteurs qui auraient un effet à la baisse sur ces surplus. Évitons surtout d'avoir une vision restreinte sur ce sujet.

D'autres options, d'autres clients doivent être considérés pour écouler les surplus d'électricité. Les Maritimes dépendent encore massivement du pétrole lourd, du gaz naturel, voire du charbon pour leur électricité. Malheureusement, nos interconnexions avec l'est du pays ne sont vraisemblablement pas suffisantes actuellement pour atteindre ce marché potentiel. Il faut aussi penser à l'Ontario, qui cherche justement à fermer ses centrales au charbon, responsables d'une partie de la pollution atmosphérique que nous recevons au Québec. De plus, l'Ontario se questionne sur le redémarrage de certains de ses 20 réacteurs nucléaires. Cette province pourra difficilement combler ses besoins en énergie si on entreprend d'y fermer les centrales au charbon d'ici 2014[96], comme l'a promis le gouvernement libéral, et de fermer en même temps certaines des centrales nucléaires. Du moins, pour y arriver, elle aura besoin d'aide et le Québec pourrait certainement faire partie de la solution. D'ailleurs, une étude datant de 2010 réalisée par l'Ontario Clean Air Alliance et Équiterre, intitulée *Profits en hausse, factures en baisse : une*

96. http://www.scientificamerican.com/article.cfm?id=ontario-phases-out-coal-fired-power

nouvelle stratégie électrique pour Hydro-Québec, 2010[97], propose justement une stratégie selon laquelle le Québec augmenterait ses exportations d'électricité vers l'Ontario.

L'éolien

Qu'est-ce que l'énergie éolienne, sinon une autre forme d'énergie solaire ? D'abord comme force de poussée pour se déplacer sur l'eau, puis comme force mécanique pour moudre le grain dans les premiers moulins, elle est à notre portée depuis des millénaires.

Au cours de l'histoire, les principes de base sont demeurés à peu près les mêmes, malgré des progrès technologiques importants. Aujourd'hui, cette technologie rivalise par sa recherche de pointe avec celle des réacteurs d'avion — certaines compagnies comme General Electric, un géant mondial, travaillent même dans les deux secteurs à la fois.

Le Canada arrive au 10e rang mondial pour sa production d'énergie éolienne, et cette position est largement due aux initiatives provinciales de l'Alberta, du Québec et de l'Ontario.

Comme on peut le constater dans le graphique à la page 195, le Québec arrive au deuxième rang au Canada, derrière l'Ontario. En 2015, l'éolien devrait représenter environ 10 % de la production électrique du Québec, ce qui constitue une part non négligeable.

Et qu'en est-il ailleurs dans le monde ? À la fin de 2011, le parc éolien mondial produisait annuellement 238 000 MW, ce qui représentait plus de quatre fois la production de 2005. Cela correspondait à plus de 75 milliards de dollars d'investissements dans le monde, en éolien, pour la seule année 2011[98], soit un saut

---

97. http://www.equiterre.org/publication/profits-en-hausse-factures-en-baisse-une-nouvelle-strategie-electrique-pour-hydro-quebec

98. http://www.gwec.net/global-figures/graphs/
Voir également : http://www.gwec.net/global-figures/wind-in-numbers/

prodigieux, plus que pour toute autre forme d'énergie. La Chine à elle seule met en production une éolienne de 2 MW chaque heure ! Elle compte maintenant sur une production de plus de 65 000 MW d'électricité éolienne, soit une fois et demie toute la capacité hydraulique d'Hydro-Québec, alors qu'en 1997, la production chinoise n'était que de 146 MW[99] ! La Chine semble bien première de classe pour l'éolien et pour le solaire... mais toujours première aussi dans l'utilisation du charbon. En effet, la Chine était responsable de 23 % des émissions de GES à la fin de 2013.

La Chine n'est pas seule à miser gros sur le vent : l'Allemagne, avec plus de 30 000 MW installés, l'Espagne, qui a dépassé 21 000 MW et la France, avec 7 000 MW, ne sont pas si loin derrière. Et que dire des États-Unis, qui en sont à plus de 51 000 MW en production ? Plus de 500 entreprises fournissent ce marché pour ce seul pays. Il est largement temps que le Canada et le Québec se joignent eux aussi au club des grands[100] !

D'ailleurs, la Régie de l'énergie a soutenu le financement d'une étude sur le potentiel éolien exploitable pour l'ensemble du territoire dans le cadre de son audience sur le Suroît, centrale au gaz naturel projetée pour la région de la Montérégie en 2004. Le groupe québécois Hélimax a été mandaté pour ce travail. C'est une première. Les résultats obtenus en ont surpris plus d'un. En étant très sélectif sur les sites, en excluant les zones à risque et en limitant l'implantation de parcs éoliens aux endroits les plus propices en considérant le réseau de transport existant, le potentiel évalué dépassait à ce moment plus de 100 000 MW, soit deux fois et demie la demande de pointe en électricité par un soir d'hiver bien froid. La région du Bas-Saint-Laurent/Îles-de-la-Madeleine, tout comme celles de la Côte-Nord, du Nord-du-Québec et du

---

99. http://www.gwec.net/wp-content/uploads/2012/11/China-Outlook-2012-EN.pdf

100. Global Wind Statistics, www.gwec.net

LA PRODUCTION D'ÉNERGIE ÉOLIENNE AU CANADA EN 2013

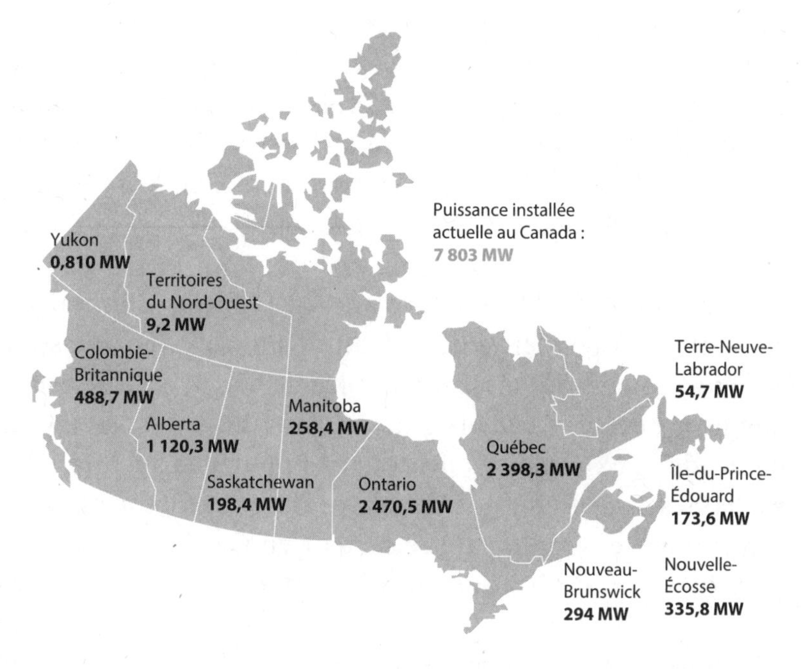

Source : www.canwea.ca

Saguenay-Lac-Saint-Jean sont les régions les plus venteuses et donc, les plus prometteuses.

Quelques chiffres sur l'éolien au Québec[101] :

- Environ 5 000 emplois sont liés au secteur de l'éolien et une portion de ces emplois se situe dans la région de Montréal, où il n'y a pourtant qu'un seul parc d'éoliennes ;
- Plus de 10 milliards de dollars ont été investis dans le secteur en 10 ans ;
- Quelque 150 entreprises québécoises sont actives dans l'éolien, autant en région que dans plusieurs centres urbains. Montréal a par exemple été choisie par plusieurs entreprises étrangères pour y établir leur siège social canadien ;

101. http://www.canwea.ca/pdf/memoire-CanWEA-190913.pdf

- Une expertise sur l'énergie éolienne s'est développée dans les universités et institutions québécoises comme l'École de technologie supérieure (ETS) et l'École polytechnique. L'ensemble de la province n'est pas en reste, puisque des programmes ont également été développés ailleurs au Québec. Pour ne nommer que celui-là, on peut penser au programme en maintenance d'éoliennes du cégep Beauce-Appalaches[102].

Début mai 2012, la première ministre Marois a annoncé à Gaspé que son gouvernement allait de l'avant avec une série de projets éoliens qui totaliseront plus de 800 MW. Une excellente nouvelle ! Ces projets entraîneront des investissements de plus de deux milliards de dollars au Québec au cours des prochaines années et, bien que cette annonce vise avant tout à consolider les emplois de ce secteur en Gaspésie et dans le Bas-Saint-Laurent, il y aura aussi des retombées importantes ailleurs au Québec.

Chaque kilowatt-heure éolien produit permet de retenir derrière les barrages la quantité d'eau nécessaire pour produire un kilowatt-heure d'hydroélectricité ; c'est un avantage rare en production d'énergie que cette complémentarité, qui n'est pas à la portée de la production thermique, peu importe le combustible. Malgré les résistances initiales d'Hydro-Québec et certains arguments douteux sur l'aspect intermittent de la production qui faisaient fi de la capacité d'équilibrage via le réseau de barrages dont dispose la société d'État, ce potentiel peut donc être développé au rythme le plus optimal pour les Québécois.

Aux dernières nouvelles, il n'est pas prévu qu'une hausse du prix du vent n'augmente le coût de production de l'énergie éolienne, et mieux encore, le développement de la technologie

102. Équiterre a développé une série de fiches d'information sur la question de l'éolien que l'on peut consulter, et télécharger, à l'adresse suivante : www.equiterre.org/eoliennes

continue de faire diminuer les prix des composantes. Quant au prix de l'électricité ainsi produite, qui dépasse 0,10 $ le kilowatt-heure, il serait sage de le comparer avec celui de l'électricité qui serait produite avec le prochain barrage construit, et non pas avec celui des plus anciens équipements, ni avec le coût moyen[103], comme le font trop de supposés spécialistes. Le prochain kilowatt-heure hydroélectrique (le coût à la marge) se rapproche de celui qu'on tirera du prochain projet éolien. Qu'on cesse de comparer les projets de 2014 avec ceux à 0,03 $ le kilowatt-heure qui datent de 50 ans ! L'énergie de Churchill Falls nous revient à moins de UN CENT le kilowatt-heure, mais c'est un cas rare qui ne devrait pas nous aveugler sur la réalité du moment !

Il est trompeur de comparer le prix de l'hydroélectricité à celui de l'éolien en regard des projets de barrages que nous avons construits il y a 40 ans et qui sont largement amortis aujourd'hui.

Mais si on compare le coût de l'éolien nouveau à celui des prochains projets hydroélectriques, c'est une tout autre histoire. L'électricité produite par le grand chantier d'Hydro-Québec sur la Côte-Nord, le complexe La Romaine, coûtera à sa mise en service, selon plusieurs experts, environ 0,086 à 0,10 $/kWh, donc à peu près celui de l'électricité produite par l'éolien.

Dans le dossier éolien, il y a toutefois un maillon faible : presque pas de prise en charge de l'industrie par les entrepreneurs et chercheurs de chez nous. Presque pas de prise de brevets. Nous sommes encore trop importateurs ou exécutants. Les tours sont fabriquées ici, mais ce n'est que du fer. Cela doit changer si nous

103. Le coût moyen, c'est la moyenne de l'ensemble de la production, soit l'électricité provenant de Churchill Falls à un prix ridiculement bas, du complexe La Grande, qui tourne davantage autour de 0,05 $, et des derniers projets (parcs éoliens ou barrages récents), qui avoisine 0,10 $/kWh. Le coût moyen en 2012 se situait sous la barre de 0,03 $/kWh.

voulons que la filière nous apporte des retombées positives et durables.

Les pays qui ont pris le virage vers l'éolien et les autres énergies renouvelables ont une vision claire de leur avenir énergétique : une diversification maximale des sources, en misant en priorité sur les énergies renouvelables. Le Japon et l'Allemagne ont fait le choix de sortir du nucléaire et du pétrole. La transition ne sera pas instantanée, elle ne se fera pas sans heurts, mais une volonté réelle de moderniser l'économie guide ces choix. En tant que puissances économiques mondiales, ces deux pays se donnent les moyens de ne plus dépendre de l'énergie qu'ils ne produisent pas ou qui représente un trop grand risque social et technologique. Dès son arrivée au pouvoir, le président français François Hollande a pris des mesures sérieuses pour amorcer la transition énergétique de son pays. La part du nucléaire est appelée à diminuer de façon notable à moyen terme, passant de 85 % de la production électrique française à 50 % d'ici 2025, le solaire, l'éolien et surtout l'efficacité énergétique prenant le haut du pavé.

Au Canada, nous sommes pour le moment bien loin de ces préoccupations. Doté de réserves considérables en ressources naturelles plus polluantes tel le pétrole des sables bitumineux, le pays, sous la gouverne des conservateurs de Stephen Harper, semble vouloir faire cavalier seul et s'engluer sur le sentier étroit des énergies fossiles. Pas question de transition énergétique... que la fuite en avant, les deux pieds dans le sable. Le soleil ne se lève pas sur la Colline du Parlement à Ottawa, le vent du changement ne souffle pas. Tout est au point mort au pays de l'or noir.

FRANÇOIS RACONTE...

D'un débat à l'autre

« Je suis arrivé à Greenpeace Canada en décembre 1992, alors que Greenpeace International était sur le point d'entreprendre une campagne mondiale sur les changements climatiques qui allait devenir le fer de lance d'une série d'actions sur le climat qui continue à ce jour. Les premiers documents du GIEC de 1990 avaient été le son de cloche scientifique qui avait mis tout cela en branle, et ce rapport a incité plusieurs organismes à faire de la lutte aux changements climatiques une priorité. Si seulement 300 scientifiques ont travaillé à ce rapport initial, ils sont plusieurs milliers aujourd'hui et le poids politique des rapports du GIEC est redevable, du moins en partie, à la mobilisation des Greenpeace, Friends of the Earth et WWF de ce monde.

Avec en tête des visionnaires comme Bill Hare et Jeremy Leggett[104], Greenpeace International a alors entrepris de documenter les signaux climatiques indiquant une évolution inquiétante du climat planétaire[105].

Si en 1992 je me sentais petit parmi ces experts militants, j'avais rapidement absorbé l'essentiel du dossier et compris que je reviendrais survolté de cette initiation à cet enjeu majeur. Petit problème : je n'avais qu'un contrat de quelques mois avec Greenpeace Canada. Mais, à Amsterdam, j'ai sollicité — et obtenu — du financement grâce à l'aide de l'équipe de Greenpeace USA. C'est grâce à eux que mon travail sur le climat a décollé pour de bon. (Si je n'avais pas trouvé à l'extérieur mon financement, j'aurais dû dire adieu à la poursuite du dossier et probablement à mon poste bien temporaire !) La campagne a donc pris son envol au Canada, la visibilité de Greenpeace Québec est allée en

---

104. Jeremy Leggett dirige aujourd'hui Solarcentury, la plus importante entreprise de production d'électricité solaire du Royaume-Uni. Bill Hare est devenu un éminent scientifique travaillant pour le groupe Climate Analytics et ayant collaboré aux travaux du GIEC, de plusieurs publications du Programme des Nations Unies sur l'Environnement et au rapport Stern.

105. Fin 1994, Greenpeace a publié *The Climate Time Bomb*, document sous forme de base de données qui fait état des manifestations climatiques hors normes des cinq années précédentes.

augmentant et l'appui du public a suivi. Nous participions aux commissions parlementaires, allions en région et poursuivions un travail médiatique quotidien.

En décembre 1994, je suis donc responsable depuis deux ans de la campagne sur le climat pour Greenpeace Québec, dont j'assume la direction. C'est à ce moment que le gouvernement du Parti québécois prend la décision de tenir une consultation sur sa future politique énergétique. On me demande, en tant que directeur de Greenpeace, de joindre cette table de consultation présidée par Alban D'Amours, ancien président du Mouvement Desjardins. Cet exercice, qui devait durer quelques mois tout au plus, prendra une ampleur sans précédent. Nos travaux commenceront en février 1995 et notre rapport sera livré 14 mois plus tard, le 1er avril 1996. Parmi les signataires, il y aura notamment Richard Kistabish, un travailleur social algonquin et un homme d'exception, Philippe Dunsky, qui deviendra une de nos sommités en efficacité énergétique, Christos Sirros, député libéral, qui sera nommé délégué général du Québec à Bruxelles, Madeleine Plamondon, future sénatrice qui lutte pour les droits des consommateurs à Shawinigan, et, enfin, André Dumais, vice-président de Shell.

Intitulé *Vers un Québec efficace* (je peux réclamer la paternité du titre !), le rapport contribuera à la mise en place non seulement de la prochaine politique énergétique, mais d'une nouvelle Régie de l'énergie ainsi que de l'Agence de l'efficacité énergétique. Au cœur de ses recommandations : un appel à l'efficacité énergétique et au choix de la meilleure énergie à la meilleure place, pour le Québec.

Au printemps 1997, la Régie sera créée. On me suggère fortement d'ajouter mon nom à la liste des candidats pour y siéger. Moi qui avais toujours cru que faire partie d'un tribunal administratif impliquait d'être juriste, je dépose mon nom, plus étonné qu'incrédule, dans la boîte. Plus de 200 candidatures seront ainsi reçues. En juin 1997, après un premier triage et une longue entrevue, je deviens, à ma grande surprise, juge administratif. Je le serai pendant 10 années bien remplies.

La Régie nouvelle mouture remplaçait l'ancienne Régie du gaz. Avec une loi à rédiger, toute une série de précédents allait en découler. Les premières audiences sur les programmes d'efficacité énergétique de Gaz Métro et d'Hydro-Québec, les petites centrales, les éoliennes et le Suroît n'étaient qu'un léger aperçu d'un ordre du jour réglementaire auquel j'ai trouvé fort exaltant de participer.

Alors que je m'installais à la Régie, un certain Steven Guilbeault allait me succéder à Greenpeace, à compter de 1997, pour y passer 10 ans lui aussi. (En passant, je n'ai pas eu un seul mot à dire quant au choix de mon successeur, ce qui m'avait frustré à l'époque… car il était aussi mon choix !)

Quand j'ai décidé de quitter la Régie en juin 2007, je n'avais pas la moindre idée de ce que j'allais faire. J'estimais avoir fait le tour du jardin, et je n'y trouvais plus de plaisir. J'ai pris six mois de recul avec, pour but premier, le voyage en Nouvelle-Zélande que je rêvais de faire depuis 10 ans. Pas de doute que quitter volontairement un emploi aussi sûr que celui de juge administratif représentait une forme d'étape, de virage. J'estimais qu'à 61 ans, j'avais encore une contribution à apporter à la cause environnementale ; restait à savoir à quel titre. Mon expérience de juge administratif et mon passé de militant écologiste allaient bientôt me servir dans le cadre d'un mandat qui me projetterait au cœur de l'actualité politique… »

Le gaz de schiste

Le débat sur les gaz de schiste occupe régulièrement l'avant-plan de l'actualité au Québec depuis plusieurs années. Un important regroupement de représentants de la société civile, d'élus et de groupes environnementaux s'oppose à l'exploitation du potentiel gazier qui se trouve dans le sous-sol québécois. Le gouvernement libéral du premier ministre Jean Charest a ouvert le terrain à l'exploration et à la mise en production de ce potentiel sans avoir suffisamment consulté les populations concernées, ne disposant pas d'assez d'information de qualité pour prendre une décision éclairée. L'industrie a donc procédé avec, hélas, beaucoup trop de hâte devant ce feu vert, ce qui a mis à jour une série de lacunes structurelles et environnementales. Un véritable fiasco social a suivi, semant la confusion sur l'avenir énergétique du Québec.

Un manque d'information et une mauvaise compréhension des conséquences environnementales et sociétales sur les populations concernées, ainsi que des connaissances lacunaires sur une série d'effets potentiels à long terme liés à l'exploitation des gaz de schiste ont mené à un véritable raz-de-marée d'opposition. Devant ce constat, le gouvernement a commandé une « Étude environnementale stratégique » ; le comité chargé de cette étude avait le mandat, pendant plus de deux ans, de dresser un bilan exhaustif de la situation, pour ensuite remettre un rapport énumérant ses constats et avis. Ce comité devait considérer tous les aspects de la question, étudier toutes les options, y compris celle de ne pas aller de l'avant avec l'exploitation des gaz de schiste. Ce travail considérable a donné lieu, outre les conclusions du comité, à une acquisition de savoir sans précédent[106].

Au-delà du débat émotif, il y a celui, plus complexe, de nos choix de société. Les services énergétiques rendus par le gaz naturel ont en général peu de solutions de substitution possibles. Avec une part d'environ 12 % dans le bilan énergétique global

---

106. François Tanguay a été nommé à ce comité au mois d'août 2011. Son mandat s'est terminé en décembre 2013.

du Québec, le gaz naturel, quelle que soit sa provenance[107], ne peut pas en être totalement éliminé, du moins pas à moyen terme. Il représente même une solution de remplacement pour le pétrole dans quelques secteurs : on pense au diesel dans le cas du camionnage commercial et au fuel lourd pour plusieurs industries. De telles solutions de remplacement résultent en une diminution à court terme des émissions de GES.

Plusieurs industries ne sauraient se priver de gaz naturel pour leurs processus. D'autres dépendent du pétrole pour fonctionner et pourraient effectuer une transition vers le gaz naturel, moins polluant et — facteur non négligeable —, moins cher. Des industries lourdes ont besoin de chaleur intense pour fonctionner, et ce ne sont pas des éoliennes ou des panneaux solaires qui pourront leur rendre les mêmes services énergétiques que le gaz naturel ou le pétrole.

La Côte-Nord du Saint-Laurent est le dernier bassin industriel qui n'est pas desservi par le gaz naturel. On y trouve une présence massive de mazout lourd (Bunker C), ce qui en fait une des sources importantes de nos émissions globales de GES. Selon les estimations de Gaz Métro, qui proposait d'allonger son réseau du Saguenay jusqu'à cet important pôle industriel, il y a dans cette région un potentiel de réduction des émissions de GES de 150 000 tonnes par année. L'avenir incertain du secteur minier de la région a cependant mis un frein aux espoirs d'extension de réseau chez Gaz Metro.

Le remplacement du mazout lourd par le gaz naturel résulte en une baisse de 30 % des émissions de GES, de 99 % des émissions de CO_2, de 70 % des NO_x et de 97 % des particules fines. Dans le cas de flottes de camions lourds, une transition au gaz naturel

107. Le gaz de schiste est du gaz naturel issu de formations rocheuses, des schistes, que l'on retrouve surtout au Texas, dans le Midwest américain et dans les formations de la Pennsylvanie. Le Québec disposerait d'un potentiel qu'il reste encore à évaluer.

résulte en une baisse de 15 à 25 % des émissions de GES et s'avère de 20 à 40 % plus économique. Dans un secteur où le carburant est un intrant majeur, on se doit de miser sur une telle transition. La compétitivité des entreprises d'ici ayant pris la décision de faire cette conversion n'en serait qu'accrue !

On peut tenir un débat social sur la provenance et la place des combustibles fossiles et on doit faire tout ce qui est possible et rentable pour moins en dépendre. Mais nous ne devons pas pour autant fermer les yeux sur l'ensemble des gestes qui ouvrent la voie à un avenir plus sobre énergétiquement et moins émetteur de GES.

Les États-Unis ont entrepris une substitution massive du charbon par le gaz naturel, en particulier dans le secteur de la production d'électricité. Plusieurs groupes environnementaux d'envergure, tels le Natural Resources Defense Counsil (NRDC), la Union of Concerned Scientists et le Sierra Club — l'ancêtre de tous les groupes environnementaux —, se sont prononcés au départ en faveur de cette transition du charbon vers le gaz naturel. Mais les incertitudes technologiques et les risques pour la santé liés à l'expansion de l'industrie des gaz de schiste les ont poussés à réévaluer leur discours, entraînant une polarisation de l'ensemble du mouvement environnemental américain à l'égard du gaz de schiste. Des études sur le potentiel de réchauffement climatique de la chaîne de production, de transport et de consommation du gaz naturel ont eu comme effet que le Sierra Club a modifié sa position au Sommet sur les changements climatiques de Cancún (2010) : il s'oppose maintenant fermement au remplacement du charbon par le gaz naturel issu des schistes dans les centrales de production d'électricité. Mais cela ne fait pas en sorte que ces groupes appuient pour autant le charbon ou le pétrole importé[108].

---

108. Rencontre de F. Tanguay avec des représentants de ces organismes à Harrisburg, Pennsylvanie, en octobre 2012.

Il faut comprendre que plus de 40 % de la production d'électricité aux États-Unis dépend du charbon et que cela implique des quantités astronomiques d'énergie. Dans le Powder River Basin du Wyoming, on extrait assez de charbon pour produire 50 % de toute l'électricité du pays. Le volume de charbon extrait dans cette mine à ciel ouvert, soit 28 millions de tonnes chaque année, équivaut à creuser annuellement trois fois le canal de Panama. Autre contexte, autres priorités.

L'évolution du dossier gaz de schiste versus charbon bat son plein aux États-Unis et il faudra encore un moment pour avoir une idée précise de la suite des choses, du moins à moyen et long termes. Par ailleurs, ce qui est certain, c'est que les Américains ont fait le choix prioritaire du gaz naturel et misent également à moyen terme sur leur pétrole de schiste, avec comme effet économique (et politique, il va sans dire) avoué une autosuffisance énergétique nationale. Cela aurait des effets socioéconomiques considérables sur l'ensemble du pays. Aller faire la guerre dans le monde arabe pour du pétrole deviendrait pas mal moins essentiel, et la machine économique de l'industrie de la guerre ferait face à des ajustements dont l'ampleur dépasse l'entendement.

Il faut savoir que le gaz naturel utilisé au Québec provient historiquement, pour l'essentiel, de l'Alberta, zone de production primaire des hydrocarbures au Canada. Transporté par pipeline jusque dans l'est du pays, il est par ailleurs soumis, tant pour le prix que pour la fiabilité des approvisionnements, à la réalité du marché continental nord-américain. Cela va changer considérablement d'ici quelques années. En effet, le gaz naturel albertain est de plus en plus dirigé vers les opérations des sables bitumineux et les réserves conventionnelles sont sérieusement atteintes. Le gaz naturel du Québec viendra de plus en plus des États-Unis et, par conséquent, des opérations d'extraction de gaz naturel de schiste.

Contrairement au pétrole, dont l'évolution du prix dépend en partie des marchés mondiaux, le prix du gaz naturel est lié à un marché plus « continental », si l'on veut. La demande et le poids économique des États-Unis déterminent l'évolution du marché, la construction des infrastructures futures et, en finalité, le prix du gaz naturel sur tout le continent. Qu'il soit produit ou non au Québec, cela n'aura donc que peu ou pas d'influence sur son prix. Par contre, le coût du transport de la molécule diminuerait forcément avec une production régionale. On sait également que la production locale, contrairement au gaz importé, aurait l'avantage d'apporter chez nous des retombées fiscales et des redevances. À quel point ? Personne ne le sait, car ce dossier est encore en mouvance au début de l'année 2014. Quant au cadre économique, fiscal et réglementaire final, il reste à être précisé.

Cela dit, on ne peut s'attendre à un prix au consommateur bien différent que si les marchés repartent vers la hausse, ce qui n'est pas prévu avant plusieurs années selon la majorité des observateurs. Si nous optons pour l'exclusion de la production au Québec, nous nous exposons à trois conséquences : d'abord, la dépendance aux marchés externes pour le prix et l'approvisionnement ; ensuite, des prix de transport incertains et, enfin, des sorties d'argent de notre économie sans retombées locales. Nous ne prétendons pas ici qu'il faut développer le gaz de schiste chez nous, mais seulement avoir ces faits en tête.

La question du gaz de schiste et de son bilan carbone a fait, et continue de faire couler beaucoup d'encre. Il semble que la communauté scientifique soit encore partagée sur les bienfaits — et les méfaits — de l'arrivée de ce type de gaz, notamment aux États-Unis.

D'une part, des organismes comme l'Agence de protection de l'environnement (Enviromental Protection Agency ou EPA) des États-Unis affirment que l'arrivée massive de gaz naturel, essentiellement du gaz de schiste, a permis aux États-Unis de réduire leurs émissions de GES, notamment grâce au remplacement du charbon par le gaz naturel[109].

D'autre part, certains chercheurs affirment que les émissions de GES du gaz de schiste sont actuellement mal prises en compte. Une étude effectuée par le professeur Howarth de l'Université Cornell avance que les émissions finales du cycle de vie de gaz naturel de schiste dépassent celles du charbon[110]. D'autres études estiment que ce sont les émissions dites fugitives qui ont l'effet le plus déterminant sur le bilan final de cycle de vie du gaz issu du schiste[111]. Il faudra mener d'autres études sur ces aspects.

Une question incontournable se trouve au centre des évaluations stratégiques des sources énergétiques : est-il plus responsable d'utiliser du gaz produit à 3 000 km du point de consommation, avec les répercussions environnementales que cela entraîne sur place et en chemin, que de l'extraire chez soi ? Du point de vue des émissions de GES, la comptabilité pourra être plus locale, plus québécoise, sur certains aspects, mais restera mondiale quant à ses effets sur le climat. Par ailleurs, si le gaz naturel permet une réduction notable des émissions industrielles, il faudra calculer les émissions post-transition. Cet exercice doit être fait avant de

---

109. http://www.epa.gov/climatechange/Downloads/ghgemissions/US-GHG-Inventory-2013-ES.pdf, p. 11. Voir également : http://online.wsj.com/news/articles/SB10001424127887324763404578430751849503848

110. R.W. Howarth, R. Santoro et A. Ingraffea, *Venting and leaking of methane from shale gas development : Response to Cathles et al., Climatic Change Department of Ecology and Evolutionary Biology, Cornell University, Ithaca, NY 14853, USA* 2012.

Voir également A. Burnham *et al.*, « Life Cycle Greenhouse Gas Emissions of Shale Gas Natural Gas, Coal, and Petroleum » dans *Environmental Science & technology*, n° 46, 2012, p. 619-627.

Aussi J. D. Hugues, *Life cycle greenhouse gas emissions from shale gas compared to coal : an analysis of two conflicting studies*, 23 pages, 2011.

111. CIRAIG ; www.ciraig.org. Cet organisme a effectué une étude sur le cycle de vie environnemental du gaz de schiste pour le Comité d'évaluation stratégique sur les gaz de schiste.

prendre une décision sans appel en ce qui concerne notre stratégie énergétique pour les années à venir.

Ajoutons à ces considérations que, fin 2013, le Québec est loin d'avoir un cadre législatif et réglementaire adéquat pour encadrer cette industrie. La réglementation en Alberta, par exemple, est considérée comme une des plus complètes dans ce domaine, mais on y exploite les hydrocarbures depuis plus de 100 ans !

À partir du moment où le gaz naturel occupe une place incontournable dans le bilan énergétique, il reste donc à déterminer notre réaction collective à propos de sa provenance. Pour la première fois de son histoire, le Québec fait face à la possibilité de devenir un pôle de production d'hydrocarbures[112] ! La question de savoir si nous voulons produire ou non du gaz naturel, voire du pétrole, nous ramène à la question fondamentale du type d'économie sur laquelle nous bâtirons notre avenir et des valeurs que nous souhaitons voir prédominer dans nos choix de société.

N'est-il pas urgent de diminuer nos besoins en or noir et en gaz naturel avant de prendre des décisions sans appel dans le cadre de nos politiques énergétiques ? Plus nos besoins seront réduits, plus faciles seront nos choix énergétiques, environnementaux et éthiques, peu importe la source considérée. Nous devons viser le cocktail énergétique et social le plus cohérent, et cela n'est pas si simple que certains voudraient bien nous le faire croire.

Une dernière question se pose quant au gaz naturel : permettra-t-il de faire le pont entre notre société à fortes émissions de GES et une société sobre en ce domaine ? Pendant longtemps, plusieurs experts et écologistes, dont nous faisions partie, croyaient que le gaz pourrait jouer ce rôle transitoire, dans la mesure où il

---

112. Outre la production actuelle de gaz naturel et celle du gaz de schiste actuellement sous considération, on envisage sérieusement la production de pétrole dans le golfe du Saint-Laurent.

s'agit du combustible fossile émettant le moins de GES (tout en fournissant des services énergétiques très semblables à ceux du pétrole et du charbon). Quelle ne fut pas notre surprise lorsque l'Agence internationale de l'énergie, organisme plutôt conservateur s'il en est, a annoncé que les investissements importants dans les gaz de schiste, à l'échelle planétaire, freinaient les injections de fonds dans le développement des énergies renouvelables[113]... Donc, loin de favoriser la transition, le gaz prolongerait notre dépendance aux combustibles fossiles. Toutefois, quelques mois plus tard, la même organisation a prédit que l'âge d'or du gaz tirait à sa fin et que les énergies renouvelables allaient dépasser le gaz dans la production d'énergie mondiale d'ici 2016[114] !

La politique se plie mal à la planification à long terme et aux scénarios générationnels. Les urgences économiques finissent presque toujours par avoir le dessus sur tout ce qui s'approche d'une vision, d'une audace. Néanmoins, comme nous l'avons vu précédemment, certains pays, même dotés de gouvernements de coalition, ont gardé le cap et s'en félicitent aujourd'hui. La partisanerie politique s'avère mauvaise conseillère ; trop souvent, elle nous a menés tout droit à une attitude de cynisme aussi regrettable que non productive. Il faut réfléchir hors des sentiers politiques balisés, pour une fois, et miser sur le capital humain collectif : nous y gagnerons tous.

Sortir du nucléaire : une bonne affaire ?

Au Québec, la centrale de Gentilly 2 a atteint sa limite permise de service à la fin de l'année 2012. Le gouvernement nouvellement élu de Pauline Marois, lors de la campagne électorale de 2012, avait fait de la fermeture de cette centrale une de ses priorités à

---

113. http://www.euractiv.com/energy/fatih-birol-gas-definitely-optim-news-513043

114. http://www.iea.org/newsroomandevents/pressreleases/2013/june/name,39156,en.html

court terme. C'est maintenant chose faite. D'un strict point de vue de l'énergie, le Québec peut parfaitement se passer de Gentilly 2, qui ne représentait plus que 2 % de nos approvisionnements. La part de la centrale dans l'énergie de base n'avait cessé de diminuer au fur et à mesure que les nouveaux barrages, les parcs éoliens et les mesures d'efficacité énergétique gagnaient en importance. Et comme la centrale est au milieu d'un parc industriel, on doit profiter de sa fermeture pour rediriger les emplois perdus vers des secteurs d'avenir qui pourraient parfaitement trouver place dans cette zone. Cela dit, il reste à poursuivre la transition pour accentuer le virage technologique de la région. Des projets novateurs, le développement des énergies renouvelables et, ne l'oublions pas, les travaux importants que cette fermeture entraîne sont tous à l'ordre du jour. Il y a là une occasion de développer une expertise unique concernant l'après-fermeture d'une centrale nucléaire, dont le savoir sera par la suite exportable. Mais il y a surtout une occasion unique de rediriger une région entière vers une transition économique durable. Disons que le nucléaire n'a jamais eu bonne presse et que le sort a donné un sérieux coup de pouce pour faciliter la décision de fermer Gentilly 2 : Fukushima et son cortège de tristes conséquences n'ont laissé personne indifférent…

Le 2 août 2011, cinq mois après le Tsunami qui a fait au moins 20 000 victimes au Japon, de nouvelles fuites radioactives étaient rapportées sur le site des centrales de Fukushima Dai-ichi, de Tokyo Electric Power (TEP). Ces fuites — les plus graves jamais relevées — atteignaient UN MILLION de fois la dose dite naturelle. Du coup, le gouvernement japonais annonçait une *stratégie révolutionnaire* pour sortir à terme du nucléaire et passer aux énergies renouvelables : désormais, bonne nouvelle, le Japon allait miser sur les sources d'énergie décentralisées, sur une multitude de petites centrales de sources variées pour s'alimenter en électricité. Il faut dire que le haut niveau de corruption chez TEP ne laissait pas beaucoup de choix au gouvernement.

Ainsi, le Japon, tout comme l'Allemagne, doit remplacer ses centrales nucléaires, du moins à court terme, par des centrales au charbon, au pétrole ou au gaz naturel, ce qui ne constitue pas un avantage important en ce qui a trait aux changements climatiques. Beau dilemme. Le Japon s'attendait à une hausse de plus de 15 % de ses émissions de GES pour 2012, ce qui l'éloignera d'autant de ses engagements de Kyoto, position qui sera confirmée lors du Sommet sur le climat (COP 19) de Varsovie en décembre 2013. Dans le cas de l'Allemagne, la perspective de dépendre du gaz naturel russe en inquiète plus d'un et les options à court terme ne sont pas légion. La situation de la Pologne, par contre, est plus fragile vu la pression du géant russe si proche et la menace sur son autonomie politique et énergétique que cela représente.

D'autres pays, la France et les États-Unis en particulier, ont également, par le passé, fait le choix du nucléaire. Pour ces deux pays, il s'agissait de réduire la dépendance au pétrole arabe. Les politiciens français d'alors disaient : « On n'a pas de pétrole, mais on a des idées ! » Il en résulte qu'aujourd'hui, dans l'Hexagone, c'est 85 % de l'approvisionnement en électricité qui dépend du nucléaire. Les deux pays présentent des contextes politiques qui peuvent justifier leurs choix jusqu'à un certain point. Mais, en tout état de cause, il serait intéressant de mesurer le véritable coût économique et environnemental du nucléaire.

STEVEN RACONTE...

Claude Béchard

« J'ai côtoyé plusieurs ministres au cours des dernières années et le regretté Claude Béchard est certainement l'un de ceux avec qui j'ai eu le plus de plaisir à travailler. Je l'ai connu en 2006, lorsque Jean Charest l'a nommé ministre de l'Environnement, avec comme mandat précis l'élaboration d'un plan d'action sur les changements climatiques. En l'espace de six mois, Claude s'est acquitté de cette tâche en créant ce qui allait devenir l'un des meilleurs plans de lutte aux changements climatiques en Amérique du Nord. Ce plan et sa mise en œuvre ont été salués par un grand nombre de groupes écologistes allant d'Équiterre à la Fondation David Suzuki, et même par l'ancien gouverneur de la Californie, Arnold Schwarzenegger.

C'est dans le cadre de ce plan que Québec s'était fixé l'objectif de ramener ses émissions de GES à 6 % sous les niveaux de 1990 pour 2012. Aucune autre province canadienne ou État américain n'avait adopté un objectif aussi ambitieux.

C'est aussi Claude qui a instauré la première taxe sur le carbone en Amérique du Nord visant spécifiquement à réduire les émissions de GES.

Il a quitté le ministère de l'Environnement pour devenir ministre des Ressources naturelles, et notre collaboration s'est poursuivie. Il m'a alors nommé au sein du Conseil d'administration de l'Agence de l'efficacité énergétique, puis a demandé à François de siéger à titre de président du conseil, proposition qu'il a acceptée.

Lors de l'une de nos nombreuses discussions, j'ai souligné à Claude que le Québec était en train de perdre du terrain au profit de nos voisins du sud en matière de développement des énergies renouvelables émergentes (il ne s'agit pas ici d'hydroélectricité ni d'éolien, mais du solaire, de géothermie, des biogaz, etc.). Je lui ai alors suggéré de mettre sur pied un comité ou un groupe de travail qui pourrait d'abord évaluer ce qui se fait autour de nous et ensuite proposer des mesures que le Québec pourrait adopter pour rattraper son retard. Claude m'a répondu : « Je comprends que tu vas faire partie de ce comité ! »

Le mandat du comité n'était pas de remettre en question tout ce qui avait été fait au Québec depuis 30, voire 40 ans, mais surtout de voir comment nous pourrions orienter notre développement énergétique futur. Quel est le lien entre énergie et création d'emplois, ou encore entre énergies renouvelables et développement de notre tissu industriel ?

Mais avant de pouvoir mettre sur pied ce comité, Claude s'est vu confier le ministère de l'Agriculture, alors que c'est à Nathalie Normandeau que le premier ministre Charest a confié le ministère des Ressources naturelles. Quelques semaines à peine après sa nomination, Mme Normandeau est entrée en contact avec moi pour me demander de présider ce nouveau groupe de travail, ce que j'ai accepté. Il serait composé de représentants des milieux de la finance, du milieu académique, du monde associatif, du secteur coopératif, du Réseau des ingénieurs, d'Hydro-Québec, etc. Nous avons travaillé pendant plus d'une année et demie à l'élaboration du rapport. Nous avons étudié non seulement les sources d'énergies renouvelables qui pourraient être mises de l'avant, mais aussi les aspects liés au développement économique, à la création d'emplois, aux conséquences environnementales des diverses filières, etc.

Le Comité devait notamment formuler des commentaires et des recommandations sur l'occasion pour le Québec de développer de nouvelles formes d'énergie renouvelable, cibler leurs forces et faiblesses, tout en soulignant les principaux aspects à considérer lors de la prise de décision. Il fallait tenir compte des aspects techniques, environnementaux, sociaux, économiques et réglementaires. Le rapport a été déposé en novembre 2010.

Lors du lancement de ces travaux, la ministre Normandeau avait pris l'engagement de rendre public le rapport du comité... Hélas, elle ne l'a jamais fait, pas plus que son successeur. Pourquoi ? Je ne saurais répondre à cette question. Ayant été président d'un comité qui devait préparer un rapport et le remettre au gouvernement, ce qui fut fait, je suis tenu à une certaine réserve quant aux discussions qui ont entouré sa préparation, mais aussi à celles qui ont suivi son dépôt. Rien ne m'empêche cependant de partager ce qui est de notoriété publique, comme cet article de l'ancien journaliste du *Devoir*, Louis-Gilles Francœur, aujourd'hui vice-président du Bureau d'audiences publiques sur l'environnement (BAPE), qui fait état à la fois de certains résultats des travaux du comité ainsi que des tractations entourant la non-publication de son rapport[115].

Voici les deux premiers paragraphes de l'article :

> « Le Québec doit mettre en place un "programme de tarifs de rachat garantis" s'il veut que les énergies émergentes se taillent une place viable sur le marché énergétique québécois.
>
> Telle est la recommandation centrale du rapport de l'Équipe spéciale sur les nouvelles énergies renouvelables, dont Québec avait confié la présidence à l'écologiste Steven Guilbeault, du groupe Équiterre, à l'été 2009.
>
> Le rapport, dont *Le Devoir* a obtenu copie, a été remis à l'ex-ministre des Ressources naturelles et de la Faune (MRNF), Nathalie Normandeau, à la fin de 2010. Mais le MRNF a refusé de le rendre public depuis, alléguant que ses fonctionnaires étaient toujours occupés à l'étudier, ce qui serait plutôt le cas d'Hydro-Québec, où on se demande comment se soustraire à la recommandation centrale, selon notre source. En août 2011, 18 auteurs et écologistes ont réclamé sa divulgation, mais en vain, auprès de l'ancienne titulaire du ministère. »

N'empêche, la publication de ce rapport, même tardivement, permettrait d'apporter un éclairage plus complet sur notre paysage énergétique. À l'heure actuelle, sa sortie ne comporterait aucune

115. http://www.ledevoir.com/environnement/actualites-sur-l-environnement/339455/energies-vertes-hydro-doit-offrir-des-prix-garantis

conséquence politique notable et ne pourrait, selon moi, que contribuer positivement au débat sur l'énergie.»

Le gouvernement du Québec annonçait à l'automne 2013 la mise en place du programme ÉcoRénov, programme qui soutiendra la rénovation verte avec, outre des crédits d'impôt à la rénovation verte, enfin un premier appui monétaire à l'installation de chauffe-eau solaires. Une petite prévision de notre part : ce programme d'aide à l'installation de chauffe-eau solaires ne décollera probablement pas de façon notable. Il faut un véhicule fort pour démystifier le solaire au Québec. Alors, pourquoi ne pas utiliser la portée et la crédibilité d'Hydro-Québec pour faire la promotion de ce programme, et même le prendre en charge ? C'est avec de tels gestes que nous accentuerons réellement le virage de l'efficacité énergétique à une grande échelle et de façon durable. Il faut dépasser les appareils et les aspects techniques : nous avons un besoin criant de fournisseurs et d'expertise !

Pourquoi Hydro-Québec ne ferait pas pour le solaire ce qu'elle a fait pour les chauffe-eau à une certaine époque, soit créer un nouveau secteur d'activité ? On sait qu'Hydro-Québec a transféré le gros de ce programme à HydroSolutions, mais il est toujours possible d'acheter son chauffe-eau de la société d'État. Par ailleurs, l'électricité consommée pour chauffer l'eau, peu importe le fournisseur du réservoir, provient toujours d'Hydro-Québec ; c'est un système binaire, en quelque sorte.

Diversifier les sources : un incontournable

Une place au soleil

Miser sur le soleil de la façon la plus élémentaire n'entraîne pas de coûts supplémentaires et permet de réduire les besoins en chauffage, en éclairage et en climatisation. Dans un premier temps, une simple planification urbaine pour optimiser l'orientation des rues, combinée à une série de petits ajustements au code du bâtiment facilitant la solarisation des maisons permettrait de réduire la demande en énergie pendant toute l'année. Encore une fois, toute cette électricité non requise pourra servir à satisfaire des besoins plus… rentables ! Des exportations accrues et l'électrification des transports, par exemple.

Dans un deuxième temps, il faut mettre en place les outils qui nous permettront d'aller plus loin dans l'inclusion du solaire dans notre planification énergétique. L'industrie du solaire en est encore à ses balbutiements chez nous et c'est déplorable. Il faut miser sur ce potentiel encore en dormance. On a avancé que le solaire était cher, mais encore faut-il savoir de quoi on parle. Si on compare ce qu'il en coûte pour produire notre eau chaude au prix actuel de l'électricité avec le coût de l'eau chaude produite à partir d'un système solaire actuel, le rendement n'y est pas, c'est vrai. En revanche, s'il s'agit de chauffer l'eau ou l'air pour des ensembles multilogements, c'est une autre histoire. C'est un peu le même discours économique que pour la géothermie. Une installation géothermique pour une seule maison unifamiliale n'est tout simplement pas rentable, parce que très onéreuse et impossible à rentabiliser en moins de 15 ou 20 ans. Qui a les moyens d'attendre tant de temps pour recouvrer son investissement, peu importe la source ? Pour des habitations collectives, cependant, comme dans le cas du projet Coteau Vert (voir p. 145), on peut songer à installer dès le départ une source plus onéreuse initialement que l'électricité — de la géothermie ou du solaire — peut-être alliée avec de la biomasse de source régionale, et l'exercice devient alors intéressant sur le long terme. Donc, il ne faut pas s'avancer trop loin, sans nuances, sur le terrain de la comparaison entre les différentes sources d'énergie.

Selon les chiffres du Worldwatch Institute[116], la place du solaire dans le bilan énergétique planétaire explose. À la fin de 2011, plus de 40 000 MW de solaire photovoltaïque[117] étaient installés, de quoi alimenter 13 millions de maisons ! Au cours de la seule année 2010, plus de 16 700 MW ont été mis en fonction, ce qui représente plus que la production de tout le complexe hydroélectrique La Grande au Québec.

Des pays comme la République tchèque, pas exactement une puissance économique ou un havre ensoleillé où l'on rêve d'aller en hiver, ont fait le saut vers le solaire électrique. La France, l'Espagne et l'Italie sont, avec l'Allemagne et l'Autriche, les chefs de file du domaine. La Chine, quant à elle, est devenue le premier producteur de panneaux solaires au monde, point à la ligne. On n'en doute pas, les prix élevés de l'électricité dans ces pays et la pollution importante due au charbon en Chine jouent un rôle déterminant dans ces orientations. Mais les résultats sont là ! L'électricité du soleil a sa place, même si la signature environnementale de la fabrication des panneaux semble un peu trop élevée pour certains.

Par ailleurs, le prix du watt à la fabrication des photopiles solaires atteint un niveau hyper compétitif dans bien des régions du globe. Au tournant du millénaire, le coût moyen de production se situait de 7 à 10 $ le watt, selon la technologie utilisée. Dix ans plus tard, l'Asie produit des cellules photovoltaïques de silicone cristalline pour 1,75 $ le watt, et on a observé une baisse de coût de production de 27 % en une seule année ! Sur de très grandes surfaces, on affirme que le prix du watt installé passera sous la barre des 0,50 $ à court terme.

---

116. « Worldwatch Institute : Another record year for solar power », *Vital signs Online*, 26 juillet 2011.

117. Les panneaux photovoltaïques produisent de l'électricité à basse tension (en général, 12 V) et, en nombre suffisant, ils fournissent de l'électricité qu'on peut utiliser sur-le-champ, stocker ou transformer en courant alternatif.

Il va de soi que le solaire électrique n'a pas l'avenir le plus prometteur au pays des grands barrages, mais cette option ne peut être laissée de côté partout. Tout le monde n'a pas la chance de disposer de notre potentiel hydroélectrique ou éolien ! L'électricité solaire, c'est déjà rentable dans certains marchés, y compris aux États-Unis et en Allemagne. Parfois c'est la mise en place des réseaux de distribution d'électricité qui s'avère trop coûteuse, mais le solaire fait désormais partie du paysage énergétique planétaire.

LA DIMINUTION DES COÛTS DE PRODUCTION DES PANNEAUX SOLAIRES EN ALLEMAGNE AU COURS DES DERNIÈRES ANNÉES

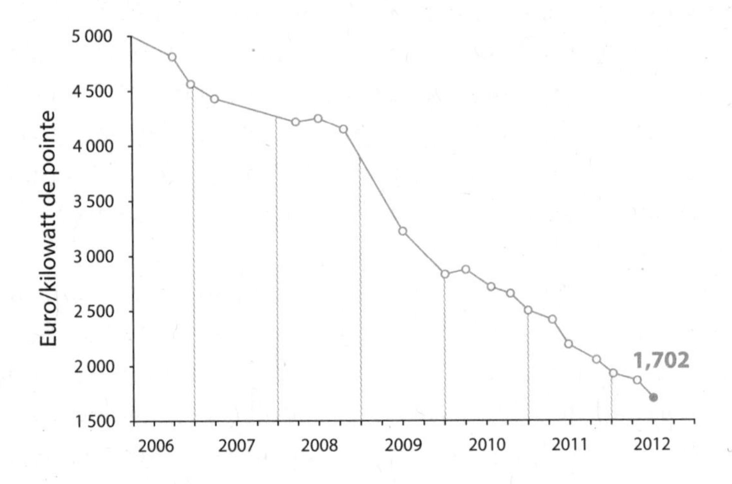

De 2006 à 2012, on est passé de 5 000 à 1 700 euros le kilowatt de pointe, une baisse de 66 % du prix de base !
Source : http://www.ddmagazine.com/2552-Lelectricite-photovoltaique-bientot-moins-chere-que-celle-du-reseau.html

L'Ontario et sa *Loi sur l'énergie verte*

Le cas de l'Ontario est assez particulier. Au cours de son histoire, trois sources d'énergie ont été utilisées : le nucléaire, le charbon et l'hydroélectricité. Historiquement, le charbon a dominé ce cocktail ontarien. La plus importante centrale au charbon en Amérique, soit Nanticoke, sur les berges du lac Érié, pouvait produire jusqu'à 3 000 MW d'électricité. Or le gouvernement a décidé d'éliminer le charbon du bilan énergétique en misant sur une diversification de la production. Le nucléaire a été vendu au privé et on a entamé le virage vers les énergies renouvelables : éolien, solaire électrique et biomasse issue de résidus forestiers.

Adoptée en Ontario en 2009, la *Loi sur l'énergie verte*[118] a été considérée comme l'une des plus progressistes en Amérique du Nord au cours des dernières années. Voici, en gros, les objectifs énergétiques qu'elle vise pour les quelques années à venir :

- éliminer l'utilisation du charbon dans la production d'électricité d'ici 2014 ;
- réduire la part du gaz naturel ;
- augmenter de façon notable l'efficacité énergétique ;
- augmenter la part des énergies renouvelables tels le solaire et l'éolien dans le bilan énergétique ontarien.

Cette loi va permettre à la province d'éliminer l'utilisation du charbon d'ici 2014, ce que plusieurs estiment être la mesure la plus significative en Amérique du Nord pour lutter contre les changements climatiques. Cette mesure équivaut à retirer de la route sept millions de voitures (le parc automobile québécois en comptant environ quatre millions)[119] !

La *Loi sur l'énergie verte* a aussi encadré la mise en place du Programme de tarif de rachat garanti par la compagnie d'électricité Hydro One d'énergies renouvelables tels le solaire, l'éolien, la biomasse ou encore les biogaz. Ce programme prévoit deux catégories d'utilisateurs : les petits et les moyens. Dans le cas des premiers, la consommation d'électricité ne doit pas dépasser

---

118. http://www.energy.gov.on.ca/fr/green-energy-act/

119. http://www.energy.gov.on.ca/en/clean-energy-in-ontario/#.Upv4gBaWxYw

10 kW (une maison moyenne en consomme environ quatre, avec des pointes plus élevées en hiver) et s'adresse surtout aux particuliers. La deuxième catégorie est destinée aux installations de plus de 10 kW et tous les types de producteurs y sont admis : les promoteurs privés, les municipalités, les groupes communautaires ainsi que les particuliers.

Vous aurez comme nous constaté l'augmentation anticipée de la part du nucléaire dans le bilan électrique de l'Ontario. Dans ce cas, il ne s'agit pas d'une augmentation absolue de la production d'électricité à l'aide du nucléaire, mais bien d'une augmentation relative compte tenu de la disparition du charbon dans le bilan énergétique de nos voisins de l'ouest.

On a également fait grand cas des prix élevés des nouveaux types d'énergie et, par conséquent, des subventions accordées aux petits producteurs par le gouvernement ontarien, via Hydro One. Il faut comprendre que les prix d'achat avantageux varient en fonction de la taille de l'installation : plus elle est importante, moins le prix sera attrayant compte tenu des économies d'échelle. Par exemple, les prix payés pour l'éolien communautaire sont moins élevés que pour l'installation d'un système solaire résidentiel. Le prix payé varie également en fonction du type d'énergie : plus la forme d'énergie est émergente, plus l'incitatif sera important. Donc, le solaire reçoit plus que l'éolien ou le biogaz, puisque ces formes d'énergie sont plus « matures » ; les technologies pour les utiliser sont davantage au point et mieux intégrées dans les réseaux.

Dans cette optique, l'objectif de l'Ontario est bien sûr la production énergétique « propre », mais aussi le développement de projets communautaires, la mise en place d'un système de production d'électricité décentralisé, tout comme l'investissement dans des secteurs énergétiques très prometteurs.

L'Institut Pembina a d'ailleurs effectué une étude qui compare les incitatifs financiers accordés aux énergies renouvelables, tant

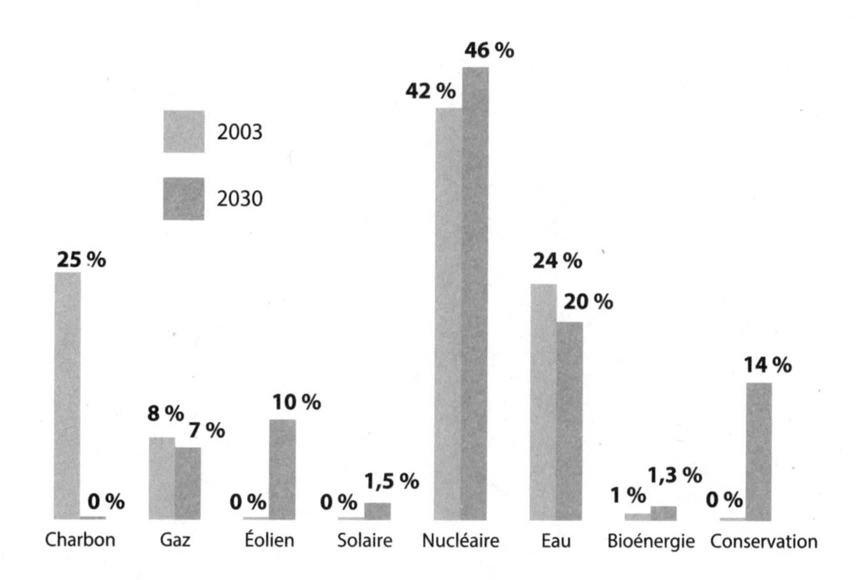

Source : ministère de l'Énergie de l'Ontario, http://www.energy.gov.on.ca/fr/clean-energy-in-ontario/ (graphique de Steven Guilbeault)

décriés par le *National Post* ou les conservateurs de l'Ontario, aux avantages octroyés au nucléaire ou encore aux combustibles fossiles[120]. Les chiffres parlent d'eux-mêmes. Le solaire et le biogaz créent de cinq à huit emplois de plus pour chaque gigawattheure d'énergie livrée si on les compare avec le nucléaire, le charbon et le gaz naturel. Selon ClearSky Advisors, le secteur solaire à lui seul a entraîné la création de plus de 8 000 emplois en 2011 à la suite d'investissements de plus de deux milliards de dollars. On estime à 70 000 le nombre d'emplois qui seront créés en Ontario seulement dans le secteur des énergies renouvelables d'ici 2018. Bref, subvention pour subvention, appuyer directement la production de ces énergies par les particuliers pour aider à combler la demande d'électricité rapporte plus sur le plan

120. http://www.pembina.org/blog/578

économique que de verser des sous à une industrie moribonde à l'avenir douteux.

Les biocarburants de première génération

L'éthanol

Probablement l'une des solutions de remplacement du pétrole qui a fait couler le plus d'encre au cours des dernières années, l'éthanol peut être fabriqué de différentes façons. Produit à partir de matière première comme le maïs, la canne à sucre ou la betterave, il se nomme généralement « éthanol de première génération » et on le fabrique à partir du contenu de sucre de la biomasse utilisée. Il existe aussi sous d'autres formes comme nous le verrons plus loin dans cette section.

Les Américains, qui en produisent annuellement 34 milliards de litres, et les Brésiliens, 27 milliards de litres, sont les chefs de file de cette industrie. En 2008, les Brésiliens ont acheté plus d'éthanol que d'essence pour leurs véhicules, dont certains roulent même à 100 % avec de l'éthanol. Dans le cas de ce pays tropical, l'éthanol provient du traitement de la canne à sucre, alors qu'aux États-Unis, on mise surtout sur le maïs grain.

Les Américains, qui ont transformé 25 % de leurs terres agricoles pour produire de l'éthanol-maïs, ont eu un effet considérable sur les marchés mondiaux de grains. Tout cela pour réduire leur dépendance au pétrole importé de moins de 5 %. Une simple réduction de la vitesse moyenne du parc automobile par une diminution réglementée de la consommation d'essence aux 100 kilomètres aurait des répercussions positives plus durables sur les importations américaines et ne nuirait pas autant au bilan économique de certains pays africains ou des Philippines, comme le fait ce marché de l'éthanol-maïs. En effet, le parc automobile des États-Unis, c'est bien connu, est beaucoup moins efficace sur le plan énergétique que celui de l'Europe ; baisser la consommation moyenne par véhicule pourrait réduire d'au moins 20 % la demande pour ce secteur, tout en réduisant les émissions de GES.

Par ailleurs, la production d'éthanol aux États-Unis est fortement subventionnée : presque huit milliards de dollars d'avantages fiscaux pour la seule année 2009, et des chiffres similaires pour les années suivantes. Comme si cela ne suffisait pas, l'éthanol importé est lourdement taxé pour protéger... les agriculteurs américains. Laissés sans ce type de protection, les producteurs canadiens subissent la pression exercée par les prix brésiliens et américains. Comme pour toutes les sources d'énergie, le terrain économique est biaisé par des interventions politiques, réglementaires ou protectionnistes.

Ajoutons que le rendement énergétique net du maïs grain n'est pas évident, comparé au rendement énergétique supérieur de la canne à sucre. Pour chaque unité d'énergie investie dans la production, le transport et la transformation de la canne à sucre, on tirera jusqu'à dix unités d'énergie. Dans le cas du maïs grain, on échange une unité pour une autre, ou à peine mieux ! Et quand on tient compte en plus des terres agricoles perdues à cause de la monoculture du maïs... Le Brésil a l'avantage de ne pas utiliser une céréale pour alimenter les moteurs des millions de véhicules qui encombrent les rues de ses grandes villes[121].

En Europe, on mise davantage sur la betterave à sucre comme source de production d'éthanol, mais cette filière demeure mineure pour le moment.

Au Canada, ce sont les pétrolières qui investissent dans l'éthanol. Faut-il s'en surprendre ? Pas vraiment, puisqu'il y a une obligation d'inclure de l'éthanol dans l'essence, le diesel et le mazout. Encore une fois, il faut se demander à quoi et à qui sert cette réglementation.

---

121. Pour les 21 millions d'habitants de São Paulo uniquement, on dénombre quatre millions de voitures et plus de 1 000 lignes d'autobus !

Au Québec, la production d'éthanol est assez limitée, soit 120 millions de litres par an. Ne perdons pas de vue que la consommation quotidienne du Québec en pétrole se situe à environ 300 000 barils par jour. La production québécoise annuelle d'éthanol correspond à six jours de consommation au mieux. Produire du combustible avec des céréales aide peut-être certains producteurs agricoles, mais ce n'est pas un investissement soutenable en ce qui a trait à l'énergie, surtout lorsqu'on dispose de plusieurs options de moteurs moins énergivores, qu'ils soient hybrides ou tout électriques, ayant pour effet de diminuer nos besoins. Il faut miser sur une autre utilisation de ces terres agricoles.

Heureusement, c'est vers l'éthanol cellulosique que l'attention se tourne depuis quelques années. Les résidus forestiers, les espèces ligneuses sans grande valeur commerciale trouvent de plus en plus leur place dans l'assiette énergétique. Cependant, encore une fois, la prudence est de mise; utiliser des résidus comme ceux de l'industrie forestière ou ceux des scieries et les résidus agricoles afin de les transformer en source d'énergie est une excellente chose… mais il faut se tenir loin des projets qui visent à couper des arbres ou cultiver des terres dans le seul but de produire de l'énergie.

Les humains ont besoin de plus de terres agricoles pour les nourrir, de plus de forêts pour conserver le carbone et éventuellement remplacer des matériaux énergivores dans leurs bâtiments, tels le béton et le plastique ! Y a-t-il un réel besoin de mettre plus de sols au service de la voiture ?

Le biogaz

Issu de la récupération du méthane produit, entre autres par les sites d'enfouissement, le biogaz peut contribuer à combler nos besoins énergétiques. Des centrales de production d'électricité, ou carrément de gaz naturel, reliées aux réseaux de distribution figurent dans le carnet d'achats locaux d'Hydro-Québec et de Gaz

Métro. On peut également, comme on le fait à Rivière-du-Loup, récupérer le biogaz pour alimenter des réseaux de chauffage de logements, pour propulser des véhicules ou encore carrément pour l'intégrer au réseau de distribution de gaz naturel. Gaz Métro est très actif dans ce dossier depuis un moment. On pourra chauffer des serres, ou bien on produira *in situ* de l'électricité. Le lisier de porc représente également un potentiel intéressant. Localement ou régionalement, le potentiel existe donc. Mais en ce qui concerne la réponse à la demande annuelle du réseau complet du distributeur de gaz naturel, nous sommes sous la barre des 2 ou 3 %.

Les biocarburants de deuxième génération

Les biocarburants de première génération sont le résultat de processus de transformation assez simples en comparaison de ceux de deuxième génération. Transformer du maïs en éthanol, du point de vue de l'industrie, c'est assez primaire. Mais trouver du carburant dans une pile de déchets urbains... c'est plus compliqué, et cela demande des technologies beaucoup plus pointues. Tirer de l'énergie de la matière ligneuse, du sucre du maïs ou de la canne à sucre, cela se fait depuis longtemps. Mais extraire l'énergie des matières résiduelles et valoriser du même coup un site d'enfouissement, ou encore extraire le méthane du fond des mines souterraines, tout cela demande un niveau d'intervention nettement plus complexe. Deux cas d'espèce pour illustrer notre propos.

STEVEN RACONTE...

Impossible à recycler ? Pas certain...

« Il y a quelques années, j'ai entendu parler d'Enerkem, une compagnie québécoise qui pouvait transformer nos déchets urbains en carburant... Sceptique, j'ai commencé à faire mes propres recherches, à parler à des gens dans le domaine et, plus j'avançais dans ma petite enquête, plus les échos et les commentaires que je recevais étaient positifs.

Puis sont venus les investissements de Cycle Capital Management (dont nous avons avons déjà traité), du gouvernement du Québec, du gouvernement fédéral, du gouvernement américain... C'est un peu comme si tout le monde, tout à coup, voulait détenir une partie de la compagnie.

Enerkem a reçu plusieurs mentions et prix internationaux, dont le GoingGreenGlobal 200 en 2011 et le prestigieux Business Achievement Award en 2012; l'entreprise est d'ailleurs classée parmi les 50 compagnies les plus innovatrices au monde par le magazine *Fast Company*.

Vincent Chornet, PDG d'Enerkem, fait partie de cette catégorie d'entrepreneurs qui veut créer des emplois et de la richesse, mais pas n'importe comment et surtout pas à n'importe quel prix! Plus nous aurons d'entrepreneurs de cette sorte, plus nous nous approcherons d'une économie à la fois plus verte et équitable. Voilà pourquoi j'ai eu envie de lui poser quelques questions. »

Pouvez-vous nous expliquer ce qu'est Enerkem et comment votre histoire a commencé?

En 2000, quand mon père, le professeur Esteban Chornet, et moi avons décidé de fonder Enerkem, notre vision était claire: nous voulions bâtir une entreprise qui offrirait un carburant renouvelable produit à partir de déchets non recyclables à un coût inférieur à l'essence. Une entreprise qui pourrait répondre aux enjeux énergétiques et environnementaux qui s'annonçaient, à la demande croissante en énergie, aux changements climatiques et aux défis que pose la gestion de nos déchets.

Au fil des ans, Enerkem est passée de deux employés à plus de 150 aujourd'hui et nous avons connu une croissance particulièrement marquée depuis 2009. Nous exploitons déjà deux usines au Québec:

l'installation pilote à Sherbrooke, là où tout a commencé, ainsi qu'une usine de démonstration à Westbury, en Estrie. Au moment où l'on se parle, nous achevons la construction de notre première usine à pleine échelle à Edmonton, où nous convertirons bientôt en éthanol les déchets non recyclables et non compostables de la Ville d'Edmonton, une première mondiale en ce qui concerne une telle collaboration entre un grand centre urbain et un producteur de biocarburants.

On entend beaucoup parler d'éthanol, parfois en bien, souvent en mal. Pouvez-vous nous expliquer en quoi votre technologie est différente des autres ?

Enerkem a développé une technologie propre innovatrice qui permet de recycler chimiquement le carbone qui se trouve dans les déchets traditionnellement voués à l'enfouissement pour en faire de l'éthanol et des produits chimiques renouvelables comme le méthanol. Notre technologie exclusive est donc complémentaire au recyclage et au compostage. Elle permet de diminuer l'enfouissement de façon importante en utilisant des déchets plutôt que des matières comme le maïs pour la production d'éthanol.

Sur le plan environnemental, la technologie d'Enerkem permet de réduire nos émissions de gaz à effet de serre dans le secteur du transport — qui demeure, faut-il le rappeler, le secteur d'activité qui émet le plus de gaz à effet de serre au Québec. Pour les collectivités, c'est une solution de rechange durable à l'enfouissement des matières résiduelles. Pour le Québec, c'est une occasion de réduire nos importations de pétrole et de prendre le virage vers l'économie verte.

Prenons l'exemple de la ville d'Edmonton. La Ville a mis en place un impressionnant centre de gestion des matières résiduelles et réussit déjà, avec ses diverses installations de recyclage et de compostage, à détourner de l'enfouissement près de 60 % de toutes ses matières résiduelles résidentielles. En valorisant les déchets non recyclables et non compostables, l'usine de production de biocarburants à partir de déchets qu'Enerkem y construit permettra d'augmenter le taux de valorisation à 90 %. C'est donc dire, concrètement, que seulement 10 % des ordures ménagères d'Edmonton se retrouveront à l'enfouissement lorsque notre usine sera en exploitation.

Quels sont vos plans pour la suite des choses ?

Enerkem est née de l'innovation. Nous sommes une société en croissance qui est profondément engagée envers l'innovation et qui ne vise rien de moins que d'offrir aux consommateurs d'ici et d'ailleurs et aux générations d'aujourd'hui et de demain, un biocarburant fait à partir de déchets, à une fraction du coût de l'essence à base de pétrole. La principale activité d'Enerkem est la production commerciale d'éthanol à partir de matières résiduelles et nous travaillons au développement d'autres usines de production de biocarburants à partir de déchets en Amérique du Nord et ailleurs dans le monde. L'une de ces usines est celle que nous construisons à Varennes avec notre partenaire Éthanol GreenField, où nous convertirons en éthanol de deuxième génération des matières résiduelles non recyclables provenant des secteurs industriel, commercial et institutionnel de même que des débris de démolition et de construction. Avec notre plan de croissance, nous comptons aussi contribuer à la revitalisation de notre secteur manufacturier, car chaque usine qu'Enerkem compte construire peut faire travailler des fournisseurs d'équipements industriels québécois. C'est d'ailleurs ce que nous faisons actuellement dans le cadre de notre projet à Edmonton, pour lequel les retombées québécoises représentent aujourd'hui plus de 25 millions de dollars.

Au cours des prochaines années, nous avons aussi l'intention de tirer parti de la souplesse de notre technologie pour élargir graduellement notre gamme de biocarburants et de produits chimiques renouvelables. L'innovation est dans notre ADN.

FRANÇOIS RACONTE...

Biothermica : le méthane comme source d'air propre et d'énergie

« J'ai eu l'occasion de rencontrer Guy Drouin lors d'une conférence donnée à la Maison du développement durable. J'ai été littéralement aspiré par sa passion, son engagement et surtout sa vision. Son entreprise familiale à capital fermé, Biothermica, génère des revenus dont 40 % proviennent de la vente de crédits carbone[122]. Voilà un exemple concret d'une entreprise qui commence humblement au sous-sol du domicile et qui finit par prendre une envergure qui la porte au-delà des frontières.

Guy Drouin a fondé Biothermica en 1987 et on ne cesse d'y innover depuis. Sa force, c'est de créer de l'énergie et de l'air propres à partir de la récupération de méthane, un gaz à effet de serre dont l'effet négatif sur le climat est 21 fois plus important que celui du carbone.

Le site d'enfouissement de l'ancienne carrière Miron, en plein Montréal, contient plus de 38 millions de tonnes de déchets et constitue la deuxième plus importante réserve de gaz dans l'est du pays. Biothermica y opère la centrale de Gazmont et l'on sait que, même après plus de 20 années d'exploitation, le site contient encore assez de méthane récupérable pour alimenter Gazmont jusqu'en 2070 ! En plus de livrer de l'électricité à Hydro-Québec, l'usine alimente en chauffage La Tohu, la Cité des arts du cirque, située juste à côté. Le rêve de Guy Drouin ? Étendre le réseau de chaleur pour en faire un réseau urbain montréalais.

La technologie de Biothermica a dépassé les frontières. À Nejapa, en banlieue de San Salvador en Amérique centrale, le

122. Voir Crédits carbone 101 page 111.

site d'enfouissement qui contient plus de 10 millions de tonnes de déchets accumulés pendant 15 ans alimente en méthane une torchère depuis 2006 et, depuis 2012, une centrale qui produit de l'électricité. Guy Drouin estime qu'il est plus que temps que l'air propre ait son prix !

Autre source de méthane : les mines de charbon souterraines. Responsable mondialement de plus de 300 000 000 tonnes d'émissions de carbone chaque année, ce secteur est également responsable de la mort de 2 000 à 3 000 mineurs chinois chaque année. Biothermica a mis au point et exploite en Alabama un système de destruction du méthane par oxydation qui assure une meilleure sécurité dans les mines en plus d'éliminer les émanations de méthane à l'air libre. À la seule mine de Walter Energy près de Tuscaloosa en Alabama, on a évité des émissions de plus de 80 000 tonnes depuis 2009.

Pour ses innovations, l'entreprise détient 12 brevets et, en raison de son dynamisme, Biothermica a reçu 22 prix prestigieux, dont le Phénix de l'environnement 2010 au Québec et l'International Clean Technology Award en 2012.

Démarrée avec un capital initial de 5 000 $, avec comme bureau un sous-sol, cette entreprise donne tout son sens au mariage entre environnement et économie. »

Les émergents

L'hydrolienne : apporter de l'eau au moulin…

RER Hydro, c'est une entreprise québécoise qui a développé au cours des dernières années une technologie produisant de l'énergie grâce à l'eau, une source renouvelable ; cette technologie est appelée « hydrolienne ». Il s'agit d'une turbine qui fonctionne sous l'eau, grâce au courant des fleuves et rivières. Cette technologie se rapproche de celle des centrales hydroélectriques dites au fil de l'eau, comme celle de Beauharnois près de Montréal. Elle est cependant modulaire et plus flexible, puisque son installation au fond des cours d'eau demande très peu de travaux.

L'hydrolienne présente plusieurs avantages. À la fois invisible et silencieuse, elle peut produire en continuité de l'électricité tant que coule la rivière ou le fleuve où elle est immergée. Il n'y a évidemment pas d'émissions de GES en production, très peu au cours de la fabrication, et la fiabilité des hydroliennes est mesurable. Celle qui est installée dans le port de Montréal, à deux pas du quai de l'horloge, tourne sans arrêt et sans accrocs depuis août 2010.

RER Hydro, appuyé par le gouvernement du Québec, s'est associé à la firme américaine Boeing à l'automne 2013, mariage qui permettra à sa technologie d'être vendue un peu partout dans le monde. L'une des usines de l'entreprise se trouve en plein cœur du parc industriel de Bécancour, à deux pas de la centrale nucléaire Gentilly 2 que le gouvernement du Québec a fermée à la fin de l'année 2012. Les emplois attendus — plus de 600 si tout va

L'installation de l'hydrolienne dans le port de Montréal en août 2010
© RER Hydro

bien —, seront de haut niveau et pourront remplacer une bonne partie de ceux qui ont été perdus à Gentilly 2. Il s'agit donc d'un cas remarquable de transition d'emplois dans le secteur énergétique et d'un marché d'avenir en émergence. Boeing apportera un soutien technologique en échange des droits exclusifs de mise en marché et de vente pour la planète. L'important réseau technique et commercial de l'entreprise américaine assurera ainsi une visibilité inespérée à cette entreprise québécoise, alors que le marché visé est surtout l'international.

L'hydrogène

À l'état naturel, l'hydrogène constitue 75 % de la masse de l'univers ! Peu abondant sur Terre, sa production industrielle requiert d'importantes quantités d'énergie. Le plein développement de cette filière implique des contraintes techniques majeures et exigera des investissements se chiffrant dans les dizaines de milliards de dollars.

L'hydrogène n'est pas une source d'énergie en soi, mais un combustible. Il est issu de procédés qui permettent de l'extraire du gaz naturel ou de l'eau. La presque totalité de l'hydrogène produit mondialement provient de son extraction du gaz naturel.

Outre l'extraction du gaz naturel, on utilise aussi l'électrolyse pour séparer l'hydrogène de l'oxygène dans l'eau. Des régions comme le Québec ou l'Islande, où la production d'électricité se fait à partir d'hydroélectricité à faibles coûts, profitent donc d'un avantage économique indéniable pour l'extraction de l'hydrogène. Mais pour le moment, cette filière ne semble pas susciter un préjugé favorable chez les investisseurs, sauf au Japon, où l'on investit des milliards depuis le début des années 1990 dans la technologie qui permet l'extraction de l'hydrogène à partir du gaz naturel. Bien que plus efficace et moins polluante au final, cette technologie reste un luxe pour un pays comme le nôtre où l'électricité n'est pas chère.

Pour l'automobile d'abord

À peu près tous les grands constructeurs d'automobiles visent à mettre sur le marché des voitures hybrides à l'hydrogène pour 2015. Toyota et Honda, japonais, Hyundai, coréen, ainsi que Daimler AG, Ford et GM se rapprochent graduellement de l'étape de la production de masse.

Daimler, Renault et Nissan ont d'ailleurs signé un protocole de collaboration pour les principales composantes du moteur hybride à hydrogène pour automobile, avec comme cible la production de masse de piles à combustible en 2017. Il se peut fort bien que le parc automobile ait bien changé en 2020, et l'hydrogène pourrait y jouer un rôle grandissant, du moins on l'espère. Mais à plus de 50 000 $ l'unité, sans réseau de recharge en vue, les voitures à hydrogène ne seront pas sur le marché avant quelques années encore.

La biomasse forestière

La biomasse forestière reste à ce jour un domaine presque totalement ignoré par les gouvernements américain, canadien et québécois lorsqu'il s'agit de politique énergétique. Pourtant, le potentiel de remplacement des combustibles fossiles par les résidus forestiers est considérable. Les applications d'avenir sont multiples et nous avons déjà de beaux exemples de réussite en région au Québec. Paradoxalement, cette filière énergétique n'est pas encore… sortie du bois !

Qu'est-ce que la biomasse ? Essentiellement, c'est la transformation des résidus de l'industrie forestière en source d'énergie. Gérée de façon responsable, la biomasse, autrefois considérée comme un déchet, offre des possibilités intéressantes de remplacement du mazout, un sous-produit du pétrole encore trop utilisé aujourd'hui pour le chauffage au Québec.

Nous devons dès maintenant nous retrousser les manches pour entreprendre le virage biomasse. La biomasse, c'est en quelque sorte l'or vert des Québécois.

Bien gérées, les forêts offrent, en plus du bois de charpente, des bois fins et des produits de deuxième ou troisième transformation et de plus en plus de produits et sous-produits de biomasse. Par ailleurs, plus des deux tiers des forêts exploitées au Québec sont certifiés FSC[123], et la tendance à la hausse de cette proportion se maintient. Cette certification implique une exploitation en continu sans perte de couvert forestier. Cette augmentation graduelle de la surface de forêts certifiées est en grande partie due aux campagnes des groupes environnementaux comme Greenpeace, WWF et Friends of The Earth, qui ont maintenu la pression sur les acheteurs des produits forestiers. Il s'agit de l'une des importantes victoires du milieu environnemental. Cela dit, il ne faut pas minimiser l'attitude des entreprises forestières, qui a beaucoup évolué depuis une dizaine d'années à la suite des cris d'alarme lancés par les Richard Desjardins de ce monde.

Pas un seul matériau de construction n'approche le bois au chapitre de la gestion soutenable, de la traçabilité et des répercussions environnementales du point de vue du cycle de vie. Nous tenons là un trésor durable. Une partie de l'arbre peut servir à faire des produits durables, des matériaux de construction, des meubles… et une autre à remplacer les importations d'hydrocarbures en ce qui a trait au chauffage, le tout avec un faible bilan final d'émissions de GES, puisque le carbone emmagasiné dans les arbres sera au bout du compte retourné dans le cycle émissions-captation-émissions, résultant en un bilan carbone presque nul.

L'utilisation de la biomasse issue des résidus forestiers, commerciaux et industriels peut ainsi prendre une place de choix dans le chauffage commercial et institutionnel, et ce, dès maintenant.

---

123. FSC : Forest Stewardship Council. Fondé en 1993, le FSC est un organisme sans but lucratif dont la mission principale est d'assurer une chaîne de traçabilité des produits forestiers. Cet organisme est considéré comme la référence dans son domaine. Plus de forêts sont certifiées FSC que toute autre écoétiquette.

Certains projets ont déjà été effectués avec des résultats probants et le potentiel important de cette filière n'a été qu'effleuré à ce jour.

Pour nous aider à comprendre comment nous pourrions nous libérer de notre dépendance au pétrole, le Regroupement national des conseils régionaux de l'environnement du Québec (RNCREQ) a mis en ligne un site Internet[124]. On y présente une série d'initiatives réalisées aux quatre coins du Québec, où toutes sortes d'organisations, d'entreprises et d'institutions ont mis la main à la pâte pour réduire leur consommation de pétrole et, du même coup, la pollution qui y est associée de même que — c'est important — leur facture énergétique.

Exemple récent de transition pétrole-biomasse rentable : la Ville de Causapscal, dans la vallée de la Matapédia, a inauguré à la fin du mois d'octobre 2012 le premier réseau public de chauffage à la biomasse forestière résiduelle au Québec. Sept édifices, dont l'église, l'hôtel de ville et le centre communautaire, sont désormais chauffés avec cette technologie. Pour l'église et le presbytère, les économies immédiates seront de 20 000 $ par année, soit une diminution du tiers de la facture. La transition a pour résultat une économie de plus de 72 000 L de mazout et de plus de 42 000 L de propane par année. Ajoutez à ce bilan une réduction des émissions de GES de plus de 250 tonnes par an. Les 500 tonnes de biomasse forestière qui alimentent le nouveau système collectif de chauffage sont fournies par la Coop forestière locale. D'autres projets sont dans les cartons de l'entreprise Gestion-Conseil PMI, qui a aidé à mettre le tout en place. Tout le monde en sort gagnant… sauf le distributeur de mazout et les compagnies pétrolières ! Coût total de l'opération ? UN million de dollars, avec une aide du gouvernement. Des miettes, si on considère les retombées multiples et durables : emplois locaux, énergie locale, baisse majeure de la facture énergétique et pollution nettement moindre, avec en bonus une contribution à la

124. http://www.quebecsanspetrole.com/

réduction des émissions de GES. Comme le Québec fait partie du Western Climate Initiative, avec entre autres partenaires la Californie, des crédits de carbone importants issus de ces investissements pourront être vendus sur le marché, contribuant encore plus à la rentabilité du projet[125].

> Le Western Regional Climate Action Initiative (WCI) est une association d'États américains et de provinces canadiennes créée en février 2007. Elle a notamment pour objectif de réduire les émissions de GES au moyen d'une bourse du carbone. La WCI a été fondée par le gouverneur de la Californie, Arnold Schwarzenegger. L'initiative regroupe originalement les États américains de l'Arizona, de la Californie, du Nouveau-Mexique, de l'Oregon et de Washington, afin de répondre par une initiative régionale aux problèmes posés par les changements climatiques. Au Canada se joindront au départ le Québec, le Manitoba, la Colombie-Britannique et l'Ontario. Il est vrai qu'avec l'élection du plusieurs gouverneurs républicains, plusieurs États américains ont décidé de retarder leur entrée dans cette association. C'est également le cas de l'Ontario qui, avec l'élection de la première ministre Kathleen Wynne, semble toutefois sur le point de revenir à la table. Début un peu laborieux, mais on va dans la bonne direction.

La conversion du chauffage aux combustibles fossiles pour le chauffage à la biomasse a pris une ampleur unique dans plusieurs pays de l'OCDE. Des installations de réseaux urbains de chauffage, des commerces, des quartiers, voire des maisons unifamiliales ont ainsi pu délaisser le pétrole ou le gaz naturel pour aller vers la biomasse de bois.

Qu'il s'agisse de résidus forestiers transformés en granules, de copeaux issus de la récupération de vieilles palettes de bois ou

125. Voir Crédits carbone 101 p. 111.

de matériaux de construction, la biomasse forestière a permis à un pays comme l'Autriche d'effectuer une transition énergétique hors du commun. Encadrée par des normes d'efficacité énergétique et d'écoperformance de haut niveau, la seule région de la Haute-Autriche a réduit de 36 % à 1 % la place du chauffage au mazout dans son bilan énergétique. L'innovation technologique a appuyé cette petite révolution énergétique, ce qui a permis d'influencer positivement la balance commerciale et de stimuler des investissements de plus de 200 millions d'euros par an dans la région.

Ces résultats spectaculaires ne doivent pas devenir l'arbre qui nous cache la forêt. Il faut à tout prix éviter de vider les forêts des résidus de coupes, pour maintenir la biodiversité à long terme. Normalement, les arbres qui meurent et toute la biomasse qui se dégrade au sol contribuent à maintenir l'équilibre de la vie et de la biodiversité. Chercher à récupérer ces restes, voire les troncs, comme cela se fait dans certaines zones de Scandinavie, transformerait à terme la forêt en zone de culture intensive. Il en résulterait une perte nette de forêt, une déforestation pure et simple. C'est un changement de vocation qui n'a rien à voir avec la gestion responsable du milieu forestier.

Nous abordons un virage important dans la gestion de nos forêts. La vision binaire bois de sciage — pâte à papier n'a pas d'avenir. Certes, nous continuerons de produire du bois de charpente, mais le virage vers une gamme de produits transformés doit s'accentuer. Il y a là un potentiel encore sous-utilisé. La transformation des résidus forestiers et des résidus de scieries se trouve aussi à un tournant. Irons-nous de plus en plus vers une diversification dans l'utilisation de la fibre, du lignite ? Quelle place occupera le Québec sur les marchés mondiaux avec l'ensemble de la filière bois et ses sous-produits ? Impossible de le savoir pour le moment. Chose certaine, nous arrivons à un carrefour et les marchés sont en pleine évolution avec des joueurs sérieux comme le Brésil et la Chine. Une sérieuse veille s'impose.

Un virage aux retombées multiples

On vient de le voir, efficacité énergétique, éolien, solaire, biomasse, biogaz et autres solutions de remplacement sont autant d'exemples qui nous montrent que le virage énergétique s'est véritablement amorcé à bien des endroits dans le monde. Oui, nous pouvons réduire notre dépendance aux hydrocarbures, notamment au pétrole.

Le Québec dispose d'atouts importants, mais nos lacunes, nos vieux réflexes et une certaine crainte — pour ne pas dire une crainte certaine — du changement nous empêchent de vraiment prendre notre envol. Plus vite nous comprendrons ce que ce virage représente en ce qui touche la création d'emplois, les investissements, les retombées économiques et la réduction de notre empreinte carbone, mieux notre petite planète s'en portera.

VII
Les forêts et le bois

Dans notre lutte aux émissions de GES, nous pouvons compter sur un allié de taille : les forêts, ces formidables pompes à carbone, puisque leur nourriture principale est justement le CO_2. On comprend donc que tout mettre en œuvre pour contrer la déforestation constitue un secteur d'intervention prioritaire. Il s'agit là bien évidemment d'un énorme chantier : ironiquement, les taux d'émission de GES produits par la déforestation et la dégradation des forêts sont faramineux et les stratégies de reboisement dans les pays les plus atteints sont lentes à se mettre en place. Si l'on inclut le phénomène de dégradation des forêts dans les inventaires d'émissions de GES, le Brésil monte dans l'échelle des pays qui émettent le plus de GES : du 8e rang, il passe au 4e. Le cas de l'Indonésie est encore plus frappant, puisqu'elle passe du 16e au 5e rang de cette même échelle[126].

La forêt boréale

La forêt boréale couvre la majorité du territoire canadien. Avec ses 574 millions d'hectares qui vont du Pacifique à la pointe est de Terre-Neuve, elle représente l'un des plus grands écosystèmes forestiers du globe. Non seulement y trouve-t-on une faune et une flore abondantes, mais elle constitue également le lieu de

---

126. Voir la banque de données CAIT : http://cait.wri.org/

vie de la très grande majorité des Premières Nations du pays. Leur présence millénaire en fait des témoins d'exception de cet ensemble qui est déjà sérieusement touché par l'évolution rapide du climat. Plusieurs communautés du nord du pays (on pense au Nunavut en particulier) ont dû s'adapter aux saisons changeantes et au dégel accéléré du pergélisol. D'ores et déjà, ces changements du climat, de même que les migrations d'espèces — vers le nord dans le cas de la forêt boréale — qui en découlent, nous forcent à jeter un regard différent sur cet immense écosystème.

Des observations scientifiques récentes confirment que la réalité du choc climatique est déjà à nos portes. Les forêts d'épinettes du Québec sont soumises à intervalles réguliers à des invasions de la tordeuse de bourgeons (*archips fumiferana*). On a constaté sur le terrain que ces cycles naturels se sont rapprochés, sans pouvoir déterminer encore ce qui provoque cette accélération et ce glissement vers le nord du phénomène. C'est au nord de Sept-Îles que les plus récentes infestations ont été observées. Du jamais vu ! Néanmoins, on ne croit pas que l'espèce pourra étendre sa zone d'occupation beaucoup plus vers le nord, même s'il y a réchauffement notable. Que se passera-t-il au cours des années à venir ? On ne sait pas trop.

Plus à l'ouest, la forêt de la Colombie-Britannique subit l'assaut du dendroctone du pin depuis plusieurs années. Il s'agit d'une invasion massive dans ce cas, car la superficie touchée est considérable. Selon le ministère des Forêts de la province, plus de 160 000 km^2 ont été atteints dans la moitié sud de la province et de sa voisine l'Alberta, soit l'équivalent du tiers de la France ! Petite bestiole vorace, le dendroctone s'incruste dans l'écorce et étouffe littéralement l'arbre. Les meilleurs traitements réussissent à sauver 40 % de certaines zones, mais pour l'essentiel, on essaie de minimiser les dommages en éliminant les arbres atteints et porteurs. Il faut toutefois savoir que le bois d'un arbre infesté peut garder toute sa valeur commerciale jusqu'à 10 ans après avoir été atteint, permettant à terme une utilisation variée allant du bois d'ingénierie (panneaux et poutres préfabriqués ou laminés de toutes sortes) à l'éthanol cellulosique, avec entre les deux un large éventail de produits de seconde et troisième transformations. Après 10 ans, cependant, le processus de décomposition de l'arbre met fin à toute possibilité de récupération.

Plusieurs études montrent effectivement un lien entre les changements climatiques et la montée vers le nord du dendroctone, car la hausse des températures et les modifications causées à la biodiversité auraient contribué à des saisons plus sèches, ce qui n'est pas l'idéal pour des forêts humides ! Là encore, la récupération des zones forestières devra-t-elle s'accommoder d'une évolution vers des espèces mieux adaptées à ces changements, voire plus résistantes au dendroctone du pin ? Il est trop tôt pour le dire, étant donné l'ampleur du problème.

L'arrivée du dendroctone du pin a eu pour conséquence de créer un tout nouveau secteur du bois de transformation. Surtout, à cause des importantes quantités récoltées, elle a influencé les marchés de l'est du Canada et de l'ouest des États-Unis. Par ailleurs, depuis quelques années, ces arrivages de bois de la Colombie-Britannique dans les autres provinces et dans certains États américains, à la suite de la récolte massive en zones atteintes, ont causé de nombreux maux de tête aux producteurs locaux. Les Américains y sont allés d'une de leurs tactiques favorites : ils ont imposé une taxe pour cause de dumping et de compétition injuste. Au Canada, les producteurs de l'est du pays n'ont pas été en mesure de suivre le rythme dans le domaine du contreplaqué. L'industrie du bois du Québec en particulier n'avait pas besoin d'un problème de plus !

Cela dit, les problèmes les plus graves en matière de lutte à la déforestation se trouvent ailleurs, plus au sud, dans les forêts tropicales dilapidées, de l'Amazonie à l'Indonésie en passant par le bassin du Congo. Paradoxalement, la Chine se reboise massivement. Cependant le pays demeure le plus gros acheteur de bois issu de coupes illégales, surtout en Asie. De fait, la forte majorité des coupes forestières dans les zones tropicales se font bien loin des organismes de vérification et de certification. C'est surtout là que doit se concentrer la lutte à la déforestation.

Revenons à la discussion entre Steven et Catherine Potvin, professeure à l'Université McGill, scientifique avec qui nous avons abordé la question des négociations sur le climat au chapitre 2. On sait que la Convention de Rio et le Protocole de Kyoto ont permis de réduire les émissions de GES à l'aide de certains mécanismes comme la réduction de la déforestation. Or certains affirment qu'il s'agit là de fausses solutions. Nous avons demandé à Catherine de nous parler de son expérience au Panama et de nous donner son avis sur cette question. Selon elle, pour beaucoup de pays en voie de développement — on pense surtout au Brésil et à l'Indonésie —, le déboisement représente la plus importante source de GES. Donc, il y aurait un bénéfice immédiat pour le climat à réduire le déboisement. Cependant, l'aide en ce sens offerte par les pays développés aux pays en voie de développement ne doit en aucun cas remplacer les efforts fournis par ces pays développés pour réduire leurs propres émissions.

Votre plancher est-il fait de bois issu de coupes illégales ?

Une seule ville, Nanxun en Chine, produit 50 % du bois de plancher de la planète. Si vous demandez aux grossistes qui font transiter les bois exotiques de Bornéo, de Sumatra, d'Afrique centrale ou de la Nouvelle-Guinée par les usines chinoises d'où provient leur bois, ils vous répondront pour la plupart qu'ils n'en ont pas la moindre idée. Par contre, vous pouvez être assurés qu'ils savent fort bien que les trois quarts de ces arrivages sont de provenance illégale. Au Kalimantan (Bornéo, en Indonésie), les opérateurs privés ont littéralement éliminé les forêts. Un territoire d'une superficie supérieure à l'Angleterre a été rasé en moins de 15 ans en Asie du Sud-Est.

La Chine, qui a déjà été autosuffisante en bois, voire exportatrice, a effectué un virage à 180 degrés à la fin des années 1990 quand des inondations ont dévasté la vallée du Yangzi Jiang, en grande partie à cause de la déforestation massive entreprise sous le règne de Mao ! C'est l'Asie du Sud-Est qui, depuis, fait les frais de ce virage vers le reboisement de la Chine.

La FAO estime que, dans le cas des forêts tropicales, de 70 à 90 % des coupes sont illégales, selon le pays. Cela dit, quelques pays ont commencé à faire face au problème : le Brésil a, pour la première fois, réduit les coupes sauvages en 2009 et la tendance se confirme selon les derniers chiffres. L'Indonésie a entrepris un vaste programme de traçabilité, tentant de sauver ce qu'il reste de ses forêts. Une suspension de nouveaux permis y est en vigueur et on semble avoir mis fin au massacre à temps. Cela étant, on ne saurait baisser notre garde sur cette question, comme en témoigne cette campagne de Greenpeace qui demande un moratoire sur la déforestation d'ici 2015 en Indonésie[127]. Cela dit, d'autres pays vivent une perte de forêt qui tient à la fois de la tragédie humaine et du massacre environnemental : la Papouasie Nouvelle-Guinée en particulier.

Le plancher flottant que l'on trouve à bas prix partout dans nos grandes surfaces est presque à coup sûr chinois, de source illégale et conséquemment non certifié. L'ouvrier moyen d'une opération forestière en Asie du Sud-Est est payé moins de un dollar l'heure, et le bois qu'il abat peut atteindre 500 $/m^3 sur le marché. À ce prix, les exploitations certifiées par l'un des organismes indépendants reconnus ne peuvent tout simplement pas

127. http://www.greenpeace.org/international/en/campaigns/forests/asia-pacific/

faire concurrence. En clair, cela signifie qu'en ne regardant que le prix du plancher flottant qu'il désire acheter, le consommateur contribue à maintenir plusieurs injustices : massacre de forêts, atteinte sérieuse à la biodiversité dans des zones à haute densité en ce qui touche les variétés d'espèces, déplacement de populations vers les bidonvilles des mégapoles déjà invivables et abus des droits de la personne à des niveaux sans précédent.

L'IPÉ… OU LE BRÉSIL DANS VOTRE CUISINE ET SUR VOTRE TERRASSE

Également connu sous le nom de *Tabebuia*, ou en anglais *Trumpet tree*, cet arbre se retrouve de l'Argentine aux Caraïbes. Selon l'espèce, l'ipé peut atteindre jusqu'à 50 m de hauteur. Il est très populaire pour la fabrication de meubles et surtout pour de multiples usages à l'extérieur. En effet, sa grande résistance à la pourriture l'a rendu populaire dans les aménagements de terrasses, mais aux États-Unis et au Canada, il est largement utilisé pour les passerelles, les trottoirs de bois dans les parcs et au bord des cours d'eau ou de la mer. Enfin, il faut ajouter qu'il est réputé pour ses nombreux usages en soins variés.

La demande croissante pour ce bois tropical menace sérieusement sa place dans l'écosystème. Comme la grande majorité des bois en provenance du Brésil, il fait l'objet de coupes illégales massives depuis bon nombre d'années. Selon l'agence brésilienne IBAMA, il se coupe cinq fois plus de bois en Amazonie que ce que les permis de l'État autorisent. Les pots-de-vin aux fonctionnaires sont monnaie courante dans ce marché illégal. Selon une étude de Greenpeace, cinq compagnies sont notoirement connues pour leurs coupes illégales d'ipé : Santarem, Cemex Comercial Madeireira Exportaçao, Industrial Madeireira Curuatinga, Madeireira Rancho da Cabocla et Estância Alecrim/Milton José Schnorr.

Le problème avec cet arbre aux qualités exceptionnelles, outre sa surexploitation, c'est que son rendement à l'hectare est très limité. Une étude de Rainforest Relief estime le rendement à aussi peu que 76 pieds planche à l'acre (ou 44 m^3/km^2). Pour comprendre la portée de ce chiffre, il faut savoir que la Ville de New York utilise l'ipé depuis des années pour les promenades de bois de son réseau de parcs. Celui de la plage de Coney Island, qui fait 16 km de longueur, a nécessité à lui seul des coupes forestières d'une superficie de 337 km2. Il faut compter de 70 à 90 m^3 de bois pour l'équivalent d'un coin de rue de trottoir !

En quoi cela concerne-t-il le Québec ? Il s'avère que le ministère des Transports, qui est responsable de la construction des passerelles de piétons qui enjambent les routes, OBLIGE dans ses appels d'offres l'utilisation de l'ipé. Or, vendu chez de nombreux distributeurs de bois de plancher, l'ipé ne semble pas faire l'objet d'une traçabilité minimale dans notre propre administration et il commence même à remplacer les bois francs du Québec sur le marché.

Une partie croissante du bois d'ipé provient de forêts de deuxième génération et non de coupes illégales, mais ce pourcentage est encore bien inférieur à la coupe illégale encore dominante, au Brésil en particulier.

Une charte du bois ?

Dans le cadre du Protocole de Kyoto, après les efforts nécessaires pour réduire les émissions de GES, la protection des forêts arrive au deuxième rang des priorités. Il faut évidemment mettre fin au trafic illégal du bois sous toutes ses formes, mais il faut aussi reboiser la planète, des millions d'hectares de forêt primaire ayant été perdus. Le GIEC estime que ce sont là les deux moyens les plus efficaces et les plus accessibles pour lutter contre la croissance effrénée des émissions de CO_2.

Au Québec, on parle depuis quelques années d'une Charte du bois, le principe dominant de cette charte étant celui de l'exemplarité de l'État. Tous les appels d'offres pour des bâtiments publics ou parapublics devraient tenir compte de la possibilité d'utiliser le bois dans l'élaboration du cahier des charges. C'est bien en soi, mais il faudra voir ce qu'il advient de ces beaux principes à l'usage. Au moment d'écrire ces lignes, nous n'avons qu'une idée de la finalité de cette fameuse charte. Outre l'inclusion grandissante du bois dans les édifices publics, la réglementation serait modifiée pour permettre la construction d'édifices de plus de trois étages sans avoir à passer par une série de démarches tatillonnes. On prévoit investir dans la formation des travailleurs de la construction et ajouter au curriculum des établissements d'enseignement spécialisé une formation sur les dernières innovations des technologies du bois. Il est également question d'investissements dans la recherche pour créer des produits du bois à valeur ajoutée. En principe, tout cela est bien.

Reste que, étant donné la lenteur avec laquelle notre administration a géré ce dossier — si l'on compare avec le dynamisme de la Colombie-Britannique, notamment —, on est en droit de se demander si la situation aura évolué dans cinq ans. Or tout ce qui est mentionné ici est déjà en place depuis des années en Europe. Outre-Atlantique, on a déjà pris le virage pour accorder une place accrue au bois dans les domaines commercial et institutionnel, et le marché se trouve déjà en pleine mutation. Nos visites en Europe nous ont d'ailleurs permis de faire un constat simple : en Europe, on réglemente ET on légifère, alors qu'ici on « envisage » !

Il faut dire que les lobbys du béton et de l'acier, avec des budgets considérables, montent régulièrement aux barricades pour s'opposer à une Charte du bois. Pourquoi ? Ils s'opposent férocement à un régime *préférentiel* qui privilégierait le bois !

On se calme, on se calme, amis du béton ! Sans une comptabilité carbone complète, ce sont justement le béton et l'acier qui jouissent d'un régime préférentiel. Et il suffit de regarder ailleurs pour voir qu'une politique pro-bois n'est pas mortelle pour ces poids lourds. Même pas besoin de traverser l'Atlantique : un simple regard vers le marché américain suffit. En 2011, le département de l'Agriculture des États-Unis a adopté une politique préférentielle pour la construction en bois afin de se doter d'une infrastructure de bâtiments verts. Une préférence sera même donnée aux produits du bois de la région où seront construits les nouveaux bâtiments. Cette politique est basée sur une évidence : il en découlera un gain environnemental sur toute la ligne et des emplois locaux. Pas un mot des lobbys frustrés du béton et de l'acier. Il suffisait d'agir et non pas de voir si…

Mais des signes encourageants sont visibles chez nous. Aux haltes routières sur les autoroutes et dans les parcs provinciaux, on voit plus de bois de parement extérieur ici et là. Timidement, on avance. Mais ce n'est pas assez. Il faut des normes éthiques, des standards de gestion forestière basés sur la traçabilité et surtout, surtout, une norme GES sur la signature carbone et le cycle de vie des matériaux.

De plus en plus d'entreprises au Québec font le virage bois. Des régions ont adopté il y a plusieurs années la charte de la Coalition Bois[128] et se sont assurées que les projets dans leur région préconisent le bois et les emplois locaux. Cette première charte avait des buts moins pointus que le projet déposé à Québec, mais visait la même cible : plus de bois dans la construction. Pourtant, la réglementation tarde à suivre, le lobby du béton se déchaîne contre ce traitement supposément préférentiel. Nous avançons administrativement à pas de tortue. Les chiffres sont éloquents :

128. www.coalitionbois.org

une maison de dimension moyenne à ossature en bois, c'est 28 tonnes de carbone stocké, l'équivalent des émissions produites par la consommation de plus de 12 000 litres d'essence par une voiture moyenne[129].

Partout, on voit apparaître de magnifiques structures en bois, là où on aurait sans doute choisi le béton ou l'acier il y a quelques années. Les Jeux olympiques de Vancouver de 2010 ont constitué une vitrine unique pour illustrer ce qu'il est possible de faire avec du bois d'ingénierie. L'anneau de patinage de vitesse longue piste en était le plus spectaculaire exemple. Au Québec, les stades couverts dotés d'arches de bois d'ingénierie ayant des portées qui frisent les 100 m se multiplient : le stade du cégep Marie-Victorin dans l'est de Montréal et le nouveau stade de l'Université Laval font figure de proue dans le domaine de l'ossature en bois d'ingénierie.

D'autres secteurs emboîtent le pas. Le Fonds d'investissement de la CSN, un syndicat québécois, s'est doté d'un édifice de six étages en bois d'ingénierie en plein centre de la ville de Québec, une réalisation qui a reçu de nombreux prix et fait des jaloux dans d'autres syndicats. Presque 1 000 m^3 de bois de charpente lamellé-collé, et du platelage de bois pour les planchers, ont permis d'éviter l'utilisation de 1 800 m^3 de béton ! Ce bâtiment résulte en un bénéfice carbone net de 1 350 tonnes. Sur un marché de crédits carbone, à ne serait-ce que 30 $ la tonne, il s'agit d'une valeur ajoutée de plus de 40 000 $ qu'il aurait été possible de vendre sur les marchés du carbone. Cela aurait eu pour effet direct de réduire d'autant le coût de l'édifice.

De plus en plus, on voit se construire des édifices en bois : des casernes d'incendie, des Tim Hortons, des postes de

---

129. Les océans et les forêts sont les deux principaux réservoirs de carbone. Aussi, un arbre transforme le CO_2 en séparant ses molécules, dégageant de l'oxygène tout en se construisant avec le carbone. Chaque arbre, chaque produit de bois, c'est du carbone emmagasiné.

L'édifice Fondaction de la CSN à Québec
Charpente en bois d'ingénierie et certification LEED
© *Louise Leblanc*

police, un hôtel-musée, une abbaye, un pavillon universitaire de foresterie (évidemment !) et des ponts en bois lamellé-collé. En Scandinavie, on verra bientôt des tours en bois dépassant 15 étages. Au Japon, un édifice de huit étages en panneaux de bois préfabriqués a résisté à plusieurs simulations de tremblements de terre de magnitude élevée sans signe de dégradation structurelle. Ce même édifice a été démonté et transporté en Italie, dans la région du Trento, où ses panneaux recyclés serviront à construire une garderie et quelques autres bâtiments à valeur communautaire !

La Colombie-Britannique, avec sa politique Wood First, a fait un bond en avant dans la construction en bois d'édifices commerciaux de plusieurs étages. Le code du bâtiment y a été modifié en 2009 pour permettre la construction en bois de six étages. Tous les arguments anti-bois ont été réfutés les uns après les autres (à commencer par celui du risque de feu!) par ce qui se fait sur le terrain. À quand, au Québec, la série de décisions qui nous permettra enfin de sortir de la mentalité du deux par quatre sans imagination?

Une gestion responsable du capital vert

Les programmes de reboisement dans la majorité des provinces canadiennes tiennent déjà compte de ce que sera la nouvelle réalité climatique du Nord lorsque les plantations arriveront à maturité. Un vaste plan de reconstruction des infrastructures des Premières Nations du Nord canadien prendra en compte les mouvements du sol à l'égard du dégel accéléré du pergélisol. Les routes et les pistes des aéroports sont à refaire. Et la liste de ce qui est sérieusement touché par la fonte accélérée du pergélisol pourrait s'allonger ici pendant des pages. Il n'y a pas à douter que la facture sera salée et, surtout, que toutes les administrations locales, régionales ou nationales devront prévoir consacrer une part croissante de leurs budgets futurs aux mesures d'atténuation et d'adaptation.

Des recherches exécutées par le ministère des Ressources naturelles et de la Faune du Québec (MRNF) sur la vulnérabilité des forêts aux changements climatiques ont commencé en 2007. Les premiers résultats ont permis d'élaborer des cartes de répartition potentielle de 139 espèces d'arbres du Québec et de l'est des États-Unis pour la période 2050-2080. En somme, la forêt de demain se prépare aujourd'hui; nous sommes bel et bien en mode adaptation. Plus que jamais, gérer judicieusement le potentiel forestier devient prioritaire, tant pour ce qu'on peut en extraire que pour les services gratuits qu'on en tire. Bien entretenue, cette réserve verte pourra faire partie de notre économie d'une façon durable dans tous les sens du mot. Nous passons à une étape qui n'aura rien à voir avec le passé et c'est une excellente nouvelle.

Que faut-il conclure de tout cela ? Que nous sommes privilégiés de disposer de cet immense potentiel dans nos forêts. Que nous avons l'obligation de continuer à bien gérer cette précieuse richesse et que nous devons surtout utiliser la forêt avec plus de discernement. Moins de la moitié d'un arbre coupé aboutit en bois de qualité, le reste — ou trop petit, ou inadéquat pour la transformation en des produits nobles —, se trouve redirigé vers des sous-produits qui sont encore négligés. Des milliers de tonnes de chutes de bois ne trouvent pas preneur à cause d'un marché des produits du bois trop étroit. Si, au nord de Chibougamau, on peut utiliser des épinettes de petit diamètre pour faire du bois d'ingénierie servant à fabriquer des poutres en lamellé-collé qui dégagent des portées de 60 m, on doit pouvoir trouver d'autres options novatrices pour la matière ligneuse.

VIII
Le transport : changer de direction

FRANÇOIS ET STEVEN RACONTENT…

Notre cocktail transport

« Au printemps 2005, François a acheté ce qui serait sa dernière voiture. À l'époque, il l'utilisait en partie pour le travail, mais aussi pour se rendre à sa maison de campagne.

Depuis maintenant près de cinq ans, nous partageons cette unique voiture pour trois familles. Pour la majorité de nos déplacements, il y a bien sûr le bon vieux « deux temps » (marche et vélo) et le transport collectif. Communauto ou la location sont les options qui complètent notre cocktail transport.

Sommes-nous « anti-char » ? De toute évidence, non ; disons que nous avons étiré le concept de la possession d'un véhicule. Nous croyons que la voiture occupe beaucoup, et même trop de place dans nos vies et qu'il est grand temps de repenser à la fois notre aménagement du territoire ainsi que nos moyens de transport, ou du moins la hiérarchie de nos investissements dans les différents modes de transport.

Nous sommes adeptes du cocktail transport. Qu'est-ce ? Non, ce n'est pas le genre de cocktail que l'on sirote sur une terrasse l'été. En fait, nous devons ce concept à nul autre que Michel Labrecque, président de Vélo Québec de 1985 à 2000, PDG de

Montréal en Lumière pendant 10 ans et président de la Société de transport de Montréal (STM) de 2009 à 2013.

En 2004, Michel a publié un ouvrage intitulé *Le cocktail transport*. L'essai visait à faire prendre conscience aux lecteurs des enjeux liés au transport, ici et ailleurs, et à suggérer des solutions plus efficaces de déplacement, des finances publiques et de l'environnement. Michel souhaitait proposer une panoplie de solutions de transports pour répondre aux besoins des gens. Selon lui, pas la peine d'opposer le transport en commun à l'auto-solo puisque, au cours des dernières décennies, la voiture avait largement remporté cette bataille. Il fallait ouvrir d'autres avenues.

Quel est donc ce « cocktail » ? Marche, vélo, transports collectifs, covoiturage et aussi, oui, auto-solo. Dans cette perspective, il faut moduler nos offres de transport en fonction des besoins des gens, les transports collectifs ne pouvant pas être la réponse pour tout le monde, tout le temps. »

Un rapport éclairant

Changer de direction ! C'est le titre d'un document rendu public par Équiterre et Vivre en Ville en 2011[130] et qui vise à la fois à nous faire prendre conscience des enjeux en matière d'aménagement du territoire et des modes de transport, mais aussi des solutions qui s'offrent à nous[131].

On y lit quelques tristes constats :

- De 2000 à 2009, le parc automobile a augmenté de 24 %, tandis que la croissance démographique était de 5,8 % seulement.

130. Équiterre et Vivre en Ville, *Changer de direction : chantier en aménagement du territoire et transport des personnes*, 2011.

131. http://www.equiterre.org/publication/changer-de-direction-chantier-en-amenagement-du-territoire-et-transport-des-personnes-20

ÉVOLUTION DE L'ACHALANDAGE

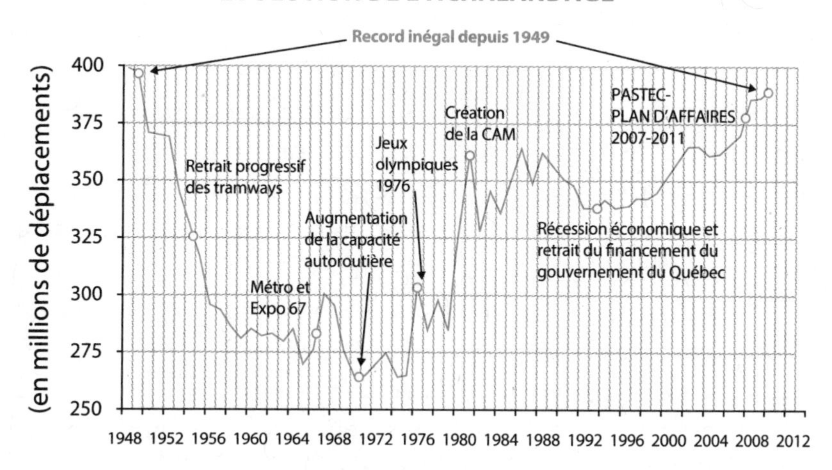

Source : STM, http://www.stm.info/en-bref/stm_mouvement1111.pdf

Le taux de motorisation est passé de 458 à 537 véhicules pour 1 000 habitants[132] ;

- De 1990 à 2007, la distance totale parcourue par l'ensemble des véhicules est passée de 50 à 70 MILLIARDS de kilomètres (juste au Québec) ;
- La distance moyenne parcourue en automobile par année-personne a augmenté de 29 % ;
- Les coûts engendrés par la congestion routière métropolitaine sont estimés à plus de 1,4 milliard de dollars par an et ils ne cessent d'augmenter.

Il y a aussi de bonnes nouvelles… En 2011, la STM a battu un record de circulation vieux de près de 70 ans, en dépassant 400 millions de déplacements dans l'année, le record précédent datant de 1947 avec 398 millions de déplacements. Selon

---

132. http://www.equiterre.org/publication/changer-de-direction-chantier-en-amenagement-du-territoire-et-transport-des-personnes-20, p. 19.

Michel Labrecque, « si la tendance se maintient, nous aurons (en 2011) augmenté les services de 25 % et l'achalandage de près de 12 % depuis 2006 »[133] .

Le réseau de pistes cyclables à Montréal dépasse maintenant les 500 km, et il a connu une forte augmentation au cours des 10 dernières années. La piste cyclable du boulevard De Maisonneuve a d'ailleurs la réputation d'être la plus fréquentée en Amérique du Nord[134].

Après avoir fait ces constats, les auteurs de *Changer de direction* proposent de réduire les déplacements motorisés en voiture-solo, d'accroître la part des déplacements en transports collectifs et actifs et d'améliorer l'efficacité énergétique des véhicules. Selon Équiterre et Vivre en Ville, il faut arrêter de construire des milieux de vie où il est impossible de vivre sans voiture. Continuer à favoriser le développement de banlieues lointaines est l'équivalent de condamner des centaines de milliers de familles — et l'ensemble de notre société — à rester dépendantes du pétrole, ce qui nous coûtera de plus en plus cher.

Les deux organismes proposent plutôt de « repenser le territoire et les transports ». C'est là une condition importante à remplir pour que le Québec atteigne son objectif de réduire les émissions de GES de 25 % pour la période 1990-2020. Au Québec, le secteur des transports est celui qui émet le plus de GES, soit 43 % du total des émissions. C'est beaucoup plus que dans les autres sociétés développées. Vivre en Ville et Équiterre croient que nous ne devrions pas développer davantage notre réseau autoroutier. En plus d'un programme de réfection nécessaire mais coûteux, on lui a consacré des sommes d'argent considérables au cours de la dernière période : parachèvement

133. http://www.radio-canada.ca/regions/Montreal/2011/10/25/007-stm-record-achalandage.shtml

134. http://fr.wikipedia.org/wiki/R%C3%A9seau_cyclable_de_Montr%C3%A9al

de l'A 30 sur la Rive-Sud de Montréal, de l'A 25 entre Laval et l'île de Montréal, prolongement de la 13 vers Mirabel, prolongement de l'autoroute 19, etc. Les auteurs du rapport estiment qu'en freinant l'augmentation du réseau autoroutier au Québec, nous pourrions épargner 600 millions de dollars par année. Conséquemment, les investissements prévus pour le développement de nouveaux liens autoroutiers devraient être réalloués au transport collectif, dans le but de doubler l'offre partout sur le territoire. On évalue à un milliard de dollars par année les sommes requises pour doubler l'offre en transports collectifs au cours des prochaines années[135].

Éviter, transférer, améliorer

Trois verbes devraient devenir la base de nos dossiers en matière de transports et d'aménagement du territoire :

- **Éviter :** diminuer les besoins en déplacements motorisés et leur distance ;
- **Transférer :** augmenter la part modale des transports collectifs et actifs ;
- **Améliorer :** augmenter l'efficacité des transports motorisés, notamment en ce qui concerne la performance des véhicules et des carburants.

Il s'agit d'un plan de match, d'une façon de voir, de concevoir et d'aménager notre territoire de façon systémique. On cherche à éviter les déplacements avant de miser sur le transfert vers des transports moins polluants, puis on mise sur une amélioration des carburants et des moteurs. Cette vision n'est pas sans rappeler l'accent que nous avons mis plus haut sur l'importance de réduire la consommation d'énergie avant

---

135. https://www.assnat.qc.ca/fr/exprimez-votre-opinion/petition/Petition-4233/index.html

même d'en produire plus à partir de sources moins polluantes, et bien avant d'envisager seulement l'amélioration des procédés dans les filières les plus dommageables (comme le pétrole et le charbon). C'est l'outil de base pour prendre nos décisions en transports et orienter nos choix en matière d'investissements dans les transports.

Comme nous l'avons vu, il y a eu une augmentation de 20 milliards de kilomètres parcourus au Québec au cours des 20 dernières années. C'est énorme ! Or cette augmentation est due en majeure partie à l'étalement urbain de plus en plus important des dernières décennies. Plus nous continuerons de nous étendre sur le territoire québécois, plus nous serons condamnés au cercle vicieux auto-pétrole-route, et plus nous devrons construire de nouvelles routes pour desservir ces nouvelles banlieues. De plus, nous perdrons de plus en plus de bonnes terres agricoles, mais aussi certains des derniers milieux boisés du sud du Québec. L'étalement urbain est le premier responsable de la déforestation au Québec. D'ailleurs, de 1971 à 2006, alors que la population des régions métropolitaines du Québec augmentait de 62 %, leur superficie augmentait de 261 %. Quelqu'un osera-t-il prétendre que ce modèle est durable ?

LE TEST DU *POPSICLE*

Vous voulez savoir si votre secteur résidentiel est bien desservi par différents services ? Voici un petit test « maison » qui vous donnera un aperçu. Le test est assez simple : vous devez quitter la maison, à pied, et trouver un commerce où vous procurer un bon vieux *popsicle*. Une fois que vous l'avez trouvé, vous devez pouvoir revenir à la maison avant qu'il ait fondu. Il faut bien sûr faire ce test l'été : le faire en hiver risquerait de fausser les résultats…

Il faut comprendre comment le modèle de la banlieue est intrinsèquement lié à l'automobile, et ce, pour plusieurs raisons. D'abord, le modèle très étalé de la banlieue ne permet pas d'atteindre les densités de population nécessaires à la mise en place d'un système de transport en commun efficace. Ensuite, le modèle de la banlieue, comme nous la connaissons, repose sur une séparation des fonctions, c'est-à-dire que la résidence, le lieu de travail et les services sont isolés les uns des autres, ce qui oblige à utiliser la voiture.

Nous ne proposons pas pour autant de fermer les banlieues… Il faut d'abord freiner l'hémorragie et ensuite faire mieux avec ce que l'on a. Il est évident que les banlieues ne disparaîtront pas. D'ailleurs, freiner l'étalement urbain n'est qu'une partie de la solution. Il faut travailler à modifier les banlieues de façon, justement, à les rendre moins dépendantes de la voiture, à rapprocher, dans la mesure du possible, à la fois le lieu de travail et les services du lieu de résidence.

Il existe de beaux exemples de réaménagement autour de projets de transports collectifs en banlieue. Prenons l'exemple de la Ville de Sainte-Thérèse, au nord de Montréal. À l'annonce de la construction d'une gare pour le train de banlieue Blainville/Saint-Jérôme sur son territoire, la Ville a décidé d'en faire non seulement un pôle de transport collectif, mais en a aussi profité pour redynamiser les quartiers autour du site et même densifier l'occupation du territoire près de la gare. À Sainte-Thérèse, la gare de train et le terminus d'autobus sont au même endroit, ce qui n'est pas le cas à Montréal ni à Toronto !

Comment freiner l'étalement urbain

Il existe essentiellement deux types de stratégies possibles pour freiner l'étalement urbain : la carotte ou le bâton. Évidemment, ces deux stratégies ne sont pas mutuellement exclusives.

Le bâton : payer le juste prix

Les Municipalités qui se trouvent en périphérie des grands centres disposent de peu d'outils lorsque vient le temps de financer les activités et services municipaux. En fait, la plupart de ces Municipalités en ont deux à leur disposition : augmenter les taxes foncières (vous pouvez imaginer à quel point cette mesure est populaire) ou augmenter le nombre de personnes payant des taxes sur leur territoire et, le plus souvent, contribuer ainsi à l'étalement urbain. La pression est donc forte pour changer la vocation de zones agricoles ou même forestières pour y permettre la construction domiciliaire. Trop souvent, il en résulte une course à qui réussira à avoir l'offre domiciliaire la moins chère de façon à attirer le plus de monde. Au passage, on est même prêt à sacrifier les trottoirs dans ces nouveaux quartiers : ça coûte trop cher et, de toute façon, tout le monde se déplace en voiture… Les embouteillages sur les ponts sont la conséquence inévitable de ce manque de vision.

À ce même autel de la construction au moindre coût, on va également sacrifier l'efficacité énergétique des maisons, puisque tout ce qui compte, c'est le prix à l'achat. Aucune réflexion n'est faite sur les coûts d'utilisation et d'entretien de ces maisons mal construites, mal isolées et mal orientées. Saviez-vous que le Québec est la seule province au Canada où le respect des normes du code du bâtiment en matière d'efficacité énergétique est volontaire ? Les Municipalités peuvent effectivement décider de ne pas appliquer telle ou telle norme si elles estiment que cela va entraîner une augmentation du coût de construction !

Il faut donc fournir de nouveaux outils aux Municipalités, pour leur permettre de générer des revenus autrement qu'en construisant des bungalows ou des copropriétés sur ce qui nous reste de bonnes terres agricoles. Depuis quelques années, plusieurs intervenants du monde municipal ont soulevé ce problème et il semble y avoir un début d'ouverture de la part du gouvernement. Depuis 2010, la Ville de Montréal applique une taxe foncière sur les parcs de stationnement situés au centre-ville. Allant de 5 à 20 $ par mètre carré, cette mesure équivaut à une taxe de 0,50 à 2,00 $ par jour et par espace de stationnement. Cette taxe permet de générer un revenu supplémentaire de 20 millions de dollars par année, somme qui est consacrée au développement du transport collectif de Montréal[136].

Saviez-vous qu'on estime à environ trois millions le nombre d'espaces de stationnement institutionnels et commerciaux au Québec[137] ? Selon Daniel Bouchard, du Conseil régional de l'environnement de Montréal, si l'on plaçait tous ces espaces de stationnement côte à côte, ils couvriraient la totalité de l'île de Montréal ! Une taxe annuelle de 125 $ sur ces espaces (soit un peu plus de 0,50 $ par jour ouvrable) permettrait de générer des revenus de 375 millions de dollars. Des miettes de frais supplémentaires pour un financement massif des services de mobilité collectifs. À n'en pas douter, le financement du transport en commun doit passer par la croissance d'une telle mesure. Évidemment, pour être efficace, il faut qu'elle soit mise en place sur l'ensemble du territoire urbain et périurbain.

La Communauté métropolitaine de Montréal (CMM) procède actuellement à la réalisation d'une étude sur l'instauration d'un tel système pour la région montréalaise. L'étude doit notamment permettre de comprendre quels sont les avantages et inconvénients du mécanisme, comment il pourrait être mis en place et en fonction de quels critères. Par exemple, les tarifs peuvent être établis en fonction de l'heure, du niveau de congestion ou encore de la distance parcourue.

---

136. Ville de Montréal, « Budget 2010 — Fiscalité », 2010.

137. Richard Bergeron, *L'économie de l'automobile au Québec*, lieu, éditions Hypothèse, 2003.

Il est vrai que du point de vue de l'utilisateur, le péage n'est pas très vendeur… Pourtant, selon un sondage Léger Marketing rendu public en novembre 2011[138], 69 % des habitants de la grande région montréalaise (y compris des répondants à Laval et Longueuil) sont favorables à la mise en place d'une taxe sur le stationnement. Cet appui dépasse de beaucoup celui de Villes comme Toronto (46 % d'appui) ou encore Vancouver (39 %).

Un dossier à suivre…

Une approche positive en vue

L'automne 2011 a été le théâtre d'une vaste consultation dans la grande région montréalaise, sous l'égide de la CMM, sur l'avenir de l'aménagement et des transports. Au total, 1 400 personnes ont pris part aux travaux de la commission chargée de préparer le rapport, déposant plus de 300 mémoires et 200 présentations. Le rapport a ensuite été déposé devant la CMM, qui est composée d'élus des rives Nord et Sud ainsi que de l'île de Montréal. Le président de la Commission est, d'office, le maire de Montréal.

Le document de consultation proposait trois défis qui devaient être attaqués de front dans le cadre de la consultation :

- Aménagement ;
- Transport ;
- Environnement.

Plusieurs orientations proposées ont vivement fait réagir certains élus de la couronne nord, par exemple :

- l'obligation que 40 % des nouveaux logements soient construits dans les axes de transport collectif existants ;
- une augmentation de 6 % des superficies cultivées (ce qui implique donc non seulement de mettre un frein à la

138. http://www.radio-canada.ca/nouvelles/societe/2011/11/21/001-sondage-transport-cbc-rc.shtml

disparition des terres agricoles, mais même d'en augmenter leur superficie) ;

- une hausse de la part modale des déplacements effectués en transport en commun en période de pointe du matin pour atteindre 30 % d'ici 2021 ;
- le maintien du couvert forestier des boisés métropolitains.

De plus, le document prévoyait le gel du développement sur les terres agricoles pendant 20 ans (ce ne sera qu'une période de cinq ans qui sera adoptée dans le document final).

Rapidement, dès le début des audiences, l'idée d'instaurer une ceinture verte (parfois appelée « trame » verte) comme l'ont fait plusieurs Villes dont Toronto a émergé. Une ceinture verte n'est ni plus ni moins qu'une vaste zone d'aires protégées, visant tant les zones agricoles que les boisés urbains.

Pour certains maires, toutes ces mesures constituent autant d'atteintes à leurs droits fondamentaux de prendre autant d'expansion qu'ils le veulent. En tête de liste, le maire de Mirabel, Hubert Meilleur, déclarait au moment des consultations « [...] que l'approche préconisée par la CMM [est] passive et beaucoup trop centrée sur la densification et le transport en commun »[139].

Et pourtant, la démarche de la CMM a été saluée par l'ensemble des intervenants et le document a été adopté en décembre 2011 avec l'appui des Villes de la couronne sud, de Longueuil, Laval et Montréal. Mais plusieurs Municipalités de la couronne nord, dont Mirabel, s'y sont opposées. Le gouvernement du Québec y a donné son aval quelques mois plus tard, en mars 2012.

Évidemment, pour mettre plusieurs de ces mesures de l'avant, il faut de l'argent, beaucoup d'argent.

139. http://www.leveil.com/Actualites/2011-10-07/article-2768917/La-MRC-de-Mirabel-denonce-le-projet-de-la-CMM/1

C'est ainsi que le 24 mai 2013, une large coalition regroupant le Réseau des ingénieurs, l'Ordre des architectes, l'Association du transport urbain du Québec (ATUQ), le Regroupement national des conseils régionaux de l'environnement du Québec (RNCREQ), l'Alliance pour le financement des transports collectifs au Québec (TRANSIT), la CMM et plusieurs autres ont uni leurs voix afin de demander au gouvernement du Québec d'investir un milliard de dollars par année dans le transport en commun au cours des 10 prochaines années[140]. Un signal bien faible a été envoyé à l'automne 2013 par le gouvernement de Pauline Marois. Dans son plan de plus de 500 millions de dollars pour l'électrification des transports, on n'a trouvé que 15 millions sur cinq ans pour le transport en commun. Toute une priorité…

L'efficacité des véhicules, une solution ? Oui et non !

Selon le National Highway Traffic Safety Administration aux États-Unis, l'efficacité énergétique des véhicules de ce pays n'a progressé que de 7 % de 1980 à 2004[141]. Cette statistique nous indique bien qu'une plus grande efficacité énergétique des véhicules est évidemment incontournable mais que, seule, elle est insuffisante si nous n'intervenons pas également sur d'autres éléments liés au transport.

L'amélioration de l'efficacité énergétique des véhicules est souvent présentée comme la solution pour réduire la consommation globale d'essence et des émissions de GES. Pourtant, l'apport de l'efficacité énergétique du parc automobile reste à ce jour une illusion, comme le souligne le ministère du Développement durable, de l'Environnement et des Parcs du Québec : « La meilleure

140. http://cmm.qc.ca/salle-de-presse/derniere-nouvelle/une-large-coalition-demande-au-gouvernement-de-majorer-de-1-milliard-par-annee-les-sommes-investies-dans-le-transport-en-commun/

141. http://www.dailyfueleconomytip.com/miscellaneous/average-gas-mileage-relatively-flat-between-1980-and-2004/

performance, sur le plan énergétique, des moteurs des véhicules ne se traduit pas nécessairement, au bout du compte, par une diminution des émissions de gaz à effet de serre, car cet avantage potentiel est diminué, voire annulé, par l'augmentation de la puissance, du poids et des accessoires des véhicules ainsi que du kilométrage parcouru.[142] »

Le graphique suivant illustre bien cet enjeu :

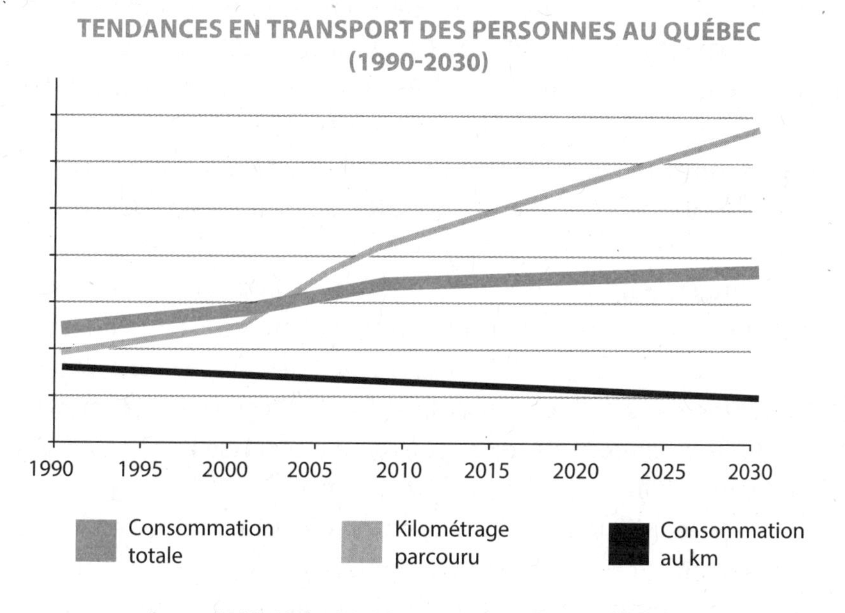

Source : SAAQ, 2002 et 2010, Ressources naturelles Canada, 2009, ISQ, 2009a-c ; données de 2030 estimées.

Cela étant, il est important de tenir compte des règlements comme ceux qu'ont adoptés la Californie et le Québec afin d'améliorer l'efficacité énergétique des véhicules, qui pourraient avoir permis de réduire la consommation par kilomètre[143].

---

142. *Op. cit.*, Équiterre et Vivre en Ville, p. 20.
143. http://www.eia.gov/forecasts/aeo/MT_transportationdemand.cfm

La carotte : le financement du transport collectif et actif ?

L'un des principaux fonds québécois servant à financer à la fois le réseau routier ainsi que le transport collectif se nomme le Fonds des réseaux de transports terrestres (FORT). Ce fonds s'articule autour d'une vision passéiste du développement des autoroutes, des grands boulevards urbains, d'un développement consacré à la voiture et donc à l'étalement urbain. Paradoxalement, il s'agit d'un outil majeur pour le financement du transport collectif. Or, si nous voulons atteindre les objectifs que nous nous sommes fixés en matière de réduction des émissions de GES et de notre dépendance au pétrole, tout en augmentant la fréquentation du transport collectif, les règles d'attribution des fonds dans le FORT devront être modifiées de façon importante.

Actuellement, autour de 22 % de ce fonds est consacré aux transports collectifs, le reste au réseau autoroutier. Plusieurs organismes, dont Équiterre et Vivre en Ville, demandent un rééquilibrage dans l'allocation des fonds. Ils proposent notamment que le financement du transport collectif passe à 30 %, ce qui laisserait encore 70 % pour le réseau routier.

Comme une partie de l'argent du FORT vient de la taxe sur l'essence, ces revenus devraient être alloués en partie aux Municipalités afin de les aider à diversifier leur assiette fiscale. Il faudrait évidemment s'assurer que ces sommes s'ajoutent aux montants déjà versés par les Municipalités pour le transport collectif. En d'autres mots, on ne cherche pas à remplacer les sources de financement actuelles, mais bien à les augmenter.

L'électrification du transport, une priorité

Une électrification accrue de nos transports en commun ne peut plus attendre. Il en va de même pour le parc automobile. Mais pourquoi vouloir passer du pétrole à l'électricité dans nos transports ?

Comme on l'a noté précédemment, la consommation de pétrole entraîne des répercussions négatives majeures, tant sur le plan des émissions de GES que de la balance commerciale du Québec.

Ensuite, le moteur électrique est très efficace… beaucoup plus efficace que le moteur à combustion interne (le bon vieux moteur à essence). Le rendement du moteur à essence, c'est-à-dire sa capacité à transformer la source d'énergie — dans ce cas-ci l'essence — en mouvement est d'environ 25 % pour les moteurs conventionnels et de 30 % pour certains types de moteurs diesels. Cela veut donc dire que chaque fois que vous faites le plein, au moins 70 % de ce que vous dépensez se perd en chaleur et en pollution. Assez décevant, quand ce que vous cherchez à acheter c'est du mouvement, de la force motrice ! Le moteur électrique transforme quant à lui de 80 à 85 % — voire jusqu'à 95 % pour certains moteurs très avancés — de l'énergie en mouvement, ce qui équivaut à plus de trois fois le rendement du moteur à essence !

En outre, l'électricité est bien moins chère que le pétrole et les voitures électriques arrivent à grands pas sur le marché. Mais leur achat est appuyé par des subventions au consommateur et certains vous diront que cela en fausse le prix. Depuis le temps que l'on subventionne les hydrocarbures, qu'on nous épargne cet argument, s'il vous plaît ! Que les chantres de la déréglementation revoient leurs comptes sur les énergies fossiles et on reparlera de l'appui aux véhicules électriques. En effet, comme nous l'avons vu, chaque plein d'essence est outrageusement subventionné, et ce, partout dans le monde.

Donc, avec le prix de l'électricité qui est plus faible que celui du pétrole (et le fait que le prix de l'électricité est beaucoup moins volatil que celui du pétrole) et l'efficacité accrue du moteur électrique, le coût du « plein » électrique est plusieurs fois inférieur au plein d'essence.

Sans nécessairement aller vers un circuit ferroviaire tout électrique, on peut d'ores et déjà travailler sur ce qui existe. Le circuit de rails n'a pas forcément à être remplacé, mais mieux surveillé, comme la tragédie de Lac-Mégantic nous l'a douloureusement rappelé ! Resterait ensuite à moderniser le matériel roulant (là, ça urge !) pour entrer dans le bon millénaire. Ajoutons des horaires et des fréquences de passage sensés, l'arrêt de la priorité absolue des trains de marchandises sur les trains de passagers — qui rallonge indûment la durée des voyages — et le public suivra... DEMAIN !

Qu'il n'y ait pas, en ce moment, un seul train entre Montréal et Québec après 18 heures tient de l'absurde ! Un autobus toutes les heures et quatre trains par jour ! On ne parle pas d'un TGV, mais de trains prioritaires, fréquents, et dont le temps de trajet serait réduit ne serait-ce que d'une heure ! Montréal-Québec en deux heures, c'est urgent !

Récemment, on a vu apparaître une proposition de train suspendu qui pourrait être à la base de tout un réseau. Beaucoup moins lourd en infrastructures qu'un train sur rail, on pourrait par exemple le mettre en plein milieu de l'autoroute 20 de Montréal à Québec. Son coût serait raisonnable, pas du tout du même ordre que celui d'un TGV, de toute évidence ; en outre, ses emprises minimales et son aspect modulaire présenteraient toute une série d'avantages pratiques.

Même chose pour le transport urbain. Tramways, autobus électriques, parc de taxis électrifiés... tout peut être considéré. Selon les chiffres les plus récents, on pourrait électrifier un million de voitures au Québec pour quelques térawatts-heure d'électricité par année, soit moins de 5 % de la production totale d'Hydro-Québec. N'y a-t-il pas là une option valable pour rediriger les surplus énergétiques prévus pour une dizaine d'années selon la majorité des experts ? Il pourrait en résulter une diminution de nos émissions de GES de 3,4 millions de tonnes par année[144] ainsi qu'une réduction importante des autres polluants liés à l'essence (oxyde d'azote, oxyde de soufre, monoxyde de carbone, etc.), puisque la production électrique au Québec est de source renouvelable et n'a que de faibles répercussions sur l'environnement.

D'ailleurs, plusieurs sociétés de transport en commun ont pris l'engagement de devenir complètement électriques au cours des prochaines années, avant 2025 dans le cas de la STM[145]. Toutefois, les pouvoirs publics devront fournir les ressources nécessaires pour permettre la transition vers les systèmes électriques, puisque cela requiert des investissements considérables pour l'achat de nouveau matériel roulant, l'installation de bornes de recharge et la formation du personnel, notamment. Selon le Centre National du Transport Avancé (CNTA), un regroupement voué au développement et au déploiement de la mobilité électrique, le transport terrestre au Québec, c'est 900 entreprises, plus de 40 000 emplois et un apport de 10 milliards de dollars à l'économie. Tramways aériens, trolleybus, microbus, flottes de taxis, monorails, trains automatisés… la liste est longue de tout ce que nous pouvons et devons considérer pour réduire notre dépendance au pétrole. Presque six millions de véhicules circulent sur nos routes[146].

Toutes ces solutions de rechange existent et ne requièrent, pour devenir réalité, que la volonté politique d'investir avec constance dans les infrastructures appropriées. Avec les sommes libérées par la diminution de notre dépendance au pétrole, nous pourrons investir dans ces solutions d'avenir, parvenir en tête de peloton pour l'innovation énergétique et ne plus dépendre

---

144. Regroupement national des conseils régionaux de l'environnement, *Imaginons le Québec sans pétrole*, Cahier de référence des Rendez-vous de l'énergie, octobre 2010.

145. http://www.stm.info/en-bref/plan_strategique2020.pdf, p. 92.

146. http://www.stat.gouv.qc.ca/publications/referenc/quebec_stat/eco_tra/eco_tra_3.htm

des aléas politico-économiques dus aux différents conflits néo-pétroliers.

La voiture électrique : en route vers un réseau complet

Hydro-Québec est en train d'installer un réseau de bornes de recharge électrique pour soutenir la transition vers la voiture électrique. Même le privé s'y intéresse. L'offre électrique ne fera pas défaut. Une multiplication des points de recharge rendra encore plus intéressante l'offre du tout électrique. Mais il ne faudrait pas négliger les véhicules hybrides pour autant : il s'agit là d'une niche qui va avoir sa place pour un bon moment, sans aucun doute. Selon les chiffres d'Hydro-Québec, parcourir 100 kilomètres avec une charge électrique payée le même prix que le tarif domestique d'électricité reviendrait à… 1,25 $ au lieu de 10,26 $! C'est donc neuf fois moins cher que la consommation d'une Honda Civic à l'essence[147]. Mais attention, on doit étudier les chiffres avec prudence.

On peut en effet considérer ces comparaisons sous quelques angles différents. Par exemple, va-t-on tenir compte des prix avec taxes ? Nous le savons, les taxes sur l'essence sont beaucoup plus élevées que les simples taxes TPS et TVQ prélevées sur l'électricité. Et de quel coût de fourniture électrique parlons-nous ? Du coût moyen ou du coût de l'électricité fournie par les prochains barrages hydroélectriques ? Du tarif patrimonial, qui est aux environs de 0,03 $? Du kilowatt-heure livré au client domestique pour un peu moins de 0,07 $? À quelle performance énergétique des moteurs pense-t-on ? On doit considérer les pertes à la recharge de la batterie… et ainsi de suite. Selon nous, il faut tenir compte du prix final au client pour qui, au final, c'est le prix d'achat qui importe.

147. http://www.hydroquebec.com/electrification-transport/cout.html

Nous avons néanmoins quelques certitudes :

- En tant que clients résidentiels, nous payons notre électricité au coût moyen du parc d'approvisionnement d'Hydro-Québec, plus le prix du transport et de la distribution, ce qui revient à un peu moins de 0,07 $/kWh avant les taxes ;
- Le prix de l'essence va augmenter beaucoup plus rapidement que celui de l'électricité, peu importe la provenance de celle-ci ;
- Le choix du tout-pétrole, voire du gaz naturel, n'est pas aussi avantageux en ce qui concerne au moins deux aspects : ils sont plus polluants et nettement moins structurants pour notre économie, en particulier dans le cas du pétrole.

Selon Hydro-Québec, mettre un million de voitures électriques sur la route ne nécessiterait en demande supplémentaire que 3 TWh par année, soit 2 % de toutes les livraisons d'électricité effectuées au Québec[148]. Sachant que le secteur du transport est responsable de l'émission de plus de 35 millions de tonnes de GES chaque année, n'avons-nous pas ici une occasion en or de révolutionner notre signature énergétique ?

Il ne faut pas oublier que l'électrification des transports presque n'importe où ailleurs dans le monde ne pourrait pas apporter de résultats comparables à ceux qui sont possibles ici, au Québec. Pourquoi ? À cause de notre hydroélectricité ! On pense à une conversion qui a un sens économique, environnemental et qui serait de plus structurante et créatrice d'emplois. Déjà, des partenaires comme RONA, METRO et les Rôtisseries Saint-Hubert ont pris le pas avec l'installation de bornes de recharge dans certains de leurs stationnements. Bien que les débuts du tout électrique soient un peu lents, on arrivera à un moment donné à un point de bascule où le marché des voitures électriques fera un bond, et ce moment est intimement lié au

148. http://www.hydroquebec.com/electrification-transport/

prix du pétrole. D'autres joueurs institutionnels suivront si un fort signal politique, voire fiscal, est envoyé — ou plutôt *quand* ce signal sera envoyé puisque, selon nous, il ne fait aucun doute qu'il le sera tôt ou tard.

On peut accélérer cette transformation du marché avec la mise en place graduelle d'une fiscalité progressive sur l'achat des véhicules personnels, ou encore décourager par des taxes progressivement plus élevées l'achat de monstres sur roues. Le principe est simple : tu veux un « gros char » à 50 000 $, parfait, mais c'est 25 % de taxes qui seront dirigées vers des crédits pour l'achat de véhicules hybrides ou électriques. On séparera le luxe du nécessaire, le service du caprice…

Le gouvernement du Québec s'est doté en 2013 d'un plan d'action pour le déploiement du transport électrique nommé *Québec roule à la puissance verte*[149]. Par la mise en œuvre de ce plan, le gouvernement « souhaite que 25 % des nouveaux véhicules légers pour passagers vendus en 2020 soient électriques ». Il s'agit là d'un objectif ambitieux, très ambitieux. Car même si les ventes de véhicules électriques sont fortement à la hausse (plus de 400 % d'augmentation au cours des dernières années), elles ne sont tout de même passées que de 400 véhicules électriques en 2011 à 1 400 en 2012[150] ! Si l'on tient compte du fait qu'il se vend plus de 400 000 véhicules par année au Québec, il reste encore du chemin à faire.

Une place pour d'autres technologies ?

On doit également considérer des avenues de conversion non électriques aussi avantageuses, tant économiquement que du point de vue des émissions de GES. La conversion au gaz naturel

149. http://vehiculeselectriques.gouv.qc.ca/plan-action.asp

150. http://www.lhebdojournal.com/Opinion/Chroniques/2012-11-14/article-3120445/Voitures-electriques%3A-hausse-de-439%25-des-ventes-au-Quebec/1

des poids lourds en particulier est déjà à notre portée. Ce secteur a tout à gagner d'une conversion graduelle vers le gaz naturel. En complément de l'électrification des voitures et des flottes de service de véhicules légers, la substitution du pétrole dans le domaine du transport — qui commence tout doucement à se faire — offre des perspectives économiques et environnementales fort alléchantes.

Transport Robert, une des plus importantes entreprises en transport routier au Québec, a déjà fait la conversion de plus de 70 de ses camions, dont une cinquantaine est déjà sur les routes. Baptisé « La route bleue », le réseau d'approvisionnement à venir permettra de relier les Maritimes à Détroit en points d'approvisionnement stratégiquement situés le long de la Trans-Canadienne.

On regarde aussi du côté de la conversion des moteurs des traversiers et même, éventuellement, de locomotives diesels du Canadien National.

En somme, nous faisons face à une sérieuse remise en question de notre dépendance au pétrole pour l'ensemble du secteur des transports ; ce n'est pas rien. Il sera intéressant de mettre quelques économistes au travail pour évaluer les répercussions de tels changements sur les finances de l'État et, en même temps, pour évaluer l'effet à long terme sur les émissions de GES. Sachant que la facture annuelle pour l'importation du pétrole seulement dépasse les 15 milliards de dollars[151], nous nous devons de faire nos devoirs. Certes, cette diminution de l'usage du pétrole entraînera une perte de revenus pour l'État, un manque à gagner dû à une baisse significative des revenus provenant des taxes sur l'essence. Il faudra se pencher sur ces chiffres et voir comment assumer cette transition sans choc majeur pour notre caisse collective.

Il faudra donc tenir compte, dans ces calculs et prévisions, des emplois créés, des retombées positives de l'arrivée d'un nouveau

151. Pour un baril à 100 $.

secteur économique et de la valeur potentielle des diminutions d'émissions de GES sur les marchés du carbone. Cet exercice sera complexe, certes, mais il s'avère essentiel pour nous assurer une transition économique viable et durable. Quel joyeux casse-tête!

Il faut comprendre aussi qu'en diminuant notre consommation de toutes les formes d'énergie, non seulement nous libérons du capital, mais nous consolidons notre avenir économique en misant sur une performance globale sobre en énergie.

Auto-solo : le commencement de la fin ?

Les ventes de voitures ont beaucoup augmenté au cours des dernières années. On aurait presque d'ailleurs égalé, en 2012, le record des ventes au Canada qui datait de 2002, soit près de 1,7 million de nouveaux véhicules vendus[152]. Si les ventes de voitures étaient la seule donnée utilisée pour juger de l'avenir de ce mode de transport, nous aurions effectivement l'impression que tout baigne, et pourtant…

Bien avant le début de la récession, soit vers 2004, le nombre de kilomètres parcourus par véhicule individuel en Amérique du Nord s'est mis à cesser de croître, une première en 20 ans. Avec la crise financière et économique, ce nombre a même commencé à diminuer alors que nous n'avions pas observé de tel phénomène lors des autres récessions récentes.

Autre donnée intéressante pour l'Amérique du Nord : la consommation de pétrole, qui a également connu un plateau il y a quelques années, devrait cesser d'augmenter selon l'Agence internationale de l'énergie pour demeurer stable au cours des prochaines années[153]. Il y a aussi une tendance dont on parle encore très peu et qui pourrait bien ébranler les colonnes du temple de

152. http://www.thestar.com/business/2013/01/03/canadian_auto_sales_for_2012_secondhighest_on_record.html

153. http://www.eia.gov/countries/country-data.cfm?fips=US#pet

MILLIONS DE *MILES* PARCOURUS ANNUELLEMENT PAR LES AMÉRICAINS DE 1986 À 2011

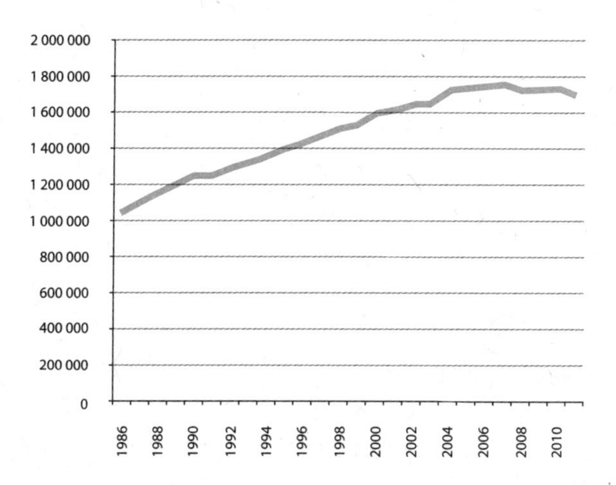

Source : http://switchboard.nrdc.org/blogs/dlovaas/evidence_mounts_that_car_usage.html

la voiture ; le nombre de jeunes qui ne prennent pas leur permis de conduire. Le 5 octobre 2013, le journal *Le Devoir* publiait cet article sur « La liberté du Web avant celle du bitume » :

> Le portrait statistique est sans ambages. Entre 1982 et 2012, la proportion d'adolescents de 16 à 17 ans détenant un permis de conduire dûment délivré par la Société de l'assurance-automobile du Québec a chuté en effet de 27,4 %. Chez les garçons de cette même tranche d'âge, la baisse est encore plus importante : un tiers de ces aspirants adultes avait un « passeport » pour prendre le volant d'une Corvette, ou de tout autre véhicule, en 1982, alors que, trente ans plus tard, ils ne sont plus qu'un sur cinq à posséder un tel permis pour pouvoir le faire, soit une baisse de 34,5 %.

Ce n'est pas tout. Cette tendance s'observe également chez nos voisins du sud, pourtant rois incontestés de l'utilisation de la voiture. En 1978, près de 50 % des jeunes Américains âgés de

16 ans possédaient un permis de conduire, contre 28 % en 2012. Chez les 17 ans, cette proportion est passée d'environ 66 % à 45 %. Pendant ce temps, la proportion de jeunes Américains âgés de 16 à 34 ans utilisant le transport en commun a augmenté de 40 % de 2001 à 2009[154] !

Ces dernières statistiques inquiètent les constructeurs d'automobiles en Amérique du Nord, puisque ces jeunes sont des clients potentiels de demain qui ne seront simplement pas au rendez-vous.

En somme, bien que cela ne soit pas encore apparent, notre rapport collectif à l'automobile est en train de changer. On pourrait même ajouter que c'est notre rapport à la mobilité, à notre utilisation du territoire urbain qui sera appelé à évoluer au cours des ans. Bien au-delà des embouteillages qui nous rendent la vie impossible, c'est le rapport au mode de vie qui sera du même coup remis en cause. Le virage annoncé serait-il proche ?

---

154. http://www.theglobeandmail.com/report-on-business/rob-magazine/is-the-car-dead/article4510125/#dashboard/follows/Authors

IX
Quelques avenues de réflexion

David contre Goliath

Le 2 novembre 2010, les Californiens ont voté à 61 % pour le maintien intégral de leur loi sur le climat. Cette loi, dite AB 32[155], engage l'État de Californie à réduire ses émissions de GES de 25 % d'ici 2020 par rapport au niveau de 1990. Il s'agit là d'un objectif plus ambitieux que celui de l'Union européenne !

Le même soir, le gouverneur Brown, démocrate nouvellement élu, a promis d'aller de l'avant avec l'installation de 20 000 MW supplémentaires d'énergie propre d'ici 2020 (la capacité totale du Québec en énergie électrique est d'environ 35 000 MW). La Californie nourrit, entre autres, un ambitieux projet de un million de toits solaires.

Cette bataille pour la sauvegarde de la loi AB 32 mettait en scène de très grands joueurs ; de véritables titans, en fait. D'un côté, les pétrolières et le lobby du charbon, dont la compagnie BP et les frères Koch, qui voulaient l'affaiblir au point de la rendre insignifiante. De l'autre côté du ring, presque toute l'industrie de pointe (énergies renouvelables, technologies propres, efficacité énergétique) de Silicon Valley, qui est fermement engagée dans le secteur des énergies vertes. Un exemple parmi d'autres :

155. http://www.arb.ca.gov/cc/ab32/ab32.htm

le géant Google investit massivement pour rendre l'énergie solaire aussi peu chère que l'électricité produite dans des centrales au charbon.

Si on veut employer une image, on peut dire que, le 2 novembre dernier, Silicon Valley a triomphé des dinosaures du pétrole. Cela ne veut pas dire que les citoyens n'ont pas joué un rôle de premier plan dans cette victoire. Dans un État où le chômage se maintient au-delà de 12 %, une grande majorité a fait la sourde oreille aux prophètes de malheur qui associaient énergies vertes et hausse du chômage.

Cet épisode est une illustration on ne peut plus claire de ce que nous répète l'astrophysicien québécois Hubert Reeves, à savoir que la bataille pour le climat et l'avenir de l'humanité continuera de faire rage pendant longtemps. Il y aura des reculs momentanés, c'est certain. Il y aura aussi d'autres avancées. Et, comme en Californie, des occasions se présenteront lors desquelles des citoyens sauront faire alliance avec des secteurs progressistes du monde des affaires pour célébrer d'autres victoires éclatantes.

Pour un contrat social et écologique viable

Devant les défis de l'écologie et particulièrement celui des changements climatiques, il est normal pour une personne ou une administration publique de se sentir dépassé. Nous avons tenté de montrer, dans ce livre, que le changement est non seulement possible mais nécessaire, et que chacun est à même d'agir à sa propre échelle, que l'on soit une politicienne municipale, un scientifique de calibre international, un entrepreneur audacieux, un groupe financier avec une conscience… Plusieurs ont commencé à opérer des changements et on constate que le citoyen est de plus en plus au rendez-vous.

STEVEN RACONTE...

La marche pour le Jour de la Terre de 2012

« Lorsque le Canada a annoncé son retrait du Protocole de Kyoto, en décembre 2011, plusieurs groupes écologistes ainsi que des membres de la communauté artistique québécoise, Dominic Champagne en tête, ont décidé qu'il était impensable de passer cet outrage sous silence. Ils ont donc commencé à organiser une grande mobilisation citoyenne afin de rappeler à nos élus l'importance que nous accordons à des questions comme celle du climat, des enjeux énergétiques et de la protection de notre territoire.

L'objectif était ambitieux : dépasser le nombre de 35 000 personnes qui avaient défilé dans les rues de Montréal lors de la conférence de l'ONU en 2005, qui constituait, encore à ce jour, l'une des plus importantes manifestations du genre sur la planète. Dans nos rêves les plus fous, nous souhaitions mobiliser au moins 100 000 personnes. Nous aimions l'idée d'égaler la marche de Copenhague en décembre 2009, la plus importante à ce jour pour l'environnement.

Nous avions choisi pour cette grande manifestation d'attachement à notre petite planète le 22 avril, date du Jour de la Terre.

J'étais à l'avant de la marche avec des collègues des autres groupes écologistes, des artistes, des militants des droits autochtones, des syndicalistes. À mes côtés se trouvait quelqu'un de la Ville de Montréal qui était en contact avec les forces policières. Lorsque les premières estimations arrivent, on évoque déjà 100 000 personnes. Alors que la manifestation s'était mise en branle depuis plus d'une heure, on nous disait que les gens affluaient encore. Puis, on nous avance les chiffres de 150 000, 200 000, 250 000 et, finalement, de plus de 300 000. Imaginez un peu : 300 000 personnes, des jeunes, des plus vieux, des familles, des représentants des Premières Nations, tous marchant main dans la main, tout à fait pacifiquement, pour manifester leur attachement à la Terre…

Encore aujourd'hui, des collègues des États-Unis, de l'Europe et d'aussi loin que l'Inde me parlent de cet évènement. »

Cure minceur

Au Québec, comme dans plusieurs autres sociétés partout sur la planète, nous sommes en état d'urgence énergétique. La salle d'attente est remplie de patients énergivores, mais de quoi souffrent tous ces malades, au juste ? D'obésité énergétique ! Ils cherchent tous le remède miracle, LA cure santé immédiate. Au demeurant, personne ne veut revoir son régime. Nous dévorons le menu des yeux, ne pensant qu'à ce que nous allons pouvoir ajouter à notre régime alimentaire… heu, énergétique. Hélas, au menu, il y a trop peu d'efficacité énergétique, de sobriété… et certainement pas assez de vision. Nous vivons en pleine incohérence, nous sommes au *fast food* du consumérisme, avec le gaspillage comme fond d'écran. Nous abordons les défis de demain avec les outils d'hier. Mais, pour paraphraser Einstein, nous ne réglerons pas les erreurs du passé avec les outils du passé ! Et comme l'aurait dit le grand, et premier, écologiste québécois Pierre Dansereau : notre faillite est la faillite de l'imagination. Oserons-nous vraiment nous remettre en question ? Nous avons un grand défi à relever : celui d'être cohérents.

Il faut penser autrement dès maintenant, prendre le temps de mettre de l'ordre dans notre planification du territoire, notre mélange énergétique, nos orientations stratégiques, et miser sur l'occupation responsable et viable de notre coin de planète. Il faut cesser de simplement en ajouter ! Plus de centres commerciaux, de stationnements asphaltés, de viaducs bétonnés qui ne nous laissent pas de budget pour les virages qui urgent ou les équipements sociaux. Nous devons mettre la responsabilité et l'engagement citoyen à la base même de notre réflexion.

La fin de l'âge de pierre n'est pas arrivée parce qu'il manquait de pierres ; on a tout simplement trouvé mieux. Il en va de même avec le pétrole. Tous les discours sur la durée des réserves de telle ou telle source d'énergie non durable ne doivent pas nous empêcher de miser sur un mode de vie plus viable, plus sobre en énergie et surtout plus équitable.

Nous ne sommes préoccupés que par le prix des biens. Bon sang, la planète n'est pas un magasin à un dollar ! Il est largement temps d'ajouter une colonne comptable « équité et écologie » dans nos bilans financiers. Loin de nos yeux, trop d'humains sans moyens payent trop cher pour nos abus de biens de consommation à obsolescence programmée !

Il faut mettre fin à l'éphémère.

Nous sommes à un moment charnière

Très officiellement, le GIEC confirmait que c'est le jeudi 9 mai 2013 que nous avons franchi le seuil des 400 ppm de concentration de CO_2 dans l'atmosphère. Bien qu'il soit plus symbolique que scientifiquement critique, ce seuil doit allumer des feux rouges partout et nous mettre plus que jamais en mode urgence d'agir.

Il y a un large consensus parmi les climatologues : la hausse de la température planétaire devrait se limiter à 2 °C, mais cette limite n'est déjà plus considérée comme réaliste. On parle maintenant de 4 °C comme un acquis incontournable et certaines équipes scientifiques avancent 2060 et non 2100 pour l'atteinte de ce seuil qui semblait tenir de la science-fiction il n'y a que quelques années. La roue de la hausse de la température planétaire est en marche, et Dieu sait où cela nous mènera.

Le climat et nos engagements

Le climat va changer et nous devrons changer, que nous le voulions ou pas. Nous devrons nous adapter à ce que nous avons provoqué. Certaines politiques souhaitables aujourd'hui seront nécessaires, voire incontournables dans quelques années.

La question de l'imposition d'un prix sur les émissions de carbone devient de plus en plus pressante ; on ne saurait continuer de tolérer que l'atmosphère soit utilisée comme une poubelle à ciel ouvert sans qu'il y ait de conséquence. Le marché du carbone, l'un des outils permettant d'attribuer un prix aux émissions de GES, se met en place péniblement sur tous les continents. Le Western Climate Initiative (WCI), auquel participe le Québec, prend un départ trop timide. Des ouragans comme Sandy, qui a frappé la côte est américaine à l'automne 2012, peuvent à la longue avoir une réelle incidence sur les politiques sur le carbone. Mais le mode réactif ne nous fera pas avancer collectivement ; le continent ne marche pas à l'unisson à l'égard du climat changeant. Le Canada, qui ne fait plus partie du Protocole de Kyoto, s'est isolé à un tel point que même par rapport aux États-Unis, nous faisons figure de retardataires.

Des occasions liées au changement de paradigme énergétique

Cette nécessité de nous adapter doit être abordée comme une occasion, pas comme un ajustement incontournable. Toute crise comporte sa part d'ouverture. Basculer d'une économie fortement basée sur les énergies fossiles vers un sentier énergétique plus sobre en carbone, plus diversifié et surtout plus décentralisé, ouvrira la porte à des innovations qui doivent nous mener vers une économie nettement plus viable à long terme.

Nous sommes très heureux de voir Hydro-Québec exporter ses surplus vers nos voisins, grâce à la flexibilité que nous offrent les grands réservoirs du Nord. Inversement, Hydro-Québec achète à bon prix de l'électricité de ces mêmes clients lors de leurs périodes creuses afin de maximiser les avantages de disposer, derrière nos barrages, d'une sorte de compte d'épargne énergétique. Mais il ne faut pas perdre de vue que les achats aux États-Unis en période creuse proviennent, pour la presque totalité, de centrales thermiques alimentées par des énergies fossiles. Tout comme pour le pétrole que nous brûlons ici et qui provient d'Europe ou d'Afrique — et dont nous assumons les retombées négatives pour le climat —, nous avons une part de responsabilité pour les émissions des centrales américaines qui nous permettent de faire des gains économiques par des profits d'Hydro-Québec. Nous ne vivons pas dans un vacuum politique, économique, énergétique et encore moins écologique.

Les experts estiment d'ailleurs que le tiers des émissions de GES de la Chine est le résultat de notre consommation, à nous Occidentaux, de tous ces produits si peu chers que l'on trouve dans les magasins à un dollar et dans plusieurs de nos grandes surfaces[156]. Il est commode de pointer du doigt la Chine en la rendant responsable de tous nos malheurs climatiques et en parlant de ce pays, comme le fait si souvent le premier ministre Harper, en le qualifiant de grand pollueur. La réalité est pourtant plus nuancée, puisque nous sommes les complices tacites de cette pollution par notre comportement de consommateurs.

Indépendance énergétique versus réduction de notre dépendance au pétrole

Il existe, au Québec et au Canada, tout un débat sur la question de notre « indépendance énergétique », un objectif

---

156. http://www.worldwatch.org/node/5846

auquel nous souscrivons, certes, mais qui ne peut se limiter à un simple exercice d'addition et de soustraction du pétrole consommé dans notre cour. Remplacer le pétrole que nous consommons actuellement (en provenance de Terre-Neuve, de Norvège, d'Algérie) par le pétrole canadien de l'Ouest se ferait au détriment du climat tellement le pétrole albertain est polluant[157].

L'urgence n'est pas tant dans l'autonomie énergétique à court terme, mais bien dans la réduction rapide des émissions de GES en misant aussi sur une transition énergétique viable. Ultimement, la poursuite de la réduction de notre empreinte carbone entraînera automatiquement une réduction de notre dépendance énergétique ; très bien, mais nos priorités doivent être claires.

La chance d'innover et de rediriger les leviers économiques

Nos surplus d'électricité, nous l'avons vu plus haut, représentent un formidable potentiel de transition économique. Ce compte en banque vert devra se retrouver au coeur de nos politiques énergétiques à venir. Pétrole ou pas dans le golfe du Saint-Laurent et en Gaspésie, gaz naturel de schiste ou pas dans la vallée du Saint-Laurent, l'apport économique de ces options reste pour le moment fort hypothétique. Les réserves prouvées… ne le sont pas encore ! Mais l'eau qui coule, le vent qui souffle et le soleil qui brille resteront des sources certaines et fiables pour aussi loin que l'on veuille ou puisse le planifier. Ce capital n'est pas à risque !

L'Association de l'aluminium du Canada a d'ailleurs calculé que la vente d'électricité aux alumineries est beaucoup plus profitable à la société québécoise que l'exportation sur les

157. http://www.iris-recherche.qc.ca/publications/oleoduc, p.5.

marchés de cette même électricité, presque trois fois plus, en fait[158].

Dans le même ordre d'idées, Hydro-Québec a proposé au gouvernement du Québec de lui permettre de financer les infrastructures d'électrification des transports, comme les bornes de recharge pour les voitures, les autobus ou encore les trains électriques. Hydro-Québec disposant de moyens financiers importants, il serait beaucoup plus logique de fonctionner de cette façon plutôt que de demander à chaque Municipalité voulant se tourner vers l'électrification des transports d'assumer elle-même ses coûts.

Nous croyons qu'il faut cesser de voir l'électricité, et notamment les surplus, comme un problème dont on doit se débarrasser dans une vente précipitée, mais bien plutôt la considérer comme une occasion de créer des emplois, de réduire notre dépendance au pétrole, de consommer de plus en plus de notre propre énergie et de faire du Québec une société plus prospère.

Une stratégie à long terme : il est plus que temps de s'y mettre !

Une stratégie Biomasse-énergie a été proposée au gouvernement québécois par une série d'intervenants du milieu du bois et de la foresterie, de la Coop Fédérée à l'Association des producteurs de copeaux du Québec en passant par tout le secteur de la production de granules. Le potentiel de production de granules est immense, au moins 300 000 tonnes par an, alors que la production réelle atteint à peine 60 000 tonnes.

---

158. Mémoire déposé par l'Association de l'aluminium du Canada à la Commission sur les enjeux énergétiques— http://ledialoguesurlaluminium.com/blog/enjeux-%C3%A9nerg%C3%A9tiques-lindustrie-de-laluminium-en-p%C3%A9ril-le-monde-a-chang%C3%A9-le-tarif-l-n%E2%80%99est-plus-dans-la-course#sthash.eu9Qv2gJ.dpuf, p. 20.

Les avantages sont nombreux : recyclage de résidus forestiers, baisse des émissions de GES par le remplacement de combustibles fossiles, dynamisation du secteur forestier en mal de renouvellement, création ou maintien d'emplois, diminution des coûts de chauffage, fourniture d'énergie pendant la pointe d'hiver qui diminuerait d'autant la demande d'électricité.

En somme, notre performance énergétique sera toujours ni plus ni moins à la hauteur de notre volonté politique. L'Union européenne a pris le même chemin et mise sur une véritable révolution énergétique au cours des dix prochaines années. Dans la foulée de Copenhague, les engagements de l'Europe sont devenus une réalité, une nouvelle voie.

En France, on dénombre par dizaines les réseaux de chauffage centralisé. Plus de 800 000 logements sont ainsi rejoints, dont plus de 25 % sont chauffés à la biomasse ou à la récupération de résidus divers. On y brûle notamment des résidus forestiers, des chutes de scieries et des palettes en bois récupérées et broyées. Épinal, une ville de 35 000 habitants de la région des Vosges, est dotée d'un réseau de chauffage urbain qui dessert presque le tiers de sa population. À quand une politique pro-biomasse forestière pour le Québec ?

L'occupation du territoire : une assise essentielle

Sans l'avènement d'une politique d'aménagement du territoire, nous continuerons d'improviser, de développer sans vision à long terme et d'introduire *de facto* un gaspillage énergétique avec des infrastructures mises au service d'une erreur de fond. L'étalement urbain, on le constate depuis assez longtemps, n'est pas la solution de rechange à la ville. Occuper des terres fertiles avec des autoroutes et des centres commerciaux entraîne tellement d'effets négatifs qu'on a peine à comprendre qu'on puisse continuer à rogner un territoire de plus en plus éloigné pour étendre le problème. À titre d'exemple, de 1990 à 2007, le parc automobile québécois a augmenté de 15,4 % alors que la population augmentait de 8,8 %. On ne peut pas continuer ainsi à dézoner de bonnes terres agricoles d'une superficie équivalente à l'île de Montréal tous les dix ans!

On constate, par exemple, les coûts prohibitifs de l'extension des transports en commun vers la périphérie. La densité réduite des lotissements hors des centres urbains pose un réel problème de rentabilité pour ces infrastructures. Par ailleurs, on peut difficilement miser sur une mixité des modes de déplacement et des activités devant des quartiers nouveaux presque entièrement démunis de petits commerces ou de lieux de vie commune.

Pour ce qui concerne le reste du territoire, dit des régions, de la ruralité, nous avons affaire à un autre problème. Une décentralisation du pouvoir vers les régions est essentielle, voire critique, pour leur permettre de dynamiser leur coin de pays. L'État doit définir le cadre, la stratégie globale, certes, mais ce sont les pouvoirs régionaux qui doivent choisir et appliquer les options considérées comme les plus viables pour eux. Le dynamisme des régions doit être sollicité et appuyé pour cimenter une acceptation sociale durable de notre stratégie territoriale. Sans un pouvoir local adéquat, on peut difficilement espérer voir survenir la solidarité et l'équité sociale, qui sont le liant qui assurera un développement durable, dans les deux sens du mot!

Une consultation publique sera beaucoup plus facile et ancrée dans la réalité si elle se concentre sur un territoire plus limité en superficie. Dans le cas de consultations plus pointues, il ne faut pas exclure une expertise extérieure, et pourquoi pas, financièrement soutenue par l'État, puisqu'il s'agit du bien commun.

En somme, le tissu social s'est fragilisé et, il ne faut pas se le cacher, le blâme, s'il y en a un, est collectif. Nous accuser les uns les autres ne nous fera pas avancer d'un pas. Il n'y a pas péril en la demeure… mais presque!

Cohérence, cohérence, cohérence

En janvier 2013 le groupe SWITCH, l'alliance pour l'économie verte au Québec, voyait le jour. Ce regroupement d'acteurs de la scène québécoise issus de différents milieux — les groupes écologistes Équiterre et la Fondation David Suzuki, le fonds d'investissement Cycle Capital Management, le Réseau des ingénieurs du Québec, l'Association de l'aluminium du Canada, appuyés entre autres par le Mouvement Desjardins, la CSN et aussi par le gouvernement du Québec —, propose un virage économique et social important.

L'objectif du groupe est le suivant:

> « SWITCH, l'Alliance pour une économie verte au Québec, souhaite accélérer le virage vers une économie verte afin de contribuer à une société québécoise innovante, résiliente, concurrentielle qui réconcilie équité sociale, environnement et qualité de vie. »

Dès le début des travaux, une évidence s'est imposée pour les membres de l'alliance: la nécessité d'une plus grande cohérence dans l'action gouvernementale, notamment en ce qui concerne les politiques publiques. Il faut que la main droite et la main gauche du gouvernement agissent ensemble…

Ainsi, alors que Québec veut mettre de l'avant une nouvelle politique énergétique, un nouveau plan de lutte aux changements climatiques, une nouvelle politique industrielle et un nouveau plan de transport, on constate malheureusement que chacune de ces politiques évolue en silo, sans réelle intégration à une vision d'ensemble.

Le graphique suivant exprime bien la pensée des acteurs de SWITCH, et la nôtre.

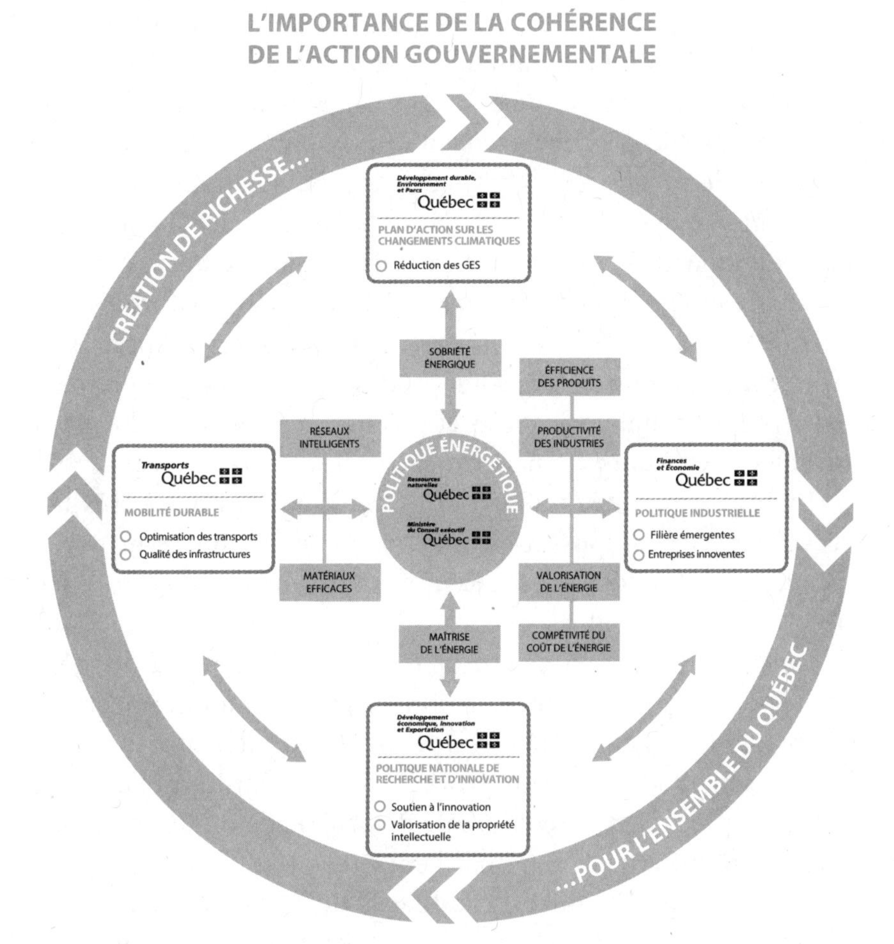

Source : SWITCH, l'alliance pour l'économie verte

L'heure du virage est venue

Imaginez des villes de plus en plus verdoyantes, de grandes places publiques, des rues piétonnes, un réseau de transports en commun qui, loin de reculer par rapport à la voiture, gagne en importance. Que vous soyez au centre-ville ou en banlieue, vous avez maintenant accès à des services de proximité : plus besoin de prendre la voiture pour aller chercher un carton de lait !

Imaginez le centre de l'une de nos grandes villes où le bruit ambiant a été réduit de plusieurs dizaines de décibels, où la qualité de l'air, au lieu de se détériorer, s'améliore d'année en année puisque les véhicules qui y circulent sont de plus en plus propulsés à l'électricité. La nouvelle tendance dans le bâtiment commercial ? Des fenêtres que l'on peut ouvrir, puisque l'on ne craint plus le bruit et la pollution, choses si courantes il n'y pas si longtemps encore.

Imaginez nos résidus agricoles et forestiers transformés en énergie pour chauffer nos maisons, nos écoles et nos hôpitaux, d'où le mazout lourd — ce sous-produit du raffinage du pétrole hyperpolluant que nos enfants et nos malades respiraient auparavant — a été complètement évacué.

Imaginez nos déchets urbains, ceux qui restent après le recyclage et le compostage, transformés en éthanol pour faire fonctionner les véhicules, comme les avions, qui ont encore besoin de carburant.

Imaginez nos camions lourds fonctionnant à partir de méthane produit par nos sites de compostage et d'enfouissement.

Imaginez nos bâtiments (résidentiels, commerciaux et institutionnels) produisant leur propre énergie, réutilisant l'eau de pluie pour les toilettes, équipés de détecteurs de mouvement de façon à optimiser l'utilisation de l'énergie.

Imaginez 12, 13, voire 14 milliards de dollars de plus dans l'économie québécoise, chaque année, résultant du fait que nous n'importons presque plus de pétrole. Cette donnée a changé à elle seule la face économique du Québec, à tel point que la province ne reçoit plus de paiements de transfert du fédéral !

L'exercice auquel ce livre convie le lecteur a pour but de montrer que ce monde est non seulement possible, mais à portée de main. Les solutions existent, que ce soit sur les plans réglementaires, techniques ou technologiques et économiques.

Mais il y a urgence d'agir. D'abord sur ce qui est possible immédiatement, puis en travaillant pour que ce cumul de gestes se traduise par un virage à l'échelle d'une région, d'un État, d'un pays et, ultimement, de la planète.

Il y a de toute évidence un fardeau plus lourd à porter pour les privilégiés que nous sommes. On peut difficilement demander à des pays peu en moyens d'en faire autant que nous ; il s'agirait d'une injustice intergénérationnelle et historique inacceptable. Comme consommateurs, nous devons agir en humains responsables dans notre quotidien.

Soyons cohérents, la planète ne s'en portera que mieux.

En serez-vous ?

Nous en serons…

… pour Morgane, Édouard, Madeleine, Vivianne et Rebecca.

REMERCIEMENTS

Les remerciements viennent toujours à la fin d'un ouvrage et le lecteur y attache trop peu d'importance, ne pouvant mesurer l'importance de l'apport des contributeurs cités. Pourtant, les auteurs ont une gratitude infinie pour ceux et celles qui ont contribué à rendre ce travail pertinent et cohérent, ce qui n'était pas simple.

Les membres de l'équipe de Druide, à commencer par Anne-Marie Villeneuve, ont été d'un soutien indéfectible dès le premier contact. Le travail passionné d'Anne-Marie nous a servi de carburant vert pour mener le projet à terme. Nous tenons à souligner l'extraordinaire travail de révision qui nous a sauvés de bien des bêtises (merci Annie Pronovost et Marie Desjardins) ! S'il en reste, les auteurs en sont les seuls responsables.

Nous remercions Hugo Séguin pour sa relecture hors pair, pour ses commentaires aussi incisifs que constructifs, ainsi que Marie-Ève Roy pour son œil de lynx !

Nous remercions également toute l'équipe d'Équiterre pour son engagement et son dévouement, et plus particulièrement Alizée Cauchon, Anne-Marie Legault et Geneviève Aude Puskas pour leur aide précieuse à la recherche, au contenu et au graphisme.

Enfin, notre gratitude va également à :

Madeleine Gascon et Andrée-Lise Méthot de Cycle Capital Management ;

Marie-Hélène Labrie et Vincent Chornet d'Enerkem;

La docteure Catherine Potvin, titulaire d'enseignement et chercheuse au département de biologie de l'Université McGill (et passionnée des forêts et des changements climatiques);

Le docteur John Stone, professeur associé au département de géographie et des sciences environnementales de l'Université Carleton (et membre actif du Groupe d'experts intergouvernemental sur l'évolution du climat);

Mary Bélanger, Claude-Éric Gagné et Imad Hamad de RER Hydro;

André-Philippe Côté, qui a gentiment offert les droits de reproduction de sa caricature à Équiterre.

Les auteurs tiennent également à remercier les personnes qui ont accepté généreusement de partager leurs points de vue et leurs expériences.

D'autres appuis, plus anonymes, nous ont fourni des renseignements ou nous ont ouvert des portes, appuyant généreusement notre démarche; ils se reconnaîtront…

STEVEN GUILBEAULT

Un autre livre sur l'environnement ?! Alors que certains commentateurs et analystes prétendent une certaine « fatigue à l'égard de ce sujet » ? Comme si les gens ne voulaient plus en entendre parler, comme si tout avait été dit... Et pourtant !

Malgré de vaines négociations internationales, malgré plusieurs pays refusant de participer, et des lobbys (le pétrole !) dépensant des millions de dollars pour affirmer que tout va bien dans le meilleur des mondes, nous sommes de plus en plus nombreux à chercher à faire partie de la solution, et non du problème.

En effet, l'utilisation du transport en commun augmente : les États, Villes et communautés trouvent des solutions pour réduire la dépendance au pétrole, les énergies renouvelables — solaire et éolien — gagnent du terrain, 250 000 personnes marchent dans les rues de Montréal pour le Jour de la Terre, etc.

Les questions environnementales, surtout celle des changements climatiques, demeurent. Plus nous serons renseignés, concernés et mobilisés, plus nous aurons crédibilité et pouvoir pour changer les choses.

François Tanguay ? Le partenaire idéal pour écrire ce livre. Mentor, ami et compagnon d'armes comme on en trouve peu.

::

Steven Guilbeault est membre fondateur et directeur principal d'Équiterre.

Au cours des vingt dernières années, il a travaillé chez Greenpeace Canada et Greenpeace international, a été consultant sénior pour Deloitte et Touche et chroniqueur pour de nombreux médias, dont Radio-Canada, TVA, *La Presse*, *Corporate Knights*, *Voir* ainsi que pour le journal *Métro* (il y est toujours). Il a également coprésidé le Réseau Action Climat international pendant cinq ans.

En 2009, il a fait paraître un premier livre : *Alerte ! Le Québec à l'heure des changements climatiques*.

La même année, il a été nommé membre du prestigieux Cercle des Phénix de l'environnement du Québec, en plus d'être identifié comme l'un des cinquante acteurs mondiaux du développement durable par le magazine français *Le Monde*.

Il est également membre honoraire de la Société géographique royale du Canada. En 2012, l'Université de Montréal lui a remis la Médaille de l'Université pour son parcours professionnel, une distinction rare accordée notamment à Christopher Reeves et Oliver Jones.

FRANÇOIS TANGUAY

À trente ans, si on m'avait dit que je passerais dix années dans un tribunal administratif comme juge, que je consacrerais le reste de ma vie à la protection de l'environnement et que j'écrirais six livres, je serais resté sans mot. Après plus de 40 années à travailler en environnement, pourquoi continuer à écrire sur un sujet si largement couvert ? Tout semble avoir été dit et par tant de gens compétents, alors pourquoi en remettre ? Pourquoi ce livre ? Sans doute parce que, bien au-delà des faits et des statistiques, il y a un profond malaise que, collectivement, nous devons affronter. Je suis très préoccupé par notre lenteur à agir pour mettre fin à la dégradation de nos écosystèmes. Nous avons l'arrogance de nous imaginer plus forts que la nature. Nous avons tort. Nous devons cesser de croire que tout se résume à un prix, que l'économie se replacera, que des jours meilleurs se dessinent à l'horizon. Avec la complicité de mon ami Steven Guilbeault, j'espère avoir nourri une réflexion et ouvert une voie vers des lendemains qui chantent.

: :

François Tanguay œuvre avec conviction en environnement depuis plus de 40 ans. Parmi ses contributions les plus notables, il a été directeur de Greenpeace et responsable de la campagne « Changements climatiques » au Québec de 1992 à 1997. En juin 1997, il a été nommé juge administratif à la Régie de l'énergie, poste qu'il occupe pendant 10 ans.

Nommé président du conseil d'administration de l'Agence québécoise de l'efficacité énergétique en octobre 2007, il quitte ce poste pour la direction de la Coalition Bois Québec en avril 2008, jusqu'en mai 2011. De juillet 2011 à décembre 2013, il siège au Comité d'experts sur l'évaluation environnementale stratégique sur le gaz de schiste du gouvernement du Québec.

Auteur de plusieurs ouvrages sur la construction écologique et de *Manifestement Vert*, un essai sur l'état de la planète, il a régulièrement séjourné en Europe où il a donné des formations et animé de nombreux ateliers de terrain. Spécialisé en stratégies énergétiques et en changements climatiques, François Tanguay conseille régulièrement les décideurs et les élus. Il collabore comme éditorialiste au quotidien *The Record* (Sherbrooke).

Équiterre contribue à bâtir un mouvement de société en incitant citoyens, organisations et gouvernements à faire des choix écologiques, équitables et solidaires.

Par son action, Équiterre porte à l'attention les aspects fondamentaux de la vie. S'alimenter, se transporter, se loger, jardiner et consommer : des besoins vitaux, mais aussi des moyens à la portée de chacun pour agir de façon responsable et changer le monde un geste à la fois.

Ce sont les individus et les collectivités qui façonnent leur milieu. Équiterre propose des solutions concrètes par ses projets d'accompagnement, de sensibilisation et de recherche, afin de protéger la santé et l'environnement, de favoriser l'équité et la solidarité entre les citoyens et les peuples. L'organisation intervient également sur la scène publique et auprès des décideurs pour que les lois, règlements, politiques ou pratiques favorisent une société juste et durable.

Équiterre salue la publication de cet ouvrage — écrit par François Tanguay et Steven Guilbeault, membre fondateur et directeur principal de notre organisation — qui présente les grands constats environnementaux actuels et l'urgence d'agir. À l'instar d'Équiterre, les auteurs invitent chacun et chacune d'entre nous à allier démarche intellectuelle et actions concrètes ; à penser globalement pour agir localement.

ACHEVÉ D'IMPRIMER EN FÉVRIER 2014
SUR LES PRESSES DE MARQUIS IMPRIMEUR,
QUÉBEC, CANADA.

Imprimé sur du papier Enviro 100% postconsommation
traité sans chlore, accrédité ÉcoLogo et fait à partir de biogaz.